新潮文庫

屍鬼

（三）

小野不由美著

新潮社版

6803

っている形跡はなかった。外傷もない。血痕もなかった。全身をくまなくＣＴにかけても内出血は発見できなかったんだ。だから出血ではあり得ない。ならば溶血でなければならないはずだが、クームス試験の結果は陰性。脾臓の腫大もビリルビンやＬＤＨの上昇もなし。そこでおれは溶血の特殊な事例だと考えた。だが、常識では考えられないような特殊な溶血があり得るなら、常識を外れた特殊な出血であってなぜいけない。外傷も内出血もないが、それでも患者は血液を喪失しているんだ。血液が血管外に漏出して、循環血液量が減少している。結果として貧血が起こるが、溶血が起こっているわけでもないし、身体のどこに異常があるわけでもないから、貧血以外の症状は見られない」

「しかし」

「しかし、何だ？　だが、そのうちに血液量の絶対的不足から組織の循環不全が起こり始める。一次性ＭＯＤＳ。さらに血液量は減少する。各種メディエーターが活性化して、生体を侵襲するようになる。ＳＩＲＳが出現。肺が損傷され、消化管出血、イレウス、あるいは腎不全の傾向が現れる。心筋虚血が起こり、心機能は低下、心不全症状を現す。二次性ＭＯＤＳ。――多臓器不全だ」

「敏夫」

「実に教科書的だよ。出血性ショックそのままの症状だ。問題は外傷も血痕も、内出血もない、その一点につきる。失血なら疑った。だからこそ徹底的に内出血を探した。だ

が、内出血はついに見つけられなかった。外出血は考慮しなかった。傷がなかったからだ。しかしながら、患者は無傷だったわけじゃない。あの癤。膿んだ虫さされのような痕。あの、必ず表出血管に近い位置にあった傷から患者の血液は失われたんだ。吸血によって」

「敏夫、それは駄目だ」静信は頭を振った。「どうかしている」

「なぜだ？　ここに症例がある。それは貧血で始まり、医学的な常識では考えられないほど急激に増悪してMOFに至り、患者を死に至らしめる。これは明らかに伝染性を持っているが、該当する伝染病は存在しない。単に既存の伝染病に相当しないだけじゃない、明らかに何かがおかしいんだ。失血か溶血が起こっていなければならないのに、出血もなければ溶血もない。症状は医学的な常識を逸脱している」

「だから――」

「ここで、吸血鬼という非常識な存在を代入すると、この不可解な方程式の解を求めることができる。症状としては綺麗に整合するわけだ。吸血鬼の存在を否定すれば、世界に対するある種の整合性は守られるけれども、非常識な症例が残る。現象としちゃ、どちらも大差はないんだが、さて、お前はどちらを選ぶ？」

静信は返答に窮した。

「それだけじゃない。石田さんは失踪した。しかも一連の経過をまとめた報告書とデー

「どういう――」

「村中に死があふれている。今のところ、どれだけの人間が例のあれに汚染されているのか想像もつかない。それは村を内側から蝕んでいる。だから、包囲されている、と言うのはそぐわないのかもしれないが、だが、おれには村が包囲されているように見える。それがじりじりと狭まっている」

敏夫は軽く言葉を切った。

「調べても調べても、行く先々で壁に突き当たる感じが、おれはしている。出口を探しているのに見当たらない、そういう感じだ。状況はどんどん逼迫してくる。なのに探せば探すほど障害物が増えて、出口が遠のいている感じがするんだよ。だから包囲されている気がする」

その感覚はよく分かったので、静信は頷いた。

「お前、この村で何が起こっているんだと思う？」

「何って」

敏夫はコピーの束から視線を外して顔を上げた。

「おれは、ひょっとしたら病因と感染ルートが分かったんじゃないかという気がする。いろんなことが何もかも整合する答えを見つけたような気がするんだ。失踪者も、転居者も、通勤者が辞めていた訳も含めて」

静信は思わず身を乗り出した。

「本当に？」

「おそらくな。――起き上がりだよ」

静信は一瞬、その言葉を捉えそびれた。

「何？」

「鬼なんだ。吸血鬼だよ」

静信は返すべき言葉を見失った。敏夫は何かの比喩としてその言葉を使っているのだろうか。それとも敏夫一流の冗談だろうか。

どう受け止めたものか困って敏夫の顔を見たが、敏夫は真面目そのものだった。

「貧血に始まる諸症状、それは最終的に多臓器不全に至る。どの患者も顕著なのは、皮膚の蒼白に虚脱、冷汗、脈拍の触知不良、呼吸不全だ。pallor, prostration, perspiration, pulselessness, pulmonary insufficiency――５Ｐ」敏夫は呟いた。「出血性ショックだ」

静信は反射的に頭を振る。

「敏夫――」

言いかけた言葉を、敏夫は遮った。

「それは必ず貧血から始まる。正球性正色素性貧血。造血レベルの問題じゃない。大量の赤血球を喪失しているんだ。この場合、普通は出血か溶血を疑う。だが、出血が起こ

屍鬼（三）

——To 'Salem's Lot

第三部 幽鬼の宮

一

1

唐突に敏夫が静信を訪ねてきたのは、ちょうど夕餉の最中だった。気心の知れた檀家衆がそうするように、庭を廻って茶の間に顔を出すと、脇のほうを指さして「待っているから」と言う。お茶でも、と立ち上がりかけた美和子に笑って、「お構いなく」と手を振った。

「どうしたのかしらね、敏夫くん」

首を傾げる美和子や池辺に曖昧に返事をし、静信は早々に食事を終える。美和子に急須と湯呑み、ポットをもらって自室に戻った。敏夫が示したのは寺務所のほうではなく、静信の自室のほうだったからだ。

部屋に戻ると、縁側に上がり込んだ敏夫がぼんやりと庭を見ていた。開け放した障子から秋めいて冷えた風が通っている。声をかけると振り返り、笑う。

「相変わらず本の他には何もない部屋だな」

敏夫は縁側の掃き出し窓を閉め、部屋に入って障子を閉める。静信は苦笑した。裏庭

に面した六畳二間が静信の自室だが、もう長いこと寝る時にしか使っていない。寝るのも得てして寺務所に近い納戸で仮眠を取って済ますことが多かったから、ほとんど書庫になっていると言っても過言ではなかった。床脇はもちろん、床の間や付け書院にまであふれた本と、畳んで重ねたままの布団、机代わりの炬燵台は処分しそびれた原稿のコピーや校正刷りで埋もれている。

敏夫は書棚にもたれ、手近のコピーを指先でめくった。

「人の住処ってやつは、本人の精神構造をよく示しているもんだと思うがな。察するに、お前の精神は物置化してるんだ。そうでなきゃ、本当に住処を放棄して物置にしちまったんだな」

静信はその膝先、サイズを揃えて積み上げてあった本の上に湯呑みを置いた。

「ほとんど寺務所にいるからな。――どうしたんだ？」

静信が訊くと、敏夫は珍しく口を開くのを躊躇うふうを見せた。

「なあ……お前、この村は死によって包囲されている、と言ってたよな。いや、書いていた、と言うべきか」

「何だ、急に」

「実際、今現在、そういう状態にあるとは思わないか」

静信は眉を顰めた。

夕を持ってだ。その一方で膨大な転居者がいる。突然に深夜、逃げ出すように村を出ている尋常でない様子の転出者たち。小池さんの話を聞く限り、連中は転居以前に発症していたと考えられる。実際のところ、すべての転居者が発症していたと考えたほうが疫病としても整合するんだ。石田さんは引越したわけじゃないが、夜間、唐突に姿を消した点では同じだ。おそらくは転居の一例――それも変則例なんだろうと思う」

「それは……たしかに」と、静信は認めないわけにはいかなかった。

「だが、疾病と転居に何の関係があるって言うんだ？　辞職者にしてもそうだ。この疾病に罹った者は、発症すると不思議に辞職したくなるものらしい。しかしながら、罹患者を転居させ、辞職させるような疾病なんか、あるはずがないじゃないか。病原体が感染者に命じるのか？　転居しろ、辞職しろと？」敏夫は言って低く笑ってから、ふいに表情を引き締めた。「――あるはずがない。病原体に意思はないんだ。だが、意思を持つ病原体があったとしたら？　汚染の本体そのもの、疾病の元凶そのものが意思を持ち、罹患者を支配していたとしたら？」

静信は返答することができなかった。そんなものは、あり得ない。言えて当然の言葉がどうしても喉を越さなかった。

「それは山入に始まった。村に侵入し、汚染は拡大し、こうしている間にも被害は広がっている。それは貧血を引き起こす。病状は夜に悪化する。それは意思を持ち、石田さ

んの例を見ても分かるように、恣意的に犠牲者を選ぶ。それは罹患者の行動を規制し支配することができる。——吸血鬼だ。他にどう考えればいいんだ?」

静信は無言でただ首だけを横に振った。反駁しようにも、言葉が見つからなかった。口にすることができるとしたら「そんなものが存在するはずはない」という言葉だけで、それが信念の表明にすぎないことは、「はずがない」という言葉自身が露呈している。

敏夫は軽く息を吐いた。そもそも賛同を期待していなかったのか、特に静信を咎めるような表情は見せなかった。

「安森の奥さんに入院してもらうことにした。おれはしばらく不寝番をするつもりだが、できれば交代要員がほしい」

静信は迷った末に頷いた。敏夫を信じることにした、というわけではない。信じる信じない以前に、それはあまりにも荒唐無稽でついていけない、というのが正直なところだった。ただ、節子が発症したのなら、入院させるのは悪いことではないだろうと思えた。入院させる以上、容態が急変したときのために宿直は必要だろう。それでなくても激務の続いている敏夫一人の手には余るだろうことは理解できた。

「……分かった」

敏夫は肩の荷を下ろしたように再び息を吐き、ふと思いついたように言った。

「お前、明日にでも溝辺に行ってくれないか」

「溝辺町に？　何をしに」

「資料になるものがほしいんだ。なにしろ相手が相手だから、医学書じゃあ、なんの参考にもならん。かといって、いつも通り田代書店に頼むわけにもいかんだろう」

静信は微かな悪心を感じた。

「吸血鬼に関する……資料？」

そうだ、と怪訝そうにした敏夫に、静信は苦いものを呑み下す。

「それなら、ある……ここに」

「え？」

なんという符合だろう。それとも、これにも何かの意味があるのだろうか。

「書いていたんだ。だから」静信は背筋が粟立つのを自覚した。「起き上がりの話なんだ。……『屍鬼』という」

2

「こんちは」

夏野が縁側から声をかけると、居間でじっとテレビを見ていた葵が振り返った。台所のほうでは、葵の母親が夕飯の片付けものをする音がしている。

「保っちゃんは？」

「上だと思うけど。――あんた、正雄くんのお通夜に行った？」

「いや」と、夏野は答えた。夕方、保から電話をもらったけれども、あえて通夜には行かなかった。「おれが弔問に行っても、正雄は嬉しかねえだろ。嫌がらせだよ、むしろ」

「冷たいんだから……」

かもな、とだけ言って、夏野は勝手に上がり込む。階段のほうへ向かう途中、静子が台所から顔を出した。

「あら、夏野くん」

「お邪魔しまぁす」

声だけを残して、保の部屋に向かう。保はベッドに寝転がっていた。妙に煩いロックが流れている。

「――よう」

「ビデオ、見せて」

夏野が言うと、保は起きあがって呆れた顔をする。

「お前、おれんちを何だと思ってんだよ」

「避難所」

夏野はそれを実は、本音として言ったのだが、もちろん保がそうと気づくはずもなか

った。

「何だ、親父さんと喧嘩でもしたんか？」

「慰めに来てやったんだろ。今晩、泊めてくれよな」

「慰めに来たって態度か、それが」

保は深い息を吐いたが、夏野の返答はない。澄ました顔で笑っただけだった。

「んで？——ビデオって何？　まさか、慰安ビデオとか言わねえだろうな」

「そういう冗句が言えるようなら、慰めなんていらねえんじゃねーの」

夏野は笑う。保はその側に屈み込み、夏野が紙袋の中から引っぱり出したレンタルビデオのタイトルを検めた。

「何だよ、これ」保は呆れた。「不祝儀があったばっかりの家に、ホラービデオをわざわざ借りて持ってくるか？」

「コメディなら良かったんか？」

保は顔を蹙め、夏野を小突いた。実際のところ、コメディを見ても笑える気はしなかったし、愛と涙の感動巨編など考えただけでも吐き気がする。一緒にビデオを見る気にはそもそもなれない。それを思うと、何だろうと一緒か、という気もした。ともかくも、誰かがいてくれるのはありがたい。とりあえず気が紛れるから。

何かを頭に流し込んでいないと、たまらない。死んだ兄、死んだ——正雄。

徹の通夜での気まずい諍(いさか)いを、とうとう解くことができないままになった。おまけに、と保は思う。正雄の兄の宗貴(むねたか)は、博巳(ひろみ)の通夜に出てこない正雄を悪(あ)し様(ざま)に言っていた。不調を訴えていたのを、仮病だと思ったようだった。実を言えば保もそう思った。きっと例によって拗(す)ねているんだろう、と。だが、正雄は本当に具合が悪かったのだ――徹(とおる)と同じく。

今になってみると、正雄が不憫(ふびん)に思えた。なにもあんなに寄って集(たか)って冷たくあしらうことはなかったのに、という気がしてならない。それでなくても徹の死が胸に重い。正雄の死はいっそう心に重かった。

何かで頭をいっぱいにしておかないと、悔いで胸が悪くなる。だから今は夏野の存在がありがたかった。

その夏野は、保が気乗りしなさそうにビデオのタイトルを検めるのを興味深く見た。吸血鬼もの、ゾンビもの。保はそれにどう反応するだろうか、と思ったが、なんの反応も示さなかった。――ならば、別にそれでいい。

「おれ、勝手に見てるから、構わないでいいし」

夏野が言うと、保は呆れたように嘆息した。

「お前って、本っ当に好き勝手に生きてるな。一人で見るんなら手前(てめえ)んちで見ろ、っての」

「おれんち、部屋にテレビねえんだもん」

「父ちゃん母ちゃんと見ろよ」

「御冗談」

「お前、飯は？」

「食ってない。けど、気にしなくていいよ。小母さんには食ったたって言っといて」

「気ぃ遣うじゃないか、一人前に」

保は笑って部屋を出て行った。階下に降り、静子に声をかけるのが聞こえた。

夏野は軽く息を吐く。

それが何なのか、夏野にも分からない。吸血鬼なのか、ゾンビなのか。「起き上がり」、そう呼ぶのが最もふさわしい気がした。「吸血鬼」と呼べるほどロマンティックではない。窓の外に死んだはずの恵がいる、という想像は、もっと殺伐とした印象を与えた。同時に、ゾンビと呼ぶほど禍々しくもない。これはもっと散文的なことだ。そういう気がする。墓から起き上がった死体、それが死を媒介する、——そう考えたほうがしっくりきた。

窓の外にいたのは恵だ。死んで埋葬されたのに、起き上がってきた。村で続く死、そこにはおそらく起き上がってきた連中が関係している。それは伝染するのかもしれない。起き上がりに襲われて死ねば、その死体もまた起き上がる。

死の連鎖。どこかでそれを止めなければならない。少なくとも、そうしなければ近いうちに夏野自身が死ぬ破目になるのだろう。実際、この三日、無事でいられたのが不思議なくらいだ。今夜はとりあえず、こうして保の家に転がり込んでやり過ごすことができるとしても、これもいつまでも続けられない。自分の身を守るためには手を打つ必要があったし、そうでなくても、誰かがこの連鎖を断ち切らなければならなかった。

（保っちゃんは無反応だった）

吸血鬼やゾンビという表象に、なんの反応も見せなかった。保はまったく疑っていないのだ。一連の死を異常だとは思っていない。そんな保に、窓辺を訪れる誰かのことや、夏野が何を考えているかを言ったところで真面目（まじめ）に聞いてはもらえないだろう。そもそも――と、夏野は思う。誰か一人でも真面目に耳を貸してくれる人間がいるのだろうか？

（いるわけ、ない……）

自分だって窓の外の監視者がなければ、とても真面目に受け止める気にはなれなかったろう。

誰かに救援を求めることはできない。協力を求めることも。誰も夏野を保護してはくれないだろうし、脅威を取り除いてもくれないだろう。夏野の代わりに行動してくれる者はいない。そしておそらく、たとえ半信半疑、冗談半分にせよ、手を貸してくれる者

もいない。信じてなんかいないくせに、面白がって茶化し半分に付き合ってくれる――そういう人間がいるとしたら、徹しか思い浮かばなかった。

そう思って、夏野は鋭利な痛みに似たものが胸郭を貫くのを感じた。徹がいたら自分は言ったかもしれない。信じてもらえないことは承知のうえで。そうすれば徹は例によって兄貴ぶった顔して、年端(としは)もいかない弟の馬鹿(ばか)に付き合うような顔をして、それでも手を貸してくれたのに違いない。だが――徹はいない。おそらくは連中に奪い取られてしまった。だから夏野は、一人でこれに立ち向かわねばならない。

徹の喪失が身に滲(し)みた。もう、どこにもいないのだ、という思い。思うと同時に、何か恐ろしい予感のようなものを感じた。

(びびってるのか、おれ)

そうかもしれない。連中が徹に何かをしたのだ、と考えることも、だから徹はもういないのだ、と考えることも、ひどく恐ろしいものを孕(はら)んでいるような気がして、じっと正視していることができなかった。

肝要なのは、自分が一人だということだ。援助は期待できない。夏野自身の手でどうにかしなくてはならない。けれども実際、どうすればいいのか、夏野には分からなかった。誰もこういう場合、どうすればいいのか教えてはくれない。「起き上がり」とは何で、どう対処すればいいのか、さっぱり分からなかった。

分かっているのは、これがとてつもなく異常なことだ、ということだった。そして直感として、村に起こっているすべての異常は、これに関連しているのだという気がした。異常にも色合いがあるとすれば、死も、転居も、何もかもが同じ色合いをしている。

——そしてもうひとつ。

夏野は適当なビデオを保のデッキにセットして、窓のほうに目をやった。同じ色合いをしているものがもうひとつある。それがあの兼正の地所に移築された家だ。

少なくともあの家が——住人が、ではなく——村に登場してからだ、異常なことが起こるようになったのは。

死の感染。どこかに起点があるはずだ。だとしたら、それはあの家だとしか思えなかった。住人は滅多に村に姿を現さず、たまに現れれば夜に限られている。

恵を墓穴の中に戻すだけでは完全とは言えない。本当に安全を——正常な状態を取り戻そうと思うなら、あの連中をも、なんとかしなければ。

それは想像するだに自分の手に余ることだという気がしたが、夏野には退路がない。大人がどうにかしてくれると思うほど、夏野はおめでたくはなかった。

3

山道には夜の帳が降りていた。昭はあちこちにできた闇に首を竦めながら、それでも立ち去る踏ん切りがつかず、林の中に身を潜めたまま桐敷家のほうを窺っていた。古い石造の建物には明かりが点っている。いかにも明るく照らされた室内を見ると、暗闇に潜んでいる自分のほうが、良からぬ振る舞いをしている気がした。

(けど、あいつらが何かしてるんだ)

それについては確信がある。なんの根拠もないけれども、昭の直感が間違いないと言っている。そう思って、事あるごとに監視しているのに、兼正の連中は尻尾を出さない。怪しい人影や振る舞いはおろか、そもそも家の近辺や窓辺に住人の姿を見ることすらなかった。——それがいっそう、怪しいと思う。

まるで意図的に身を潜めているようだ。そして、おそらくはそういうことなのだろう。連中は何かを企んでいる。だからああも周到に姿を隠し、滅多なことでは村人の前に現れまいとするのに違いない。

確信だけはあったのに、なんの変化もなくて、昭がだんだん馬鹿馬鹿しくなっているのも事実だった。別に疑いを解いたわけでもないし、こうして見張っていることを子供じみた振る舞いだとも思わないが、こうも何も起こらないと、連中はもう何もする気がないのじゃないかという気がする。あるいは、自分では駄目なのかも。連中の尻尾を捕まえて、連中をやっつけるのは、昭ではない誰かの役まわりで、昭はお呼びじゃないの

かもしれない。

「ちぇ……」

昭は呟き、草叢の中で体勢を変えた。拗ねたように桐敷家に背を向ける。見張ると言っても学校から帰って夕飯までのわずかの間だけ、今日のように口煩い母親がいないときには夕飯のあとにも出かけることができたが、その頻度は決して高くなかった。一日中——朝から深夜まで、見張っているわけにはいかない。連中をやっつけるのは昭ではなく、一晩中でも張り込みをしてられる誰かなのじゃないかという疑いが濃厚だった。

昭は腕時計に目をやる。戻らないと母親が帰ってきてしまう。昭自身は一晩中ここにいて、張り込みを続けてもいい。けれどもそんなこと、親が許してくれるとも思えなかったし、第一、昭自身、いくら何でも一晩中ここで張り込んでいるのは退屈だろうな、という気がする。何かが起こるというのならともかく、空振りになる可能性が高いとあっては、親に叱られることを覚悟でここに居据わる意味など、ありそうになかった。

帰ろうかどうしようか、迷っているとき、斜面の下のほうで物音がした。昭はとっさに身を縮める。真っ先に思い浮かんだのは野犬のことだったが、それは明らかに人の歩く音だった。大股に斜面を登ってくる誰かが下生えを掻き分ける音。

鼓動が鳴った。ひょっとしたらすごいことが起こるかもしれない、と思った。身を縮め、できるだけ身動きをしないよう息を殺しながら窺っていると、やがて木立の向こう、

もうすっかり藍色に染まった中を黒い人影が登ってくるのがかろうじて見えた。顔は見えなかったし、特徴も分からない。分かったのは、それが大人で、たぶん男だということだけだった。

男は斜面を登る。しっかりした足取りで、しかも傾斜のわりに速かった。足音は明瞭なのに、不思議に息づかいは聞こえない。麓から下生えを掻き分けつつ斜面を登ってきたのだとしたら、息が弾んでいて当然なのに。

よほど体力のある奴だ、と昭は思った。それは、乱暴で破壊的な奴だというイメージと難なく結びついた。

見つかったら酷い目に遭うかもしれない、昭は半ば恐ろしく、半ばわくわくする気分で斜面を登る人影を目で追った。男は傾斜など気にした様子もなく、着実な足取りで斜面を登りきり、林から出た。

いつの間にか月が昇っていた。そうなのだろうと思う。林から出た人影が乏しい明かりに照らし出された。やはり男で、がっしりとした背中を持っていた。

男は足を止め、すぐさま桐敷家の門へと向かって歩き出す。周囲を窺うようにしながら、通用門に近づいた。

（誰もいないか確かめてる……）

いよいよ怪しい、と思う。あいつが誰だか分からないが、少なくとも出入りするとこ

ろを見られたくないのだろう。何か後ろ暗いことがあるからに違いない。

男はチャイムを押した。インターフォンに何事かを言って待つ間も、さかんに左右を見渡している。何度も足を踏み替える。早く中に入りたいと苛立っているのが分かった。

昭はわずかに身を乗り出した。なんとかして顔を確かめる方法はないだろうか。

塀の中で足音がした。かちりと錠を外すような音がして、通用門が開いた。中と外で何かを言っているのは聞こえたが、内容までは聞こえない。昭がさらに身を乗り出したとき、背を向けていた男が振り返った。

昭はぎょっとしてその場に凍りついた。見つかったのだと思った。振り返った男の顔は翳っている。特に目許はまったく見えなかった。視線がどこに向かっているかは分からないが、少なくとも昭のそれとは交わらなかったと思う。凍りついたのが幸いしたのかもしれない。男は背後を一瞥しただけで、通用門の中に消えていった。

昭はしばらく息を殺し、よほど経ってから息を吐いた。そろそろと隠れ家を抜け出す。足も手も痺れていた。

(すげえ……)

何だか分からないが、すごいものを目撃したような気がする。周囲の目を忍ぶようにして桐敷家に入っていった怪しい男。これはひょっとしたら、重大な手がかりかもしれない。

林の中、音を立てないように遠ざかりながら、昭は男の後ろ姿を反芻(はんすう)した。頭の形、髪型、がっしりした首から肩の線、白っぽいシャツと、黒っぽいズボン。身を屈(かが)めてインターフォンに囁(ささや)きかけた姿勢、それから、背後を振り返った顔つき。

道に沿って林を下りながら、昭はちょっと首を傾(かし)げた。どこかで見た顔だ、という気がしたからだ。なにしろ暗かったし、顔は翳って表情も定かではない。だから漠然とした印象でしかないのだけれども、昭はたしかにどこかであの男を見たことがある。それも、何度も。——そう、よく知っている顔だ。おそらくは。

ちょっと背後を振り返り、充分桐敷家が遠ざかったのを見て取って、昭は道路に出た。足早に坂を下る。

誰だったろう。よく知っている顔だ。少なくとも桐敷家の人間ではない。村の者で、それも昭が何度も顔を合わせているような奴。

記憶を探り、はた、と昭は足を止めた。坂の下、曲がり角は目の前だった。付近の路上には誰もいない。近くの家の窓には明かりが点っていたけれども、光は昭まで届かない。道の両側の林の下はすでに真っ暗で、昭は坂の途中で孤立していた。

足許から震えが立ち昇ってきた。今になって鼓動が跳ね上がる。

確信はない。——でも。

（……似てる）

それも、すごく。あまりに斜面を登ってくる足取りが軽々と逞しく、それとその人物のどこか気弱な雰囲気とがそぐわなかったので結びつくのに時間がかかった。けれども思い返してみると、振り返った顔立ちは、昭と親しかったある人物にひどく似ている。

（……でも）

昭は前方の曲がり角を凝視した。角にある家を見つめ、明るい窓を睨み据えたが、昭の全身全霊は背後に向いていた。耳も鼻も皮膚も——本当は目でさえ、背後をなんとか把握しようとしている。自分の後ろに誰かいないか。誰かが——あの人物がつけてきてはいないか。周囲の林の中には誰もいないか。さっきまで昭がそうしていたように、身を潜めてはいないだろうか。

昭は全身の神経を使って背後を探りながら、足許から下の道までの距離を探った。必死で駆けて、あそこまで何秒かかるだろう。林の中に潜んだ誰かが——あるいは、そっと気配を殺してつけてきた誰かが、駆け出した昭を捕らえるのには何秒かかるだろう。

振り返って——あるいは周囲をよくよく見て確認するのは、恐ろしすぎてできなかった。昭は逡巡した末、目を瞑って一息に地面を蹴った。ジャンプするように最初の一歩、それから全速力で坂を駆け下る。

息をするのも忘れ、坂の下で交わる道に飛び下りるように駆けつけて、そしてやっと背後を振り返った。坂のどこにも誰の姿もなかったし、林の中を迫ってくる物音もなか

った。

昭は息をつき、そして身を翻した。全速力で家へと駆け戻った。

家の明かりが見えたとき、昭は安堵のあまり泣きそうになった。後ろも見ず玄関に飛び込んで、緊張から解放された反動で飛び跳ねながら茶の間に駆け込む。

中に入ってみると、外出していた母親はすでに戻っていた。咎めるような目で昭を見た。

「何をしてたの。今、何時だと思ってるの」

母親が目を剝いたが、昭にはどうでもいいことだった。駆け戻ってくる間にも、これからどうしよう、という思いばかりが空まわりしている。

――そう、かおりだけには教えてやろう。自分一人では持て余す。だからと言って、親に言えるはずもなかったし、友達も論外だ。誰も昭の言うことなど、信じてはくれないだろう。

かおりなら説得できる、という気がした。これは、かおりにも関係のあることだ。恵に関係のあることだから。

それで昭は、かおりを引っぱって二階に駆け上がった。母親の小言など、今日は真面目に聞く気になれない。

「かおり、来いってば」

「だから、何なの？」

「いいから」

かおりを部屋に引きずり込んで、母親がついてきてないのを確かめて襖をぴったり閉めた。それでも大事を取って、かおりを部屋の隅に坐らせる。

「どうしたのよ」

「かおり、おれ、大変なものを見た」

かおりは首を傾げた。昭の様子は明らかにおかしかった。ひどく興奮していて、なのに真っ青なのだ。震えてもいる。しかも自分でそれに気づいていないようだった。

「あんた——大丈夫なの？」

「おれは大丈夫。でも、怖かった」

口で言う以上に、昭は切羽詰まって見えた。

「具合でも悪いんじゃないの」

「そんなんじゃない。大変なものを見たんだよ」

「見たって？」

「おれ、兼正を張ってたんだ。あいつら、絶対に怪しいと思って。そしたら男が斜面を登ってきたんだ。誰だったと思う？」

かおりは首を傾げる。そのかおりの腕を、昭は痛いほどの力で掴(つか)んだ。やはり手は、小刻みに震えている。

「――康幸(やすゆき)兄ちゃんだった」

かおりは、ぽかんとした。

「何て言ったの？」

「大塚(おおつか)製材の康幸兄ちゃんだよ。絶対に間違いない。兼正の中に入っていったんだ。こそこそ周囲を窺って」

「馬鹿なこと言わないで」

「本当だって。おれ、見たんだ」

「似た人と見間違えたのよ」

「違う。そりゃ、はっきり顔を見たわけじゃないけど、絶対にそうだったんだ」

「やめてよ！」かおりは昭の手を振り解(ほど)いた。

「そんなの、やだ。馬鹿な作り話、しないでよ！」

「かおり」

階下から、母親が何か怒鳴るのが聞こえた。それで、かおりも昭も、慌(あわ)てて口を噤(つぐ)んだ。しばらく身を縮め、母親がそれきり黙ったのを確認する。

「かおり……本当なんだ。おれ、本当に見たんだよ。絶対に康幸兄ちゃんだった」

かおりは、真っ青になった昭の顔をまじまじと見る。

「だって、康幸兄さんは……」

昭は頷いた。

「死んだ」

かおりは身を竦めた。

「だったら、康幸兄さんのはずないじゃない」

「でも、そうだったんだ。康幸兄ちゃん、起き上がったんだよ。……鬼だ、かおり」

「そんなの信じられない」

「でも、そういうことなんだよ。あいつら、鬼なんだ」

あいつら、と、かおりは復唱した。昭は頷く。青い顔に、目ばかりが異様に輝いて見えた。

「兼正の連中。恵、坂を登っていったんだろう？　そして死んだ。連中にやられたんだ。康幸兄ちゃんも。だから起き上がったんだ」

そんな、と否定しかけて、かおりは口を押さえた。恵は坂を登っていった――そして、大塚康幸は材木置き場にいた。桐敷千鶴と。照れたような、含羞んだような笑み。あれが、かおりの見た最後の笑顔になった。

「そんな……」

「絶対に嘘じゃないって。なあ、おれと一緒に行こう」

かおりは跳び上がった。

「行く、って。どこへ」

「兼正だよ。今から行って見張ってたら、康幸兄ちゃんが出てくるの、見られるかもしれない。そしたら、かおりにだって間違いなく分かるだろ」

「やだ……いや」

「なんで」

「もう遅いし。──そう、こんな時間なんだから、お母さんが出してくれないもん」

「だから抜け出して」

「駄目よ！」

「かおり、信じてくれよ」

かおりは首を振った。

「信じる。信じてあげてもいいわ。でも、だったら余計にこんな時間に行くなんて駄目。そんな危ないことできない」

昭は言葉に窮したように黙った。

「怖いわ。……駄目。できない。あんたも行っちゃ駄目。ね？」

昭は頷いた。顔色はさらに白かった。

「でも……だったら、どうするんだよ。このままほっとくのか？　あいつら、こうしてる間も誰かを襲ってるのかもしれないじゃないか。そしたらその誰かも鬼になって起き上がって、どんどん鬼が増えていったら、おれたち、どうなるんだ？」

「……でも」

「こんなの、大人に言っても信じてくれないよ。おれのほうがおかしくなったと思われちまう。かおりにしか言えない。大人は分かってないんだ。でもってこの先も分からない。そしたら、おれたち……」

「でも、あたしたちにだって、どうにもできないじゃない」

「そんなことないよ。なんとかできるはずだよ。——なんとかしなきゃ」

「でもね」

「とにかく来てくれよ。明日でもいい。明るいうちにさ。そしたら怖くないだろ？　かおりにも確かめてほしいんだ。一緒に偵察に行こう。このままにしておけないよ」

「……でも」

「頼むよ、姉ちゃん」

かおりは迷い、頷いた。うっすらと涙を浮かべている昭の白い顔を見ると、そうするしかなかった。

4

静信は敏夫とともに、病院の二階にあるナースステーションに陣取った。しばらく使われていなかったのに、荒廃の色はどこにもない。ここならいちおう仮眠スペースがあり、術後の患者が収容される回復室とはドア一枚で仕切られている。

その回復室に安森節子は収容されていた。つい先ほどまで、夫の徳次郎が見舞いに来ていたが、その徳次郎も帰って、節子は穏やかに眠っているようだった。回復室のドアには大きく切ったガラス窓が設けられているが、内側には古風な布製の衝立を置いてあるので節子の姿は見えない。その姿はスタンドの投げかける暗い光で、衝立に映った朧な影絵として見えるばかりだった。

「訃報は必ず明け方に来る……」

呟くように言った敏夫は、ナースステーションの椅子に腰を据え、静信の私室から持ち込んできた本を開いている。とりあえずページをめくっていたが、活字を目で追っているふうではなかった。

「もちろん例外もあるが、容態が急変するのは必ず夜だった、という言い方はできる。この患者は夜に、がくんと悪くなるんだ。容態を悪化させるような何かが、夜に起こっ

ている」

静信は息を吐いたが、口は挟まなかった。敏夫が何を想定しているのかは分かるが、それはあまりに現実感を欠いている。ともかくも、こうして見張っていれば敏夫も気が済むだろう、という気がした。節子の容態が悪化すれば、それが非現実的な何かのせいではなく、もっと常識に即した何かが原因だと分かるだろうし、それが明らかになるのは患者にとって悪いことではない。

もしも——と、静信は微かに困惑した。

(もしも悪くならなかったら……)

このまま何事もなく、節子の容態も悪化することがなかったら。それでは敏夫の荒唐無稽な夢想を断ち切ることはできないが、患者にとって、悪化する機序が明らかになるよりも有益であるのは間違いない。

「連中、病院にまで来ると思うか?」

敏夫に問われて、静信は苦笑し、頭を振った。節子を夜間に訪ねてくるような何かがいるはずはない、という意味だったが、敏夫は別の意味に受け取ったようだった。

「——だよな。おれは昼間のうちに節子さんを入院させた。連中が千里眼でも備えてない限り、節子さんが家からここに移動したことなんて分かるはずがない」

言って、敏夫はちらりと静信を見る。

「まったく信じてないって顔をしてるぜ」

「信じろ、と言うほうが無理だろう」

静信は苦笑した。心外そうに「いいか」と言いかけた敏夫を制す。

「敏夫の言い分は理解してる。明らかに伝染していると思われる疾病があって、この病気は医学的に妙なところがある、と言うわけだろう？　非常識な存在を想定すれば、病気としての整合性は得られるが、世界に対する整合性は失われる。世界に対する整合性を優先すれば病気としての整合性が失われる。それだって畢竟、世界に対する整合性が失われるということなんだ。——言っていることは分かる。けれども、ぼくは門外漢だから。この病気がどう妙なのか、どれだけ妙なのかピンと来ない。吸血鬼なんていう荒唐無稽な存在に縋らないと説明がつかないほど、妙な現象には見えないんだ」

敏夫は静信に指を突きつける。

「そうとも、お前は門外漢なんだ。そしておれはこれでもいちおう医者なんだがな？　その医者であるおれが妙だと言っている。それじゃあ信用できないか？」

静信は苦笑して首を振る。

「権威の保証を鵜呑みにできるほど純真じゃないよ」

「まったく」と、敏夫は小さく舌打ちをする。「そりゃあ、おれは御覧の通り、うだつのあがらない町医者だ。研究者じゃないし血液疾患の専門家でもない。だから分からな

いことだってある。だが、分からないことと、解が存在し得ないことは同義じゃない」——言って敏夫はマグカップを突きつける。静信はそれを受け取って、敏夫の部屋から持ち出してきたコーヒーメーカーからコーヒーを注ぎ、突き返した。

「解が存在しないのか？　本当に？」

「すべての可能性が消去されることを、他に何て言えばいいんだ？」

「本当にすべてと言い切れるのか？」

「おれをとことん無能だと思っているらしいな」

静信は溜息（ためいき）をついた。

「分かった。これは明らかに異常なんだな？　そして伝染する。貧血に始まって——」

言いかけて、静信は首を傾（かし）げた。「普通、吸血鬼に襲われた場合、死因は失血死なんじゃないのか？」

「ホラー映画の中じゃあな。よく全身の血液が一滴残らず失われていた、とか言うわけだが。——けれども、現実問題として考えるとどうだろうな」敏夫はマグカップに口をつけて、「吸血鬼ってのは、そもそも何だろう？　亡霊のように形を持たない連中なのか、それともまがりなりにも形を持っているのか。村の伝承で言う『鬼』は、起き上がった死体のことだ。とすると、吸血鬼の身体（からだ）ってのは、構造的には人間とさほどの違いはないということになる」

「ああ」

「人間の全血液量は、一説には体重のほぼ八パーセントだ。体重が七〇キロの成人男子の場合、全血液量は約五六〇〇ミリリットルだとされる。別の説では一キロ当たり七〇ミリリットルで算出する。この場合は四九〇〇ミリリットルということになる。約五リットルと言えば簡単そうだが、一リットルパック五本ぶんだぞ？　それだけの分量を一気に吸飲できるもんかね。ちなみに、ひどい胃拡張の患者でも胃の容量は最大四リットルってとこだが」

そう、と静信は呟く。たしかに、全身の血液が一滴残らず失われていた、という俗説はあまり実際的とも思えなかった。

「しかし失血死は、必ずしもすべての血液が失われた場合にのみ起こるわけじゃないだろう？」

「もちろん違う。どの程度出血すると死亡するか、これも確実なことは言えないが、一般に循環血液量の五〇パーセント以上が失われると心停止に至るとされている。全血液量を五リットルと考えると、二・五リットルだ。半分とは言え、たいそうな量だぞ」

「……たしかに」

「これまでの症例から考えると、連中は犠牲者を一気にやっつけてるわけじゃない。循環血液量の二〇パーセントを失うと人はショック症状を呈するようになるが、例の疫病(えきびよう)

には貧血が出ているだけの期間がある。血液量が五リットルの場合なら、二〇パーセントと言えば一リットルだ。一気に一リットルということはない。せいぜいが五〇〇ミリリットル、あるいはそれ以下——」敏夫はちょっと皮肉気に笑ってマグカップを翳(かざ)す。「こいつに二杯程度のお食事、というわけだ」

静信は苦いものを呑み下した。カップに二杯ぶんの血液、というイメージは、妙に生々しくて嫌悪感(けんおかん)を誘った。

「仮に一回の吸血量がその程度だとするなら、単純計算で二度目の襲撃で軽症ショックに陥る。五度目の襲撃で心停止に至る、ってことだな」

「数度……」

「悪くない。実際には、それほど単純じゃないだろうが。——初回襲撃の直後では、喪失した血液を補おうとして、血管外から血管内へと赤血球や機能的細胞外液の移動が起こる。骨髄では血球が作られて失われた血球を補おうとする。生体には出血に対する予備能力があるんだ。血液は希釈されるし、急拵(ごしら)えの赤血球は幼若なまま放出されるから酸素運搬能の低い網赤血球が増える。だから貧血傾向が現れるわけだが、とりあえず身体は踏み留まろうとする。襲撃がこれきりなら、おそらく犠牲者は死亡には至らない」

「だが、襲撃が続く……?」

「続くんだ。二度目、三度目と続くと、生体の予備能力を超える。血液量の絶対的な不

足から循環不全が起こり始める。ある程度を越えると、本格的に酸素不足の状態になる。細胞は悲鳴を上げる。救済のためのメディエーターが活性化される。このために血管浸透性は亢進して、血管から細胞間質へと水分が漏出するようになる。ただでさえ少ない血液量はさらに不足することになるんだ。水分が減ることで血液は濃縮され、一見して貧血は軽減したように見えるが、活性化された白血球は血管に付着しやすくなる。好中球は遊走を始め、細胞を手当たり次第に食い荒らすようになる。生体を守るための防衛機構がパニックを起こして、当たるを幸いに迎撃システムを作動させた結果、自らを傷害し始めるんだ。こうなるともう、転がるように悪くなる一方だ。いったん喫水線を越えてしまえば、それ以上の襲撃がなくても生体は自滅する」

「ある程度までは、防衛機構のおかげで被害は遅滞し、ある程度を越えると、防衛機構によって被害が加速される……」

「そういうことだな。遅滞と加速と、プラス・マイナス・ゼロで、やはり数回の襲撃でアウトだ。発症してから数日以内。……帳尻は合う」

静信は無言で頭を振った。それに構わず敏夫は続ける。

「防衛機構が暴走し始めたとき、そもそも身体のどこかに不具合があれば、そこが真っ先に陥落する。勝負はそれだけ早くなる。あとは運次第だ。いずれにしても辿り着く先は決まってる。――MOF」

「納得できない」

静信が言うと、敏夫は心外そうに眉を上げた。

「なぜ？」

「帳尻が合うことは認める。だが、数回の襲撃の間、なぜ犠牲者は黙っているんだ？　それも襲撃の末期ならともかく、当初には貧血傾向の他に、さほどの被害があるわけじゃない。死んだはずの誰かが来て自分を襲ったというのに、なぜそれを訴えないんだ」

敏夫は渋面を作った。

「そこを指摘されると痛いな。だが、言えない──というより、言わせない何かがあるんだろう。発症した患者に顕著なのは、貧血傾向と感情の鈍麻なんだ。コミュニケーションを取ることが非常に困難になる。今から思うと、意識の混濁が起こるのが早すぎる。もっと深刻なショック状態に陥っているのならともかく、たかだか貧血であそこまで意識レベルが低下するのはおかしい。連中が何かしているんだ。そうとしか考えられん」

「しかし──」

「ある種の昆虫がそうであるように、吸血の際に麻薬のような物質を注入するのかもしれない。そうでなくても、連中は犠牲者を自分の意に添わせて動かすことができる。できるのでなければおかしいんだ。犠牲者のうち、村外に通勤する者は例外なく死の直前に辞職している。間違いなく本人が辞職しているんだが、なんだってそんなことをした

んだ？　本人の意思とも思えない。もちろん連中がそうさせているんだ」

静信は沈黙した。古典的な吸血鬼像にそういうものがあったか。襲撃された犠牲者は、吸血鬼の意のままになる。呼ばれれば窓辺に向かい、みすみす庇護を抜け出すのだ。

「奴らに襲われた連中は、連中の傀儡と化す。そうでなきゃ辻褄が合わんし、連中だってそのために犠牲者を殺さずにおくんだろう」

「殺さずにおく？」

「そうなんじゃないのか？　連中が一回の襲撃で実際にどれだけの血液を吸飲するのかは知らないが、少なくとも複数で襲えば、一気に失血による心停止にまでもっていけるわけじゃないか。それをして怪しまれたくないのか、それとも傀儡と化した状態を利用したいのか、あるいはその両方か。いずれにしても、連中はあえて犠牲者を殺さないでいるんだ」

何にせよ、と敏夫はカルテを無目的に掻きまわした。

「例の症状とは極めてよく整合する。最初の襲撃ののち、患者は無自覚だ。周囲もそれに気づかない。若干、感情の鈍麻が起こっており、コミュニケーションが取りにくく、そのために倦怠感でもありそうな感じ、塞いでいる感じがするが、顕著な症状は現れない。——ああ、喉が渇くようでしきりに水をほしがる、というのはあったか。循環血液量を補おうとしているんだな」

「襲撃が続けば、血液は希釈され、貧血が起こる？」

「そういうことだ。おそらく、襲撃直後に血液検査をしても、貧血は出ないだろう。血液そのものが減るから、単位容積当たりのヘモグロビン量は変わらないし、赤血球が占める容積の比率も変わらないはずだ。しかしながら、循環血液量が減少しているから、生体はなんとかこれを維持しようとして細胞外液を補充し始める。血液は希釈されるから単位容積当たりの血球数は総じて減少する。しかも網赤血球が増加するから赤血球容積――ヘマトクリット値だけでなく、ヘモグロビン量も下がる。患者は明らかな貧血を呈する」

「そのうちに予備能力では追いつかなくなるわけだな？　それで循環不全が起こる」

「そう。心拍出量は減少するから、血圧、脈圧は下がる。脈を取ると、触知は不良で弱いように感じる。脳も虚血を起こすから、意識レベルは低下し虚脱したように見える。腎臓(じんぞう)への循環血液量の不足から、尿量は減少し、ためにＢＵＮは上昇する」

「ＢＵＮ？」

「血中の尿素窒素量だ。組織やタンパク質に含まれるアミノ酸は、体内で脱アミノ化される。その結果、アンモニアが生成されるんだが、これは肝臓で尿素に合成されるんだ。血中に放出された尿素は、腎臓で濾過(ろか)され排出されるが、一部は再吸収される。腎臓で濾過された水分のすべてが尿として排出されるわけじゃない。再吸収が起こるんだが、

このとき身体が脱水状態にあると、水分不足を補おうとして余計に再吸収されるんだな」

「ああ――循環血液量が減少するというのは、脱水状態になるということでもあるんだ」

「そういうこと。再吸収される際、尿素も一緒に再吸収されるから、血中の尿素量は増えることになるわけだ。この尿素量は、腎臓の濾過機能が低下した場合にも増える。だからBUNというのは、腎機能の重要な目安のひとつになるんだが、再吸収が促進されている場合、クレアチニンは上昇しない。クレアチニンも体内で生成される不要物の一種だ。これも尿素と同じく腎臓で濾過されて排出されるが、クレアチニンのほうは尿素と違って再吸収されない。だから再吸収では血清クレアチニンは上昇しないんだ。腎機能が低下して濾過機能が下がっている場合にのみ、上昇する」

敏夫はすぐにこれには気づいた。クレアチニンは上昇せず、BUNだけが上昇している。これは循環血液量の減少のせいだと思ったのだが、肝心の出血が認められなかった。

「とにかく、今年の夏は暑かったし……」敏夫は自嘲する。「それから来る脱水だろうと思ったわけだ。口渇もあったし、とにかく内出血の形跡が見つからなかったからな。そのあとで腎機能の低下が起こった。これはMOFの前兆だったんだが、実際に腎機能の低下があったから、クレアチニンが上昇しないことのほうが変だと思ったわけだ。た

またまその時、低値を示したのか、と。本来なら、腎機能の正確な実態を掴むためには、クレアチニンクリアランスというのを行なう。一日の尿を集めて、排出されたクレアチニン値と血中のクレアチニン濃度を比較するんだ。入院患者なら、即座にやってみただろう。だが、患者を入院させることができなかったし、クリアランスをやってみるほどの時間の余裕がなかった」

静信は黙って耳を傾ける。敏夫はこういう言い訳を好まない。今も言い訳をしたいわけではなく、それをそれだけ悔いている、吐露せずにはいられない、ということなのだろうと了解した。

「血液は希釈され、貧血が現れる。組織は低酸素状態になり、生体の代償機構が作動する。血圧を維持するために交感神経が緊張する。呼吸、脈拍は速くなって血管は収縮する。このために皮膚温度は低下し、末梢温と中枢温の体温格差が増大する。手足が異常に冷たい感じがするし、冷や汗をかくようになる。血液の中心化が起こる。重要臓器に優先的に血流を振り分けようとするんだ。このために、顧みられなくなった他の末梢組織ではさらに血流低下を招くことになる。それで顔面や手足は蒼白になる。——ここでようやく、周囲は異常に気づく。顔色が悪い、息が荒い、交感神経が緊張して消化器系は虚血傾向を起こすから食欲が落ちる。なんとなく怠そう、疲れているふう。バテているのだろうか、風邪でも引いたのだろうか、と疑う」

静信は頷かざるを得なかった。たしかにそれこそが、夏以来、村で続いてきた疾病そのものだったからだ。

「だが、その症状が他愛もないものだから、周囲は寝ていれば治るだろうと軽視する。とりあえず風邪薬を与え、寝かしつけようとするのが関の山だ。しかし、事態はもっと深刻なんだ。貧血は顕著になってる。血流の減少とヘモグロビンの減少から細胞では低酸素状態になる。飽和酸素濃度は低下する。このために、生体は嫌気性代謝へと移行する。乳酸が過剰に生産され、血液のpHは下がり、重炭酸イオンは減少して代謝性アシドーシスが発生する。これが進行すると不整脈が起こり、血圧は下降し、意識障害が起こる」

「そう……」

「本来的には、代謝性アシドーシスは血液ガスを分析すれば、すぐにそれと分かるし、それを見れば心拍出量が低下してることは分かるものなんだ。ところが、これと同時に、マクロファージや補体系が活性化され、サイトカイン誘導が起こって好中球が活性化する。あちこちの毛細血管壁が損傷を受け始める。肺組織も例外じゃないが、これによって肺不全の様相を呈するようになる。肺の機能が損傷されると、呼吸性のアシドーシスが発現するんだ。分かってしまえば順番は明らかだが、何が起こっているのか分からないとき、アシドーシスが何に由来するものかが不明瞭になってしまう」

「原因と結果が錯綜し始めるんだ」

「そう。とにかく不具合がある、だから生体はなんとかこれを防御しようとする。各種のメディエーターが活性化されるが、原因と結果が錯綜していて、生体自身にも、どこをどう救えばいいのか分からない。手当たり次第に防御しようとして、反対に組織を侵襲し始める。——SIRSだ。身体の中はガタガタになる。血管浸透性は亢進して、血管から細胞へと水分が流出するようになる。細胞が侵襲されるせいで毛細血管は次々に傷害されていく。血小板は凝集して減少する。肺傷害、腎不全、心筋虚血から来る心機能低下。ここからさらに心原性ショックを併発することがあるし、血小板の減少から凝固因子が活性化されて血栓を生じ、これがそれこそ心臓の冠動脈を直撃することもある。あるいはそういう血栓のせいで、今後は逆に線溶が活性化されて極端な出血傾向が起こるようになったりもする。生体は統一的な自己保持の能力を完全に失ってしまう。結果」

「——MOF」

敏夫は頷く。

「いったんSIRSが出現し始めると、もうこちらにも何がなんなのか分からない。分かるのは、どこもかしこも悪い、ということだ。検査結果ひとつにしても滅茶苦茶な値を取り始めるから因果関係を明らかにして原因を辿っていくことが難しい」

「代謝性アシドーシスと呼吸性アシドーシスの場合のように？」

「そう。だから対症療法的に当たらざるを得ないんだが、得てして患者はここに至って初めて病院に担ぎ込まれてきたりするし、おまけにこれに、さらに襲撃が重なったりするわけだから、経過が非常に速くて打つ手を考えているうちに不可逆的なところにまで進行してしまう」

まったく、と呟いて敏夫は大きく息をつく。

「……どうにもならんはずだよ」

静信は押し黙った。敏夫の無力感を思うと、かけるべき言葉がなかった。

「当初に適切な手当てさえしておけば良かったんだ。全血の輸血、またはリンゲル液の輸液、とにかく循環血液量を補って、防衛システムが暴走する前に安定した状態にもっていかないといけなかった。逆に言うなら、たったそれだけのことだったんだ。実際、全血の輸血には効果が見られた。ありとあらゆる方法を試してみて効果があったのは、たしかにそれだけだったんだ……」

少しの間、ナースステーションの中には沈黙が流れた。敏夫は渋面のまま、じっと床の一点を見つめている。回復室のほうからは、なんの気配も物音もしなかった。

「とりあえず、手当ての方法は分かったと思う。実際に効果があった例もあるから、これは有効だと思われる。だが、行田の婆さんはそれでも死亡した。年齢のわりには良く

保ったと言えるが、それにしたって、たかが一日か二日、引き延ばせたにすぎない。襲撃を断ち切らなければ回復させる方法はないんだ」

「それで節子さんを入院させたのか？」

敏夫は頷く。

「そうだ。工務店をせっついて、昼間のうちに入院させた。節子さんを襲っていた何者かは、節子さんを見失うだろう。もっとも」と、敏夫は苦々しげにする。「溝辺町の病院に運んでも、助からなかった例がある。幹康がその典型例だ。昼間のうちに救急車で国立に運ばせたが、結局のところ死亡している。ひょっとしたら、すでに手当てをしてもどうにもならない段階に入っていたのかもしれないが、そうでない可能性もある」

「そうでない可能性？」

「連中が幹康を追って国立にまで出向いた可能性だ。だとしたら、ここにも来る」

静信は思わず回復室のドアを見やった。建物の中は森閑と物音が絶え、風が樅を揺らす音だけが聞こえていた。その音は建物の中にも忍び込み、埋めるもののない空間に谺してそこここにある空洞の存在を強調していた。

「戸締まりは」

別段、敏夫の言い分を鵜呑みにしたわけではないが、静信はそう問わずにいられなかった。

「してるさ、もちろん。今日に限ったことじゃない。劇薬なんかがあるからな。母屋のほうの戸締まりなんぞは確認したこともないが、病院のほうは完全に閉め切る。戸締まりを忘れやすい場所には、最初から鉄格子を塡めるなりしてあるし」言って、敏夫は目線で隣の回復室を示す。「向こうの部屋のように、そもそも人が侵入できるほど窓の開かない部屋も多い」

静信は頷いた。回復室には窓があるが、塡め殺しのガラス窓の両脇に細い回転窓がついているだけ、そこから人間が出入りすることは不可能だろう。——だが、と静信は思った。それは溝辺町の病院も同様だろう。入院施設があれば、夜間も完全に閉め切るわけにはいかないだろうが、そのぶん夜にも宿直や見巡りがあるわけだから、侵入はたやすくないはずだ。もしも幹康を追っていった何者かがいたとしたら、その何者かは、そういった環境の中でも襲撃が可能だった、ということにはならないか。

静信はそこまでを考え、不安を覚えるとともに、いつの間にか襲撃者の存在を受け入れ始めている自分に気がついた。困惑して目線を上げると、心得たふうの敏夫と目が合う。静信は思わず溜息をついたが、それが何に対するものかは、自分でも分からなかった。

敏夫は微かに笑って立ち上がり、隣の回復室を覗き込んだ。節子は眠っている。穏やかな夜、なんの異常も変化もなかった。

二

I

朝いちばんに回復室に入ってモニターを調べ、敏夫は静信にそう言った。

「悪くない」

「容態は安定している。少なくとも悪化はしてない」

静信は頷(うなず)いた。これまで訃報(ふほう)は夜明けに集中してきた。それはおそらく夜に悪化する。一夜をしのぐことができたのは、安森節子にとって吉報であることは疑いがなかった。

問題は――と、静信は思う。それが何に起因するのか、ということだった。

昨夜、格別の異常はなかった。奇異なことは何ひとつ起こらなかったが、だからこそ節子の容態は安定しているのかもしれない。そうなのかそうでないのかを確かめる術(すべ)を、静信も敏夫も持たなかった。

節子はよく眠っている。寝息は穏やかで、寝顔も柔和だった。敏夫が声をかけたが、目覚める気配はない。

「あら、律ちゃん、おはよう」

律子が裏口から入ると、ちょうど職員用の裏階段を使って清美が降りてくるところだった。手にはトレイを持っている。トレイの上には、入院患者用の食器が並んでいた。

「おはようございます。節子さんの朝食ですか？」

「口をつける気には、なれなかったみたいだけどね」

「節子さん、いかがです？」

「昨日と変わったふうはないけど、バイタルサインは安定してるわ。入院させたのが良かったのかしら」

そうですか、と律子は呟き、更衣室に入る。やすよが白衣に着替えているところだった。敏夫は律子たちに泊まり込むことはない、と言う。夜勤は必要ないから、交代で食事の用意だけを頼むと言った。

「やすよさん、本当にわたしたち、夜に詰めてないでいいんでしょうか」

「いいんじゃないの。先生が必要ないって言うんだし」

「そうですよね」

律子は頷いたが、釈然としなかったし、やすよもどこか不審気な表情だった。結局のところ、敏夫が自分で面倒を見るということなのだろうが、それでは敏夫の負担は減らない。そのうちに、とは言っていたものの、それでなくても往診で走りまわっている敏

夫が入院患者の様子まで見ていたのでは、寝る暇もないのではないだろうか。

実際、朝のミーティングで、敏夫はひどく眠そうにしていた。特に安森節子の経過に対する報告はない。武藤が様子を訊くと、安定している、とだけ答えた。

昼前には例の患者がやって来た。律子にも今では、一目でそれと分かる。問診の必要すらないほどだ。妙に弛緩した表情と、憑かれたような目の色。敏夫は丁寧に診察をし、患者の容態が差し迫ってはいないことを確認すると、翌日の予約を入れて患者を帰した。律子は首を傾げた。いつもなら必ず胸部と腹部のレントゲンを撮るのに、敏夫はなぜかそれを指示しなかった。

「あの……先生、XPは」

律子は言ったが、敏夫はいい、と言う。たしかに、よほど病状が悪化していればともかく、これまでX線で内出血が確認されたことはない。無駄と言えば無駄なのかもしれなかった。敏夫も内出血はないものだ、と踏ん切りをつけたのかもしれない。けれどもなんの説明もなく検査項目が減ったことに、律子は首を傾げないではいられなかった。

「先生、投げちゃったんでしょうか」

昼休み、言ったのは聡子だった。

「まさか」清美は笑った。「そういう気性の人じゃないでしょ」

「でも、検査項目、減ってますよね」

「ある程度症例が集まって、検査の方針が立ってきたってことなんじゃないの？　節子さんを入院させたのだって、それなりに治療の目処が立ったってことなんだろうし。たしかに節子さん、容態は安定してるしね」

「だったらいいんだけどねえ」やすよは息を吐く。「まあ、あたしらがツベコベ言ってもしょうがない。そのうち何か言うでしょ」

聡子が頷いたときだった。外に食事に出ていた十和田が休憩室に戻ってきた。

「おかえりなさい」

「ただいま。——あの、クレオールで妙な噂を聞いたんですけど」

「妙な噂？」

「ええ。ほら、兼正の——桐敷さん？　あそこに医者がいるって話だったじゃないですか。江渕っていいませんでしたっけ」

「そんな名前だったかしらね。それが？」

「下外場に——ええと、国道沿いの楠スタンドの隣に空き家があったじゃないですか。コンビニの」

「ああ、あったわねえ」

律子も頷く。村に初めてコンビニができたのは二年ほど前のこと、律子などはわりに

便利に使っていたが、半年も経たないうちに採算が取れなくなったのか、閉めてしまった。

「あそこ、ちょっと前から工事が始まったんだそうです。改装するらしくて。溝辺町の建設会社が入ってるんですけどね、ほら、看板みたいなのがあるでしょう。誰が何のために工事をしてるかって書いてある板」

「ああ、あれね」

「それに、江渕クリニックって書いてあったって言うんですよ」

律子は目を見開いた。

「それ——やっぱり、兼正のお医者さんが、診療所を開くってことなのかしら」

「なんじゃないかって。クレオールじゃ、若先生は知ってるんだろうかって、ハラハラしてましたけど」

やすよは渋い顔をした。

「別に縄張りがどうこうなんて言う気はないけど。たしかに、先生になんの断りもないとしたら失礼な話だわね」

「ですよね」

「いいじゃない」清美は投げ遣りな声で言う。「患者が少し分散してくれれば、こっちも助かるってもんだわ」

そうですねえ、と雪(ゆき)は頷く。

「けど、江渕さん、村の状況を分かってるのかな。分かってなくて開業って、それ危ないんじゃないかなあ」

「このままずっと若先生に挨拶(あいさつ)なし、なんてことはないわよ。挨拶があれば、その時に先生が何か言うでしょ」

律子は軽く眉(まゆ)を顰(ひそ)めた。村に伝染病が流行(はや)っていることを知らない医者が開業するのは危険なことに思える。とは言え、今の段階で敏夫はそれを気軽に言ってやれるだろうか。まだスタッフしか知らないことだ。うかつに注意すれば、村に話が漏れてしまう。それでなくても、村の者も近頃、怪しんでいる様子なのに。

「最初からそのつもりだったのかねえ」武藤が首を傾げた。「――いやさ、その江渕とかいう医者。こんな辺鄙(へんぴ)なところに越してきたのは、診療所でもやろうっていう心づもりがあったからかね」

やすよは浮かない顔で、さあね、と答える。

「そうでなきゃ、やたら病人が多いのを見てその気になったのかもね。いずれにしても、その話を聞いたら、大奥さんがカンカンになるのは間違いないわ。そうなる前に、若先生の耳に入れておいたほうがいいかもね」

そうね、と清美が溜息(ためいき)をついた。

「──江渕？」

　やすよが話をすると、敏夫は目を見開いた。

「らしいんですよ。江渕クリニック、って書いてあっただけなんで、桐敷さんとこの江渕さんとは別人ってこともあり得ますけどね」

　敏夫は唸った。

「それはないだろう。偶然にしちゃあ、出来すぎだ」

「一言、例の病気のこと、耳に入れておいたほうがいいんじゃないんですかね」

　そうだな、と敏夫は答えたが、あまり真剣に吟味している様子でもなかった。やすよはその様子に、節子が指摘したような違和感を感じる。

「先生、節子さん、どうなんです？」

「どうって。悪くない」

「そうじゃなく。何か、具体的な治療方針が決まったんですか？」

「別にそういうわけじゃないが。──どうした」

「みんな心配してるんですよ。突然、入院だなんて。おまけに先生一人で当直するなんて無茶でしょう。おまけに若御院を引っぱり込んだりして。まさか医療行為、させてませんよね？」

「させるわけがないだろう」敏夫は心外そうに口を開けた。「そこまで信用がないのか、おれは？」

「信用されるような行動を、常日頃から取ってないからですよ。だったらいいですけど、それはそれで妙な話でしょう。聡ちゃん、心配してましたよ。なんで自分たちに手伝わせずに若御院に手伝わせるんだろうって」

「ああ……それは、そういうことじゃないんだ」

　やすよは上目遣いに敏夫を見る。

「先生、検査項目も減らしたでしょう。なんだか辻褄が合わないように見えるんですよ、あたしらにしたら」

　敏夫は首を傾げ、曖昧に頷いた。

「ああ……そうか。うん、そうだろうな」

「で、どうなんです？」

　やすよは訊いたが、敏夫は言葉を濁した。

「まだ上手く言えない。勘のようなものなんだ。やすよさん、なんとかみんなを宥めといてくれ。説明できるようになったら説明するから」

「本当ですね？」

「本当だ」敏夫は言って、軽くやすよを拝む。「それと、江渕クリニックの話だが」

「大奥さんの耳に入らないように、ってんでしょう？」

「うん。いずれ耳に入るだろうが、先延ばしにできればありがたい。それこそ工事が終わってからならいいんだがな。そうでないと、工事を中止させろだなんだと言い出しかねない」

やすよは溜息をついた。

「はいはい。心得てますよ」

「済まないな」

やすよはもう一度、大仰に溜息をついて控え室を出て行った。溜息が出るのは、敏夫も同様だった。

とりあえず昼食を摂(と)るために、家のほうに戻った。寝不足で足許(あしもと)が怪しい。足を引きずりながら居間に入ると、珍しい顔が見えた。

「——恭子(きょうこ)」

あら、と恭子は振り返る。目許に険が露(あら)わだった。

「本当にお疲れのようじゃない」

「どうしたんだ、お前」

「お義母(かあ)さんに呼ばれたのよ」恭子は言って、ソファに坐(すわ)り足を組む。「帰ってこいって、あなたが言ってるって」

「——おれが？」

敏夫はダイニングのほうを窺った。キッチンで孝江が昼の用意をしている音がする。

「最近、仕事が忙しくて疲労困憊してる、こういう時ぐらい家にいろって怒ってるって。店を閉めて帰ってこいって、そりゃあ凄い剣幕だったんだから」

敏夫はソファに身体を投げ出して頭を抱えた。疲労困憊しているのは事実だが、だからこそ恭子には家にいてほしくない。この火急の事態の最中に、恭子と孝江の間に挟まれるのかと思うと暗澹たる気分がした。

「……戻っていいぞ。別にいなくていい。いても構ってやれん。本当に忙しいんだ」

「そうみたいね」と、恭子は恨みがましい溜息をつく。「だからって右から左に帰るわけにもいかないでしょ。第一、店に貼り紙してきちゃったわよ。しばらく閉めるって」

敏夫は呻いた。

「適当にお袋の機嫌を見て帰っていい」

「言われなくてもそうするわ」

2

夏野は保の家で朝まで過ごし、学校に行った。土曜だから昼までの辛抱だとは思った

が、結局授業はほとんど寝て過ごした。家に戻り、鞄を放り出す。——今夜はどうしよう。やはり保のところに駆け込むしかないのだろうか。

思いながら、服を着替える。ジーンズのポケットに何気なく手を突っ込むと、紙片が指に触れた。葉書の小さな断片だった。

夏野はその断片を指先で何度もひっくり返した。一辺が二センチ半ほどの三角形。昨日、葉書を破り捨てた窓の下に残っていたのは、この小さな断片とそれより小さな欠片が三つほどだった。雑草の間に残された、白い切片。

これを寄越したのは誰だろう。書いたのは清水恵だ。切片の端に「恵」という文字の左角がかろうじて残っていた。けれども恵はこれを投函できない。できないはずだ。

夏野はどういうわけか、恵の葬式で会った少女を思い出していた。渡したいものがある、と彼女は言わなかったか。何を、とは訊かなかったけれども、ひょっとしたら彼女が渡したかったものは、これではないかという気がした。

(何ていったっけ……)

名前を聞いたような気もするが、覚えていない。顔も漠然としていた。ただ、学校で見かけたことはないように思う。中学校の制服を着ていたような気がする。恵の友人だとすれば外場の幼馴染みなのだろうし、そうでなければ親戚なのかもしれない。

夏野は名前を記憶していない自分に苛立ちながら、その紙片をゴミ箱の中に落とした。

部屋の窓に鍵をかけ、カーテンを引いてから家を出る。

恵だったような気がする。直感にすぎないが、どうしてもそういう気がしてならない。誰かが拾い集めたように消えていた葉書の断片は、それを示していないだろうか。

一方で、恵だ、と確信する自分がおり、もう一方で、そんなはずはない、という常識に舞い戻りたがる自分がいる。恵だけはないはずだ。だって恵は死んだ（外場を出た……）のだから。

ふたつの思念の間をゆらゆらと揺れながら歩くと、前方に黒い集団が見えた。また葬式か、と思い、その行列の中に見知った顔を発見する。村迫宗貴だ。では、と夏野は複雑な思いで、抱え上げられ粛々と運ばれていく棺を見送った。あの中には正雄が入っているわけだ。

通夜や葬式に出るほどの義理はない。正雄だってそんなことは望まないだろう。少なくとも自分の中で、いまさら葬儀に参列するのは納得がいかなかった。自分は正雄の死を嘆いていない。あれは正雄の死を悼む儀式で、だから自分には参加する資格がないのだという気がした。参加するために正雄の死を悼んでいるふりをするのは、あまりに偽善的で自分を許せない。

無言で葬列を見送り、夏野は踵を返した。単に葬列とは遠ざかるほうへと歩き、気づくと兼正の地所に向かって延びる坂の下まで来ていた。特に理由もなく、坂を登る。登

りながら顔を上げると、屋敷の威容が待ち構えるように聳えていた。

夏野はなんとなく、その門の前まで登り、そこで何をすればいいのか見失った。引き返すのはいかにも馬鹿馬鹿しく、かといってさらに坂を登り、林道を一周して村に戻る気にもなれない。それで屋敷を一瞥して、手近なあたりから樅の林の中に入り込んだ。斜面を下って、どこに出るか歩いてみよう。

厄介な茂みを避け、蛇行しながらぶらぶらと斜面を下った。木立の合間に人影を見たのは、だから完全な偶然だった。夏野は足を止める。林の向こうに二人の姿が見えた。一方は夏野と大差ない年頃の女の子で、もう一方は中学一年か小学校の六年生、そのくらいの男の子だ。二人は幹の陰に潜むようにして、林の外を覗いている。林道のほうを――あるいは、林道の向こうに見える兼正の屋敷を窺っているらしい。

夏野の位置からは、少女の顔は見えなかった。長い髪を三つ編みにした後ろ姿と、ふっくらとした頬の線が見えるだけだ。見覚えがあるという気はしなかったが、不思議にあの子ではないか、という気がした。恵の葬儀で、何かを渡したいと言っていた少女。

（そんなわけ、ないか）

単にそのことを考えていたから、結びついただけだ。そんな偶然があるはずがない。そう思いながらも、夏野はその少女を見知らぬ不審な人物だとは、もう思っていなかった。

（あいつら、何をしてるんだ？）

まるで兼正の様子を探っているようだ。夏野は首を傾げ、そして少女と子供の背後に人影を見た。少女たちとの距離は十メートル程度。草叢の中に身を隠すようにして、二人の後ろ姿を見つめている若い男。

根拠はなかったが辰巳だ、と思った。そういう名字の兼正の若い使用人。村の者ではない。匂いが違う。それは同じく「村の者」ではない夏野の直感だった。

「おい、そこのあんたら」夏野はとっさに声を上げた。「何してんだよ」

我ながら、どうして声をかけたのか分からなかった。辰巳には気づかないふりで、まっすぐに視線を、飛び上がるようにして振り返った少女たちのほうへ向ける。自分でも仰々しいと思いながら、ことさらのようにさりげなく手を挙げ、盛大に足音を立てて少女たちのほうに歩み寄った。視野の端に見えていた人影が、ちらりと動いて緑の間に消えた。

「あんた、清水の友達だよな」

夏野に声をかけられ、かおりは片手で昭の手を握り、もう片方の手で胸を押さえた。手の下で、心臓がひきつけを起こしている感じがする。夏野は今にも奇遇だ、とでも言い出しそうな様子で、身軽に下生えの濃いところを避けて歩いてきた。

「清水の葬式で会わなかったか？　人違いだったらごめん、なんだけど」

「いえ……」

かおりは声が震えるのを自覚した。桐敷家の様子を窺っていたことを悟られただろうか。夏野はそれを怪しいと思わなかっただろうか。かおりの手を握ってくる昭の手の力も痛いほど強い。汗ばんで震えているのは、自分の手だろうか昭の手だろうか。

「人違い？」

「いえ——ええと、そうです。会いました」

やっぱりな、と夏野は言って、林の中に目をやる。

「ちょうどいいところで会った。おれ、あんたに訊きたいことがあったんだ」

「何ですか」

うん、と頷き、夏野は林道のほうを示す。

「こっち」

「あの、あたしは」

「いいから来いよ。——あんた、名前、何ていったっけ」

先に立って歩きながら、夏野が問う。かおりは問いかけるように見上げてくる昭の視線から目を逸らしながら答えた。

「田中です。田中、かおり……」

「そっちの小っこいのは？」

昭は憤然としたようにかおりの手を放した。

「田中昭」

「そう」

林道に出ると、桐敷家の脇だった。夏野はさっさと坂の下を目指す。かおりは林の中に戻りたかったが、夏野の歩調はそれを言い出す隙を与えない感じがした。

昭と顔を見合わせ、あたふたと夏野の背を追いかけた。坂をほとんど下りきったところで夏野が訊いた。

「あんたら、あんなところで何をしてたんだ?」

振り返らないまま、まるで押し殺したような小声で言う。

「あたしたち、別に……」

坂を下りきり、下の道に出てから夏野はようやく振り返った。

「ひょっとして、清水の葉書を投函したの、あんたじゃないか?」

かおりは虚を衝かれて言葉に詰まる。

「いつか、渡したいものがあるって言ってただろ。あれって清水の残暑見舞いのことじゃないのか」

一瞬、身を竦め、昭と夏野を見比べたが、夏野は別段、責めている様子ではなかった。

「違うのか?」

「……そう、だけど」

怒るかと思ったが、夏野は頷いただけだった。四つ角を門前のほうに曲がっていく。

かおりは思わず夏野を追いかけて横に並んだ。

「だって結城さん、受け取ってくれる気がないみたいだったんだもん。でも、恵はあなたに受け取ってほしくて一生懸命、書いたんだから。だからあたしが恵の代わりにポストに入れたのよ。なにも悪いことをしたってわけじゃないでしょ」

「それは別にいいよ」

かおりは平然とした夏野の横顔を見上げた。

「……驚いた？」

「まあな」

「訊きたいことって、それ？」

そう、と言って、夏野は背後に目をやる。

「あんたら、気がついてたか？　さっきあんたたちの後ろに、桐敷の若いのがいたぜ」

かおりは息を呑んだ。

「さっき……？」

「うん。辰巳とかいう奴じゃないかな。まるであんたらの様子を窺ってるみたいだった」

かおりは昭を振り返る。昭が青い顔で首を左右に振った。

「気がついてなかった……」

妙にひやりとした気分がした。

「なんだって、あんなところにいたんだ？」

「別に、理由なんか……」

「兼正の屋敷の様子を窺ってたろ」

別に、とかおりは口の中で呟く。

「それより、ねえ、どこに行くの」

「特にあてなんかないけど。――田中、だっけ。田中は清水の友達か？」

「そうよ。恵よりひとつ下だけど。幼馴染みだったの。家も近かったし」

「ふうん。……で、なんだってあの家の様子なんか窺ってたんだ？　あんな、こそこそとさ」

「だから、別に」

「覗きが趣味か？　清水と一緒だな」

冷ややかな語調に、かおりは夏野をねめつけた。

「そんなんじゃない。恵だってそんなこと、してないもん」

「そうか？　よくいたぜ、清水のやつ。おれんちの裏に隠れてさ」

かおりは息を呑んだ。夏野は気づいていたのだ。重大な秘密を見透かされた気がして、かおりは恥じ入り、恥じ入る自分をさらに恥じた。それと同時に、夏野に対する怒りが湧き上がる。昭の声がそれに拍車をかけた。

「へええ。恵ってそんなことしてたんだ」

「あんたは黙ってなさい」かおりは昭を睨む。首を竦めた昭から夏野へと視線を移した。「結城さんって、酷い人なんだね」

「酷い？　なんで」

「だって、恵が結城さんの家を訪ねていたの、知ってたんじゃない。だったらお葬式のとき、どうしてあんな酷いこと言ったの」

「知ってたからに決まってるだろ」

「恵は——恵は結城さんのことが好きだったんだよ。それこそ、ああやって結城さんの家を訪ねて行くぐらい。声をかけたくてもかけられなくて、結城さんの部屋を遠目に見て、それだけで胸がいっぱいになるくらい真剣だったんだから」

なるほど、と夏野は軽蔑したようにかおりを振り返った。

「あんたも清水と同類か」

「どうして、そんな酷い言い方するのよ」

「酷い？　そうやって家を張られて、部屋の中を覗き込まれて、それをおれに、ありが

たがれって言うのかよ」

　そんな、と言いかけ、かおりは言葉を失った。

「あんた、自分だったら喜ぶのかよ。クラスの男がさ、しょっちゅう家の近辺に現れて、自分の部屋をじっと覗き込んでるんだぜ。そういうの、気味が悪いと思わずに、感激しちゃうわけ？」

「だって、恵は……」

「おれはそういうの、気味が悪いんだよな。だから清水は嫌いだった。それが正直な気持ち」

　かおりは唇を噛んだ。どうせ男の子には、女の子の繊細な気持ちなんか分からないんだ、と思ったけれども、それを言うのは気後れがした。

「まさか、あんたじゃないよな」

「何が？」

　いや、と夏野は口ごもる。

「あんた、おれんちに来たりしてないよな？」

「自惚れないでよ」

「別に自惚れてるわけじゃないさ。違うだろ、って確認してるんだろ」

「違う。頼まれたって行かない、結城さんのところなんか」

「そう」と、夏野の返答は素っ気ない。まるで呟くように、「じゃあ……あれ、誰なんだろうな」

かおりは首を傾げた。

「誰か来るの？」

「うん。それも夜に。ちょうど清水がいつもいたとこなんだよ。まるで——清水がまた来てるみたいなんだ」

「恵かもね。……結城さんに酷いことをされたから、心残りなんだわ」

皮肉のつもりで言ったのに、夏野の返答は妙に真剣な響きをしていた。

「そうかもな」

かおりは急に申し訳ない気分を感じた。夏野に対して——そして、恵に対して。

「冗談よ。恵じゃないわ。恵なら怨（うら）んだりしないもん」

「そうかな」

「そうよ。でも、ひょっとしたら、結城さんに訴えたいことがあるのかもね」

「何を？」

「さあ……。伝えられなかったことを伝えたいのかもしれないし、……ひょっとしたら、もっと別のことかも」

「もっと別の？」

かおりは、ちらりと夏野を見る。

「たとえば、自分は病気で死んだんじゃない、とか」

「病気だったんだろ」

「そうだけど。……でも、本当にそうとは限らないでしょ。尾崎の先生が恵のこと、診察してたの。単なる貧血だって言ってたんですって。恵が急にあんなことになって、先生もすごく驚いてたらしいの。そんなはずはない、って」

ふうん、と相槌は素っ気なかったが、夏野は妙に真剣な表情のままだった。かおりの言葉を真剣に聞いて、何やら吟味している感じ。少なくとも、馬鹿なことを言っている、という様子ではなかった。

「恵……いなくなったでしょ、あの少し前」

「いなくなった?」夏野は、かおりを振り返り、「ああ、帰ってこない、とか言って親父が捜しに出てたな。そういうことがあったっけ」

「山で倒れてるのを見つかったの。それ以来、具合が悪くて寝込んでた。そのまま死んだの。十五日だった」

「そう」

「あたし、十三日にお見舞いに行ったの、お盆の迎え火の日の夜。その時は、それが最後になるとは思わなかったんだけど……その時にね、桐敷の奥さんに会ったのよ。恵の

家に行く途中で」

夏野は足を止めて、かおりたちを振り返った。ちょうど門前の御旅所のすぐ近くまで来ていた。夏野は御旅所を示す。

「坐ってかないか?」

かおりは頷き、御旅所についていった。御旅所には誰の姿もない。夏野は水の涸れた手水に腰掛けた。昭がちゃっかり夏野の隣に並ぶ。かおりは手水の脇の、何のためにあるのか分からない石に腰を下ろした。

「……それで?」

「それだけ。初めてだったの、桐敷の人を見るの。ほら、越してきてから、ずっと姿を現さなかったでしょ、あの人たち。それであたし、恵にそう言ったの。さっき、そこで桐敷の奥さんに会ったよ、って。綺麗な人だったって。そしたら、恵、……知ってるって」

「知ってる?」

かおりは頷きながら、どうしてこんな話を夏野にしているのだろう、と自分でも不思議に思っていた。

「たしかに、そう言ったの。桐敷の奥さんに会ったことがあるふうだった。でも、恵がいなくなった日、あたし坂の下で恵に会ってるの。恵は桐敷のお屋敷に興味があったの

よ。夏の間、何度も坂の下で見かけた。恵はどんな人が住んでいるのか知りたがってた。桐敷の人とは誰とも会ったことがないふうだったの」

夏野は真剣な顔で耳を傾けている。

「でも、変じゃない？　恵がいなくなったの、十一日なの。それから具合が悪くて寝てた。なのに十三日に会ったとき、恵は桐敷の奥さんと会ったことがあるふうだったの。だったら、いつ桐敷の奥さんと会ったの？」

「十二日か十三日——だろうな、普通」

「そんなはずないのよ。恵は十二日も十三日にも表に出てないと思う。出ていたら、あの残暑見舞いも投函したはずだもの。恵の家を出たすぐ角に、ポストがあるんだから」

夏野は軽く首を傾げた。

「忘れてただけじゃないのか？」

「そうかもしれないんだけど……。あれ、残暑見舞いだったでしょ？」

「ああ」

「暑中見舞いじゃなかった。何度も書き直してたら、残暑見舞いになっちゃった、って書いてあったでしょ」

「あったな」

「残暑見舞いになるのって、立秋を過ぎてからだよね」

「そうなのか？」

「そうなんだって」と、かおりは昭を見た。昭は興味深そうに、かおりと夏野を見比べている。「調べてみたら、立秋は八月八日だったの。でも、恵は誤解してたんだよね。お盆に入ったら残暑見舞いだって思ってたの」

なるほどな、と夏野は呟く。

「あれは残暑見舞いだった。清水は盆を区切りに暑中見舞いから切り替わると思っていたから、あれを書き上げたのは盆の直前だったんだ。十二日か十一日、そうでなきゃ、十日か。このへんだと、どうかすると配達に二日かかることがあるんだよな、いったん溝辺町の本局に戻されるから」

「うん。そう――そうなの」

「清水は暑中見舞いを書いてて、配達にかかる最長二日を見込んだら、盆に入ってから着いてしまうことに気づいた。それで残暑見舞いに書き換えたんだ。十日に投函すれば十二日には着くから、書き換える必要はない。十一日だ。十一日だと微妙な線だよな。二日かかれば十三日だけど、早ければ十二日に着いてしまう」

かおりは励まされた気がした。ずっと胸の中に抱えていたことを、理解してもらえるかもしれない、という期待。

「十一日には完成しなかった。だから投函できなかった。十一日には完成してたけど、微

妙なタイミングだった。だから清水は一日待って投函しようとしたんだ。ところがその十一日、清水は行方不明になって、それきり寝込んでしまった。もしも表に出られるなら、ポストは近いんだから投函しただろう。けども清水はそれを投函できなかった」

「すげえ」と、昭が口を挟んだ。「兄ちゃん、頭の回転、速いのな。かおりとは大違いだ」

かおりは軽く昭を小突く。夏野はそれにはお構いなしにひとりごちる調子で続ける。

「清水は十二、十三日と表に出ていない可能性が高い。ところが、十一日には会ったことのない人間に、十三日には会ったことがあるふうだった。桐敷の奥さんに清水が会ったんだとしたら、十一日だ。田中に会って別れたあと……」

かおりは力を込めて頷いた。

「そう——そしてあたし、恵と別れたとき、恵が坂を登っていくのを見た」

「坂の上……」夏野は呟く。「それであんた、桐敷の家を窺ってたのか。清水はあの日、坂を登っていった。そして桐敷の奥さんに会ったんだ。そうして行方が分からなくなって、見つかったときには具合が悪かった。医者も驚くほど悪化して……死んだ」

かおりは頷く。昭が目を輝かせて身を乗り出した。

「あいつらが恵に何かしたんだよ。そう思うだろ?」

「何を?」

ええと、と昭は口ごもる。かおりも首を振った。

「分からないけど……でも、恵はそれを伝えたくて、成仏できないのかも……」

「そうでなきゃ、起き上がってきたのかもな」

かおりは驚いて真面目な顔で地面を見つめている夏野を見返した。

「――え？」

「死んで、起き上がったのかも。おれは、このところ夜にやって来るの、清水じゃないかと思うんだ」

「まさか」

「そうか？」夏野は、かおりを見た。「あんた、吸血鬼って信じる？」

かおりが何を答えるより早く、昭が弾かれたように立ち上がった。

「おれ、見たんだ。だから兼正に行こうって、かおりを引っぱってきたんだ」

「見た？」

昭は重々しく頷く。

「製材所の康幸兄ちゃん。――死んだんだ。八月に。なのにおれ、つい昨日、斜面を登って兼正の家に入っていくところを見たんだ」

夏野は問うように、かおりを見る。

「昭はそう言ってるわ。でも、あたしは見たわけじゃないから……」

「絶対に、間違いなかったって」

「と、昭は言ってるけど、あたしには分からない。でも、十一日に恵に何かがあったのはたしかだと思う。それも、坂の上で。ひょっとしたら桐敷の奥さんが恵に何かをしたんだと思うの。そうして死んじゃった。——死んで、土の中に葬られてしまった……」

　ああ、と夏野は頷く。

「それにね、あたしが桐敷の奥さんを見たとき、奥さん、一人じゃなかった。大塚製材の材木置き場にいたの。康幸兄さんと」

「本当か？」

「うん。……だから、変だと思う。恵も康幸兄さんも、桐敷の奥さんと会ってるの、死ぬ前に。でも、あたし信じられない」

「言いたいことがあって死人が化けて出てくるものなら、墓から起き上がってきても変じゃないだろ」

　その——通りだ。かおりはシャツの胸を摑んだ。

「でも、駄目。そんなこと信じられないよ」

「おれもだ」夏野は低く言う。「だから、確かめてみようと思うんだ」

　昭は夏野を見上げる。

「確かめるって？　どうやって」

「清水の墓を暴くんだ」

そんな、とかおりは悲鳴を上げた。

「嘘でしょ？」

「なんで？　そうしたら、一発で分かるだろ。清水が起き上がったのかどうか。なにも清水の死体を確認してみなくてもさ、棺桶を見れば分かると思うんだ。起き上がったんなら蓋が開いてるとか、何か痕跡があるはずだから。掘ってみなくても、墓の様子を見てみれば分かるかもしれない」

昭が興奮した様子で跳ねた。

「そうだよ！　そうすればいいんだ」

「駄目よ、そんな。そんなこと……」

「だったら、かおりは引っ込んでろよ」昭は言って、夏野を仰いだ。「おれ、手伝うよ。今から？」

「それなりの道具がいるだろ。それ集めて準備してたら陽が落ちる。明日にしたほうがいいかもな」

「そっか。じゃあ、明日。日曜だもんな。ラッキーだ」

夏野はただ頷いた。

「そんなの……そこまでして確かめなくても……」

かおりの言葉に、夏野は淡々と答えた。

「そういうわけにはいかないんだ。もしも夜に来てるのが清水なら、次に襲われるのは、おれだと思うから」

夏野は言って、かおりを見つめた。

「あんた、清水の墓がどこにあるか知ってるだろ?」

3

元子が「ちぐさ」から帰ると、姑の登美子が待ちかねていたように玄関先まで出てきて迎えた。

「ああ、元子さん。今、『ちぐさ』に電話しようと思ってたのよ」

登美子のその台詞に、元子はすっと血の気が引くのを感じた。

「何か……あったんですか」

まさか、茂樹か志保梨に何か。一瞬の間に最悪の想像が脳裏を駆け巡って、膝から力が抜けていく。

「時夫ちゃんが亡くなったんだって」

え、と元子は呟く。「時夫」が誰だったか理解するまでに何秒か、ようやく把握して、

とっさに元子は誰に対してか、感謝した。良かった、神様は――そんな者が存在するとして――そこまで意地悪ではないんだ、と子供のようなことを思った。

「時夫さんって、消防士の？」

外場地区に住む前田時夫は、夫の従兄弟だった。勇よりも少し年上で、溝辺町の消防署に勤めている。元子が最初に思ったのは、仕事上の事故だろうか、ということだった。

「そう、その時夫ちゃんよ。なんでも具合が悪かったらしいのよ。なにしろ消防士やってるぐらいだもの、そりゃあ身体は丈夫な人だったんだけど、それが一昨日から寝付いてたらしくてねえ」

「まあ……。どこが悪かったんですか？」

玄関を上がって茶の間に向かいながら訊くと、それがねえ、と登美子は渋面を作る。

「分からないんですって。時夫ちゃんも辛抱強い人だったからね。何も言わなかったらしいのよ。親が心配して尾崎の医者を呼んだらしいんだけどね」

登美子はそう言ったが、「尾崎の医者」と口にするとき、露骨に嫌悪の表情を浮かべた。舅の巌が死んだ際のいざこざを、未だに忘れてはいないらしい。

「呼びはしたものの、どうにもならなかったみたいね」と、登美子はどこか棘のある口調で言って鼻を鳴らした。「時夫ちゃんは黙って辛抱してたようだけど、もうずっと悪かったらしいのよ。ひょっとしたら溝辺の医者にかかってたのかもしれないけど、利香

さんにも何も漏らさなかったようだから」

言いながら、登美子は茶の間に坐り込んで急須に湯を注いだ。

「そう……」利香は時夫の妻だった。たしか元子と同い年だ。「それは利香さん、突然のことでさぞかし気落ちしてるでしょうね。お悔やみに行かないと……」

「今日はちょっと気分が良かったらしくて、無理して仕事に出たみたいなのよ。時夫ちゃんも真面目な性分だったから」

「責任の重いお仕事ですものね」

「と言うより、引き継ぎがあったみたいよ。消防署を辞めるはずだったんですって」

「まあ――なぜ?」

「それが分からないんだって。ただ、職場の人には身体がきつくて、と言ってたらしいから、本当にずっと具合が悪かったのかもね。辞めるったって右から左にってわけにはいかないでしょ。とりあえず色々、整理したり引き継いだりしないといけないし。それで無理して出たらしいんだけど」

そうですか、と元子は登美子が手渡してくれた湯呑みの中を覗き込んだ。時夫はいかにも消防士らしい男で、本人もそれを天職だと思っているふうだった。それを辞めると言うのだから、よほど身体が辛かったのだろう。きっと利香は安心したに違いない。時夫が殉職することを、何よりも恐れていたから。なのに、死んでしまったのだ――。

怖い、と思った。どうして人は死ぬのだろう。それは物陰から襲いかかってくる。どうしてそれを事前に察知し、回避することができないのだろう。元子は神様なんて信じてはいなかったけれども、時折、自分たちが誰かの掌(てのひら)の上にいるような気がしてならなかった。その誰かはあまり親切ではない。むしろ意地悪だ。その行為は気まぐれで、どこか毒を含んでいる。

(見逃して……)

自分の周囲にいる大切な人たちだけは。元子は湯呑みを包み込む両手に力を込める。

(お願いだから、酷(ひど)いことをしないで)

4

「かず子、軍手は」

大川(おおかわ)かず子は、夫にそう問われて、夫の背後からカウンターの下を覗き込んだ。

「その箱の中」

「ないぞ」

大川に言われ、かず子はあら、と声を上げた。夫が不機嫌になるのが分かった。もともと夫は、些細(ささい)なことでも苛立(いらだ)つ性分だが、それがこのところひどい。周囲のすべてが

夫を常に苛立たせているようなところがあった。

「切らしてたのかしら。ごめんなさいね」かず子はことさらのように笑い、こまごまとした言い訳を並べた。「なんだか近頃、ばたばたすることが多くて、うっかりしてたわ。でも、変ね。たしかにまだ残りがあったと思ったんだけど。松村さんか篤が持っていったのかもしれないわね。本当に、もう切れてるはずはないんだけど」

大川の顔が怒気を含んで歪んだ。その兆候を見取って、かず子は慌てて踵を返す。

「今買ってくるわ。本当に変ね。まだあったはずなんだけど、誰が持っていったのかしら。最後のを持ち出した人が、言ってくれれば良かったのに」

言いながら、かず子はそそくさと店を出た。夕暮れ、小規模な商店街もそろそろ店終いの支度にかかっている。中にはいくつか、すでにシャッターを下ろしている店もあった。住人が転居してしまった店だ。なんの挨拶もなく、逃げ出すようにいなくなった。続く弔事(村迫米穀店でも立て続けにお葬式があって……)、転居、そして不穏な噂。「こう」であるべきものが、少しも「こう」でない不調和が、かず子の夫を不機嫌にしている。

かず子は小走りに少し先にある後藤田衣料品店に駆け込んだ。ごく小さな店先には、軍手のような雑貨から、なんの変哲もない下着類、老人しか見向きしそうにない衣類や作業着が並んでいる。

「ごめんなさい、軍手を二十足ばかりくれるかしら」

暗い店の中で店番をしていたのは、後藤田久美だった。久美はどんよりと顔を上げ、億劫そうに頷く。その久美の背後、一段上がった茶の間の中に、見慣れない女の姿を認めた。

「あら、お客さん？」

かず子は茶の間を覗き込んだ。見慣れない女は、かず子に気づいたのか、視線を寄越しはしたものの、ニコリでもなくテレビに目を戻す。なんだか暗い女だ、と思った。歳はかず子と同じ頃合いだろうか。

「従姉妹よ」と、久美が答えた。

「あら、久美さん、あんたの？」

「……そう。店を譲ることにしたの」

「え？」と、かず子は、棚の抽斗から軍手を引っぱり出す久美を見つめた。「何て言ったの」

「店を従姉妹に譲ることにしたの。村を出ることにしたから」

「そんな、……まあ、どうして」

「娘が結婚するの。それであたしも」

かず子はぽかんとした。久美の娘、響子はもう四十になる寡婦だ。もちろん再婚とい

うこともあるが、それにしては久美が浮かない顔で、声にも少しも晴れがましい調子がないのが気になった。

「……一緒に行くの？」

「そう。娘と一緒に行くのよ」

「それは、おめでた事じゃない。良かったわねえ」

かず子は無理に燥いだ声を上げてみたが、久美は陰鬱な顔をして頷いただけだった。

「それで、いつ？」

「さあ。今晩にでも」

「今晩？」

そう、と呟いて、久美は軍手を突きつけるように差し出した。

5

広沢は、自分の中に蓄積していく割り切れないものに困惑していた。所用があって溝辺町に出た帰り、街灯もまばらな国道を車で走りながら、村に戻ることを憂鬱に思っている自分に気づいていた。

村には家がある。妻も幼い娘もいる。自分が生まれ育った村、妻の生まれ育った村、

娘が生まれ、これから育つことになる土地。強固な地縁と血縁、自分の居場所、なのにそこに戻ることに気後れがする。家に帰りたいという意思より、帰らねばならないという義務感のほうが大きい。そんなことは初めてだった。
少しずつ人家が減り、街灯が途絶える。暗黒のほうが増えていく道行きも、その気分に拍車をかけた。文明から——外界から切り離された山間の村。暗黒の中に孤立し、死によって包囲された彼の郷里。

村は死によって包囲されている。

かつては、静謐で敬虔な気分を誘ったフレーズが、今は禍々しく思われた。「死」に対する広沢自身のイメージが変容していた。それは静かに佇む神聖な何かではない。もっと貪欲で荒々しく、しかも狡猾に身を潜め、背後から忍び寄ってくる何かだ。飢えた野獣のように潜伏し、村を包囲している。
夏以来、増え続ける死者。死に事は不思議に続くことがある——そんなことを言っていられる局面はすでに遠ざかっていた。明らかに異常だ。疫病、という声が静かに蔓延していた。クレオールの長谷川らは、暗に尾崎の医師がそれを認めたことを、そっと耳打ちしてくれた。なるほどそうだったのか、と腑に落ちる反面、本当に疫病なのだろうか、という気がした。疫病でなければ何だと問われても答えに窮するしかないのだが、「疫病」という言葉は、村を包囲した何かを表現するのには、どこか不適切な気が

してならなかった。

そう思うのは、生徒の数が確実に減っているからだ。そもそも一学年一クラスの小さな中学、生徒の減少は目を逸らそうとしても明らかだった。死んだ者はいない。全員が転出しているのだから疫病とは関係がないはずだ。都会の学校へと転校していったのだが、どれもが唐突で、しかも正式な手続きを欠いていた。突然、学校に来なくなる。近親者らしき人間から電話がある、あるいは書類が送られてくる。前後の事情を聞こうとしても、すでに一家の所在は分からず、連絡のしようもない。小池董子のように、祖父が村に残されているにもかかわらず、一家の所在が祖父にも分からない、そういうことまでがあった。突然、生徒がいなくなる。死ではないが、それは村に蔓延する死に印象として似ている。——あまりにも。

広沢は暗澹とした気分で村に戻った。村の入口の手前でハンドルを切る。煌々と明かりを点けたスタンドに車を入れた。

楠スタンドは、楠親子が家族だけで営業していた。楠正也とその妻、長男夫婦と次男。車を停めると、その正也が足を引きずるようにして近づいてきた。広沢は窓を開け、イグニション・キーを抜いて差し出す。楠はむっつりとそれを受け取った。触れた手は、夜気にすっかり冷えている。

「こんばんは。——レギュラー、満タンで」

楠は頷く。同じく足を引きずるようにして次男の章二がやって来る。楠はキーを章二に渡し、自分は雑巾を取った。

「なんだか顔色がお悪いですね」

車を降りた広沢が言うと、楠は、そうですか、とだけ答えた。口が重い。ひどく億劫そうだった。フロントガラスを拭く手も力をなくしているように見える。

「朝晩、急に冷え込むようになりましたからね。大丈夫ですか？」

「……ええ」

ぷつり、と力無く会話が途切れる。どうもおかしい、という気がした。スタンドの建物には明かりが点り、中を見通すことができたが、人影が見えない。今夜、店にいるのは楠と章二だけのようだった。

「今日はお二人だけですか」

話の接ぎ穂を失って、広沢がなんとなくそう問うと、楠は頷いた。

「やめることにしたんで」

え、と広沢は楠を見返した。楠は大儀そうに頷く。

「商売を畳んで引越すことにしたんです」

でも、と広沢は呟いた。村にスタンドは一軒だけ、村の住人のほとんどが何かれと世話になっている。しかも楠スタンドはプロパンも扱っていた。村のすべての世帯がスタ

ンドの顧客だと言ってもいい。楠に商売を閉められては村の誰もが迷惑をするし、楠もそれなりの商売をしていたはずだ。閉める理由が想像できない。

「甥が譲ってくれって言うんで、そうすることにしました」

「ああ……そうですか。でも、なんでまた、急に」

楠は力無く雑巾をバケツに落とし込んだ。茫洋と視線をさまよわせ、呟く。

「外場は怖い……」

広沢は眉を顰め、楠に真意を問い質そうとしたが、楠のほうは背中を見せ、建物へと戻っていった。

6

村に再び夜が巡ってきた。静信は暗い村の夜景を窓から見つめ、息をひとつ吐いて窓に背を向けた。ナースステーションの中は明るく、合理的な秩序で整合している。

安森節子は良好な経過を見せているらしかった。静信がやって来て枕辺を訪ねたときにはよく眠っていたが、顔には血色も戻り、寝息もしごく穏やかだった。敏夫によれば明らかに快方に向かっているらしい。

(何事もなかった……昨夜)

そして、秋晴れの今日一日。快方に向かいつつある節子。

敏夫はコーヒーメーカーに向かい、いかにも濃そうな液体をカップに注ぎ分けている。

(ひどく暗示的な)

それを詰め所のテーブルの上に置いた。

「どう思う? 連中、今夜も節子さんをそっとしといてくれると思うか」

さあ、と静信は呟いた。静信の困惑には構わず、敏夫はすぐ手近の戸棚の中に隠した本を引っぱり出した。昨夜も開いていた本だが、一向に読み進んだ様子がない。

「連中にはどの程度の能力があるんだろうな。蝙蝠に化けたり、壁抜けしたりできるもんかな?」

まさか、と思ったが、静信は口にしなかった。

「映画なんかじゃ、撃退するのには十字架を使うんだよな。十字架にニンニク、鏡に映らない、陽の光に弱い。――どうだ?」

静信は溜息をついて敏夫の前に坐り、原稿のためにメモを取っていたノートを開いた。

「吸血鬼をどう定義するのかが問題だと思うんだが」

「吸血鬼は吸血鬼だろう」

静信は軽く頭を振った。

「ぼくたちが一般に了解している吸血鬼像は、フィクションとして創作されたものだ。

そもそもの原型はスラブ民族に伝わるヴァンピールで、これをモデルにして吸血鬼は造形されたと思われる。とは言え実際のところ、ヴァンピールと吸血鬼は、はなはだしく乖離していて、ほとんど原型を留めないまでに改竄されていると言っていい」

「ふうん……」

「ヴァンピールは『起き上がり』なんだ。埋葬されたはずの死者が墓穴から甦って生者の安全を脅かす。ヴァンピールに取り憑かれた者はヴァンピールになる」

「それだ」

敏夫は身を乗り出したが、静信は苦笑した。

「と言えるかどうか。ヴァンピールに関しては、こういう有名な話がある。十八世紀の初め、セルビアのメドヴェギアという村で奇妙な事件が起こり、ベオグラードから派遣された軍医によって調査報告書が作成されている。この村では、三か月ほどの間に、立て続けに十数名の死者が出ていた。これはヴァンピールのせいだと村人は主張していたんだ。その五年ほど前、村にアルノルド・パオレという男がいて死んだ。この男は生前、ヴァンピールに取り憑かれたことがある、と語っていた。スラブ民族の間には、ヴァンピールに取り憑かれた者は、祟りをなしているヴァンピールの墓の土を取って食べ、あるいはその血を身体に塗ると祟りから逃れることができるという伝承がある。パオレもそのようにして災厄を逃れたというんだ。

ところがこのパオレが死んだ。死後一月ほどして、村ではパオレがヴァンピールになって徘徊しているという噂が立った。実際に数人の村人が死んで、人々はパオレの死体を発掘するんだが、するとパオレの死体は腐敗した様子もなく、まるで健康な様子をしていた。爪や髭は伸び、生前に比べて太ってさえいる。肌は血色も良く紅潮していて、ところによっては古い皮膚が剝がれ落ちて新しいつやつやした皮膚が現れている」

「表皮剝離だ」敏夫は呆れたように言った。「そりゃあ、腐敗現象だろう。表皮が剝脱して真皮が露出しているんだ」

「おそらくは」と、静信は苦笑した。

「血色がいいってのも、腐敗のせいじゃないのか。腐敗すると血色素浸潤のために皮膚は汚穢赤色から暗褐色を呈する。腐敗ガスが体内に溜まるから膨満する。皺や弛みも引き伸ばされるから、そりゃあ、つやつやしてふっくらとするさ。いわゆる巨人様観だ。──爪や髭が伸びるのだって、死体は乾燥するから皮膚が萎縮してそう見えるだけだろう」

「たぶん。けれども当時は、そういう死体現象についての知識がなかったということなんだろう。現代から見れば単に腐敗しているだけの死体が、当時にはむしろ生き生きとして見えた。死体のくせにまるで生きているようだ、と思われたんだな。しかもパオレの口や耳から鮮血があふれて、棺の中は血塗れだった。これはパオレがまさしくヴァン

ピールになって血を啜った証拠だとして、人々は村に伝わる慣習の通り心臓に杭を打った。するとパオレは苦悶の声を上げ、死体からは大量の血が流れ出した。人々はパオレの死体を焼いて、その灰を埋葬した」

敏夫は息を吐いた。

「そりゃあ、完全に単なる死体だ。体内の腐敗ガスが杭を打った衝撃で漏れて、声帯を震わせたってことだろう。鮮血があふれてたって話にしても、腐敗性浸出液が漏れてたってことじゃないのか」

「だろうな。――ヴァンピール談において、実際に血を吸われたと訴える被害者や、吸血の現場を目撃したという証言は少ないんだ。けれども得てしてヴァンピールの墓の中からは大量の血液のような液体が発見されるし、杭を打つとそれがあふれ出る。それだけの大量の血がどこから来たのか、観察者は説明しなければならなかった。彼らは人間の腐敗現象についての知識がなかった。だからそれはヴァンピールの体内に死後、取り込まれたものに違いない、と考えたんだ。つまり、吸血が行なわれたに違いない、ということなんだな。そして、その吸血によって死体は腐敗することもなく、生き生きとした姿を保っているのだ、と考えたわけだ。吸血はフォークロアの中においても、事実ではなく推測にすぎない」

敏夫は考え込むように眉根を寄せた。

「つまり、こういうことか？　当時は、死体現象についての具体的な知識がなかった。腐敗して膨満した死体は、連中の『死体』というイメージとはかけ離れていた。しかも死体は土の中だ。土中の死体は空気中に放置された死体よりもはるかに腐敗現象の進行が遅い。とっくに骨になっているとばかり思ったのに、そうではない。それどころか生前より健康そうに見える。これは異常だということになる。なぜそんな異常なことが起こったのか、説明の必要に迫られる。その結果、誕生したのがヴァンピールという化け物だと？」

「そういうことなんじゃないのかな。異常な死体を指し示すために、ヴァンピールという言葉が必要だった。棺の中にあふれた血液を説明するために、ヴァンピールは血を啜るという性格づけが必要だった。健康そうに見える外見を説明するために、ヴァンピールは墓を抜け出してどこからか栄養を摂っている、という性格づけが必要だったんだ。そうして誕生したのがヴァンピールだった」

「ふうん」

「それはともかく、杭を打たれ、焼かれてパオレは滅ぼされたんだが、村人の間には、ヴァンピールによって殺された犠牲者は、ヴァンピールになるという伝承があった。それで、パオレの犠牲者だとされる数人の死者も、パオレと同じく墓から掘り出されて杭を打たれたんだ。

ところが、この事件から数年を経て、村で十数人の死者が連続して出たわけだ。不審な急死が続いたんだな。そこで誰かが、数年前のパオレ事件を思い出した。もちろん、すでにパオレもパオレの犠牲者もいない。村人によって処置されてしまった。けれども伝承によれば、ヴァンピールに襲われた家畜を食べると、やはりヴァンピールになるとされる。パオレは家畜の血を吸っていたに違いない。そしてその家畜を食べた者がヴァンピールになって再び村を汚染しているのだろう、というわけだ。そこで、軍医の立ち会いのもと、疑わしい墓が暴かれ、死体が解剖されることになった。死体の中には、腐敗せずに異常な様子を示しているものがあった。そこでヴァンピールだと見なされた十数の死体は、すべて首を切断されて焼かれ、灰は川に流されたんだ。軍医は死体の検分と解剖に立ち会い、一連の経過を報告書にまとめて上申した」

「そういう報告書が残っているわけか？　公的文書として？」

「そう。ヨーロッパの人々は、このヴァンピールという伝承と凄惨な風習に驚いたんだろう。方々からヴァンピールに関する報告が収集されることになるわけだが、しかしながら、『甦る死者』という伝承は、そもそもスラブ民族の間にだけあったものじゃない。エジプトにもローマにもケルトにもあった。ヨーロッパ全土にあったのだし、実を言えばアジアにも広くあった。それは普遍的な伝承だったんだ。ただ、ヨーロッパではすでに迷信として忘れ去られていたものが、スラブ民族の間ではまだリアリティを持って語

られており、それを元にした習慣が生き残っていた、ということなんだ」

「ふうん……」

「十六世紀、ヨーロッパはオスマントルコ帝国の侵攻にさらされていた。オスマントルコはバルカン半島から東ヨーロッパを支配下に置き、オーストリアを包囲するところにまで迫っていた。ヨーロッパにとって東方に控えた巨大な帝国は脅威だった。かろうじて勢力が拮抗（きっこう）したのが十六世紀、それが十八世紀に入って逆転し始める。十八世紀初頭、セルビアとワラキアがオーストリアに割譲されて、ヨーロッパに編入されるんだが、このときヨーロッパは占領地の住民の間に残るヴァンピールの伝承とそれにまつわる奇妙な風習に出会うんだ。二百年を経て再会した、と言ってもいいんだと思う」

「ああ……なるほど」

「だが、それはもともとスラブ民族にだけあったものじゃない。人は死を恐れる。死者を恐れる。死は得てして伝染する。ゆえに死の拡大を恐れる。その畏怖（いふ）が、象徴としての化け物やフォークロアの形で、世界中の至るところに残っているんだ。スラブではそれがヴァンピールだった。

異常な死体だと思われるもの。そこに説明が付与された。ヴァンピールは墓から起き上がって人や家畜を襲い血を啜る――すべて異常な死体の様子を説明するために付与された要素だ。生前の過ち（あやま）、無念の死、早すぎる死は死者をヴァンピールにする――人は

なぜヴァンピールが生まれたのか、説明しなければならなかったんだ。飲酒、悪徳、悪魔、あらゆる理由づけが動員された。

　ヴァンピールの犠牲者はヴァンピールになる。そういう形で死は伝染する。実際のところ、死はしばしば伝染したんだ。この伝染を食い止めるために、あらゆる種類の悪霊祓いの方法が導入された。芳香、鋭利な金属、厄払いのための魔術はヴァンピールを追い払い、滅ぼすために有効だとされた。たしかに、ヴァンピールを追い払うのには、ニンニクの匂いが有効だとされていた。だが、これをもって本当にヴァンピールはニンニクに弱いという性質を持っているのだと考えてもいいんだろうか？」

　敏夫は溜息をついた。

「……シミリア・シミリブス・クーラントゥル」

　静信は頷く。

「そう。類似のものは、類似のものによって治療される。汚物によって引き起こされる病は、汚物をもって治す。昔、悪臭は病気の原因だとされていた。実際、ヴァンピールは凄まじい悪臭を放っていたんだろうと思う。だから、同じく強い臭いで対抗して、ヴァンピールの呪いを打ち払おうということなんだろう」

「なるほどな……」

「ヴァンピールに対しては、ニンニクが有効だとされている。お前は村で起こっている

一連の死が、吸血鬼によるものだと言う。もしも仮にそうなのだとしても、村にいる連中に対してニンニクは有効だと考えていいか、これは疑問だと思う。ヴァンピールに対してニンニクが有効だとされるのは、実験の結果でも観察の結果でもない。強い芳香は強い悪臭による被害を駆逐できるはずだ、という当時の常識の表現形にすぎないからだ」

「だが……」と、敏夫は呟いて、寝不足で充血した目を静信に向けた。「伝説には得てして真実が隠されていることがある。世界各地に『甦った死者』についての伝承がある、とお前は言ったな? そうだろう、この村にもある。それは普遍的な現象だったんじゃないのか? みんな、死者は時に起き上がることがあることを知っていた。起き上がった死体が死を呼ぶことも。だからこそ、至るところで伝説として語り伝えられている。だとしたら、連中に対抗する手段もまた、伝説の中に含まれて残っているはずだ」

「もちろん」と静信は溜息をついた。「普遍的にあった現象なんだ。死なない人間はいない。死とその結果として現れる死体、それこそが世界のあらゆる地域で実際に起こっていたことなんだ。ヴァンピールはそういう死者に対する畏怖が形を得たものにすぎないから、世界の至るところにヴァンピールに類似した伝説がある」

「だがな」

「神を持たない民族はいないように、死を恐れない民族もいなかったんだ。人は常に死

を恐れる。死への畏怖が死を司る何かの存在を求めさせた。死体の出ない社会もない。そして死者はいつだって、死を想起させるという意味において、死に触れ、呪われた存在だったんだ。人は常にこの呪いが、生者の上に及ばないよう祈った。死者が起き上がり、墓場からさまよい出て生者の間に立ち戻り、その呪われた指で生者に触れることがないよう、あらゆる防御を講じたんだ。それこそ、縄文時代においては、死者を屈葬にして身動きならないようにし、甕棺の上には石を置いて蓋をしたみたいに」

敏夫は沈黙する。

「そして実際、死者というのは死を励起する存在なんだ。死は時として連続する。疫病ならなおさらだ。システムは分からなくても、死者と死の連鎖という現象は理解している。そこで、最初の死者が生者を死に引き込んだのだと説明し、死体に杭を打って、死の連鎖を断ち切るんだ」

静信は自分の両手を見る。自分がここに存在する、ということ。自明のこととして知覚されるそれは、死という現象を前にして揺らぐ。だから人は死を恐れずにいられない。

「……人は生まれて死ぬ。誰もそこから逃れることはできない。それを知っているから死を無視することもまたできないんだ。医学や死に対する知識がなかったときにも、人はそれを無視できないゆえに、様々な方法で説明し、体系づけて未知のものから既知のものへと組み込もうとしてきた。その結果が、吸血鬼でありヴァンピールであり、起き

上がりだったんだ……」

だから、それらの伝承をもって、吸血鬼の実存の証左だとすることはできない。——そのはずだ。

「敏夫は吸血鬼がいる、と言う。ひょっとしたら本当にそうなのかもしれない。吸血鬼が古来、ひそかに存在し続けたのかもしれないし、だとしたらそれが伝説として残っていても不思議はない。その伝説の中に含まれているデータは経験則として学習された真実なのかもしれないし、ならば伝説に言われる撃退法は真実、撃退法として有効なんだろう。だが、敏夫の言う吸血鬼とはどれを指しているんだ？

ヴァンピールは甦った死体だ。そして人の血を吸う。ギリシャの吸血鬼はヴリコラカス。これは甦った死体だけれども、必ずしも血を吸うとは限らない。あるいはラミアという女吸血鬼がいる。これは主に子供の血を常食とする魔物だが、別に甦った死体というわけじゃない。

血液は常に、生命の源だとされてきた。人は血液と生命の間に、ある種の因果関係を感じていたんだ。不自然な死や衰弱は、多く血液の不足や血液の汚染と関連づけられた。そこで吸血の魔物が登場する。この魔物は人を襲い血を吸う。血を吸われた犠牲者は衰弱し、死亡する。理解できない死を、魔物に由来することだとして説明しようとしたんだな。

一方で、そういう『吸血の魔物』がいて、その一方で、『甦る死者』についての伝承がある。人は常に死体を恐れる。それが起き上がり、墓を抜け出して戻ってくるのではないかと恐れるんだ。そのために、死者が甦ることのないよう死体には呪術を施し、家に戻ってくることがないように様々な魔除けを施した。それでも死者は様々な理由で甦ってくる。死体そのものが甦ることもあれば、死者の霊魂だけが戻ってくることもある。霊魂だけが戻ってくるにしても、生者にとっては死者の甦りには違いない。戻ってきた亡霊は、やはり生者に祟りをなす。死を媒介し、生者の安全を脅かすんだ。

村で言う『起き上がり』は、『甦る死者』だ。けれども実体は持たない。と言うより、実体のない亡霊と、実体を持つヴァンピールの間の存在としてイメージされている。それは甦った死体なのだけれども、ヴァンピールほど生々しい肉体を持つわけではない。半透明な存在、と言えばいいのかな。そして死を媒介するが、血を吸うことはない。

敏夫の言う吸血鬼の条件とは何だ？　起き上がりのように甦った死体であることだろうか。だったら、血を吸わず単に凶事を引き起こすだけの魔物でも、敏夫の言う吸血鬼であると考えて伝承を掘り起こしてみなければならない。血を吸っても死体でなければ吸血鬼ではないということになる。それとも血を吸うという属性のほうが重要なんだろうか。それとも、その両方を兼ね備えていなければならないのか？」

敏夫はむっつりと沈黙する。

「甦った死者に関する伝説は、世界中、至るところにある。血を吸う魔物についての伝説も、やはり世界中、至るところにある。伝説を参照しようとするなら、まず、何が吸血鬼なのか定義を明らかにしなければならない。そのうえで世界中の伝承の中から、合致するものを探し出さなければ意味がないんだ。けれども、それ自体に意味があるとは思えない。なぜなら、伝説における吸血鬼は、人の畏怖が形を取ったものにすぎないからだ。起き上がりは疫病の暗喩だ。予防方法や撃退方法が伝わっていたとしても、それは単なる厄除けの範囲を出なかったり、疫病を防ぐ知恵が伝説の形を借りて表現されたものにすぎないだろう」

「……だが、この村で起こってることは、疫病なんかじゃない。そうだろう」

今度は静信が沈黙する番だった。

「何かの暗喩でも象徴でもない。実際に吸血によって人を死に至らしめている連中がいるんだ。そして、その死は連続する。汚染は拡大している。でなければ、伝染病のように被害に波が現れる理由が説明できない。ピークが来るたびに犠牲者の数が増えている。明らかに伝染しているんだ。連中に捕まった犠牲者は、連中と同じく吸血の民になってさらに汚染を拡大させる。──吸血鬼だ。他に考えられない」

静信が溜息をついた時だった。微かに硬質の音がした。とっさに静信も敏夫も背筋を硬直させ、周囲を見まわす。静信が声をかけようとしたとき、再度、それはした。ごく

小さくガラスが打ち鳴らされる音だった。敏夫がそろそろと立ち上がり、回復室のドアに向かう。ガラス窓から中を覗き込み、音を立てないようにドアを開いた。

かん、と高い音がした。今度はさらにはっきりと聞こえた。ガラスに物がぶつけられる音だ。おそらくは回復室の窓。そこに向かって小石か何かがぶつけられている。パラパラと壁を打って硬いものが転がり落ちる音も聞こえた。

回復室の窓は塡め殺しで、脇に換気用の小窓がついてはいるものの、人が出入りすることはできない。もちろんここは二階で、容易に人が窓に近づくことはできないが、それでも静信は窓の外に誰かがいるのではないかという気がしてならなかった。

かん、と高い音がする。そして、唐突に妙にはっきりと声がした。間違いなく眠っているはずの節子の声だった。

「ここよ」

敏夫が弾かれたように回復室に駆け込んだ。静信もそれに続く。スタンドの明かりは点いたままだ。その明かりの中で、節子がぽっかりと目を開いて天井を見ていた。飛び込んできた静信たちに気づいた様子はない。

敏夫は節子を一瞥し、そして窓に駆け寄る。ブラインドを引き開けた。

静信もまた窓辺に寄り、窓の外を見る。ちょうど静信が窓の外を覗き見たとき、小石が飛んできてガラスを叩いたが、小石を投げた人間の姿は見えなかった。窓の下には裏

庭が見える。こちら側には通用口の常夜灯の他には、明かりらしい明かりもないので、真っ暗だった。植え込みや物陰、闇の濃淡だけが広がる。そのどこかに誰かが潜んでいたとしても、見えるはずもなかった。

「ここにいるわ」

もう一度、妙にはっきりと節子が言った。敏夫は換気窓を引き開ける。

「ここは、おれの病院だ！」敏夫は窓の外に向かって怒鳴った。「勝手に侵入することは許さない。さっさと消えろ！」

敏夫の声は闇に吸い込まれる。反応はない。まるで観客のいない舞台上の台詞のように敏夫の声は虚空に浮いた。思わず苦笑を漏らしそうになったとき、下の闇のどこかで葉擦れの音がした。植え込みが揺れる音――そして微かな足音のようなもの。

静信は目を凝らす。染みのように黒い影を見たようにも思ったが、これは網膜の悪戯かもしれない。光の届かない庭の端を辿って、土手道のほうへと移動していく物音を聞いたようにも思うが、これまた気のせいなのかもしれなかった。

しばらくして、敏夫が息を吐いた。静信が振り返ると、節子は何事もなかったかのように目を閉じ、眠っている。

敏夫の台詞のせいか、あるいは単に、人影に恐れをなして逃げていったのか。確実なのは、訪問者がいた、ということだった。

三章

I

静信は何度目か、ブラインドの間から窓の外を窺い見た。ようやく夜明けがやってきて、窓の外の風景が見て取れるようになった。ついにあれきり、訪問者は戻ってこなかった。

安堵の息を吐いてベッドを振り返ると、節子が薄く目を開けた。すぐさまそれに気づいて敏夫が枕許に屈み込む。

「おはよう。気分はどうです」

節子は眩しげに瞬いた。少しの間、ぼうっとしたふうに視線を周囲に巡らせていたが、やがて頷く。

「おかげさまで……おはようございます」

「昨日よりは楽なようですね」

「はい」と、意外にしっかりした声で節子は答えた。枕許にいる静信に目を留め、驚いたように敏夫を見る。敏夫は笑った。

「単なる見舞客です。面会謝絶にしておいたほうが良かったかな」

　そんな、と節子は微かに笑う。

「まあ……若御院、済みません」

「いえ。お加減はいかがです？」

「少し良いかしら。なんだか、久々に頭が軽くなったような気がします」

「そのようですね」と、言いながら、敏夫は節子の顔を覗き込む。「……うん、実際、かなり良いようだ」

「ぐっすり寝たせいかしら。このところ、目が覚めても寝た気がしなかったんですけど」

「そうですか？　昨夜、夜中に目を覚ましたのを覚えてますか」

「わたしがですか？」節子は目を見開いた。「いいえ。起きましたか、わたし？」

「のようでしたよ。誰かに何か言っているような声が聞こえましたから」

　いやだわ、と節子は笑う。

「寝言だったのかしら」

「それにしちゃあ、ずいぶんはっきりした声でしたよ。病室に誰かいるのかと思った」

　節子は軽く眉を寄せ、白い天井を見つめる。

「そう言えば……夢を見たかしら。よく覚えてないけど、誰かが訪ねてくる夢を見たよ

うな気がするわ」

「誰か？」

ことさらのように軽く、敏夫は節子に問い返した。節子は苦笑する。

「覚えてないんですけどね。奈緒(なお)ちゃんだったかもしれないわ。ほら、じきに奈緒ちゃんの四十九日だから」

「……ああ」

「それが気になっていたせいかしら。忌明(きあ)けは済ませたんですけどね」節子は、どこか寂しげに微笑(ほほえ)んだ。「でも、供養(くよう)してやりたかったんですよ。いちおう節目ですものね。それで気にかかってたんだと思うんです。一昨日(おととい)だったかしら、その前の日だったかしら。その頃にもね、ずいぶんはっきりした夢を見たんですよ。奈緒ちゃんが帰ってくる夢で。嬉(うれ)しいやら切ないやらでね」

「この間、診察に来たときには、そんな話はしてませんでしたね」

「単なる夢ですもの。わたしも今まで忘れていました。――奈緒ちゃんが戻ってきたんだと思って嬉しくて。けれども幹康と進(すすむ)のことを何て言おうと思って。どんなに悲しむだろうと思ったら不憫(ふびん)で不憫で」節子は言って、視線を宙にさまよわせた。「でも、よく考えたら奈緒ちゃんだって死んだはずじゃないですか。その奈緒ちゃんが帰ってきたんだから、幹康も進も帰ってくるんだわ、って気がついて。全部悪い夢だったんだ、と

思って胸を撫で下ろしたら、そっちのほうが夢でねえ……」

「……そう」

「奈緒ちゃんがお迎えに来たのかと思いましたよ。わたしも、もう長くないのかしら、なんて。そう思って目が覚めたのか、目が覚めてからそう思ったんだったか……」

「そういう気弱なことを考えちゃいかんな。あんたには徳次郎さんも、他の息子さんもいるんだからね」

「そうですね」

話をしている間に、少し息が上がってきたらしく、節子は浅く速い息をつきながら頷いた。

「もう少し寝たほうがいいな。食欲はありますか」

「いえ……」

「とりあえず重湯を出すんで、できるだけ食べてください。点滴のせいで空腹感はないかもしれないけど」

ええ、と節子は頷いた。敏夫は静信を促し、回復室を出る。ちらりと静信を見て呟いた。

「……奈緒さんか」

「節子さんは夢だと言っている」

「含蓄が深いよ。そうだろう？——奈緒さんの様子を見る必要があるかもしれない」

静信は敏夫の顔を見た。

「様子って」

敏夫は頷き、低く答える。

「墓を暴いてみるんだ」

絶句した静信に、敏夫は皮肉っぽく笑う。

「主がいれば、どんなに元気そうでもヴァンピールだとは言わないさ。——お前、何時なら身体が空く？」

「ちょっと待ってくれ」

言いかけた静信を、電話の音が遮った。敏夫は受話器を取り、短く受け答えをする。早朝の電話、内容は静信にも想像がつく。案の定、敏夫は受話器を置くと、静信に戻るよう促した。

「下外場の本橋の婆さんが亡くなったそうだ。おれは出かけてくる。じきに寺にも連絡が行くだろう」

2

静信が寺に駆け戻ると、ちょうど寝間着姿の美和子が受話器を置いたところだった。

「あら、今お帰り？」

「ええ——敏夫のところに。本橋の鶴子さんが亡くなったと聞いたんですけど」

「そうなの」と、美和子は不安そうに頬に手を当てた。「敏夫くんのところにも連絡があったのね。亡くなったんですって、鶴子さん。あの方も、もうお歳だったんだけど……」

美和子は憂い顔だった。

「どうしてこんなに続くのかしら。悪い病気が流行ってるんじゃないかって檀家の人たちも心配してるわ。……どうなの？」

静信は視線を逸らした。

「ぼくでは何とも言えません」

「そう……。あなたもあまり無理をしないで、自分のことも考えてね。それが自分の責任を果たすってことですよ」

分かってます、と静信は頷いた。美和子が奥に引き退るのと入れ違いに池辺が起き出してきて、訃報を聞いて顔色を曇らせた。何か言いたそうに静信を見たが、特に言葉は

口にしなかった。光男がやって来て鶴見がやって来た。勤行に参加する檀家の人々も集まってきたが、近頃、見知った顔が減っているような気がする。そのぶん、あまり見かけない檀家衆の顔が増えていて、だからあまり人が減った気はしないのだが、明らかに何かの変化が起きようとしていた。

勤行を終えた頃、それを見計らったように下外場の世話役である松尾誠二がやって来た。

弔組の世話役は概して経験の豊かな老人が多いが、誠二はやっと初老にさしかかったところだった。一昨年、体調を崩した父親から世話役を引き継いだばかりだった。

誠二は渋い顔でやって来て、鶴子の訃報を改めて伝える。鶴子は独居老人、しばらく姿を見かけないのを隣家の住人が訝しんで家を訪れ、死体を発見した。

「一昨日に亡くなってたらしいんですよ。なんとも寒々しい話で」

そうですか、と静信は相槌を打つに留めた。

「子供は娘さんばっかり三人でしてね。長女が上外場で所帯を持ってるんで、喪主に立ってもらうことになりました。それはいいんですが……」言って誠二は言葉を濁し、静信の顔を窺うように見る。「あの、できたら今夜をお通夜で、明日を葬儀ってことにしたいんですがね。いかがでしょう」

構いませんが、と言いかけ、静信は黒板を見た。

「でも、明日は」

「ええ、友引なんですよ」

誠二は言って、重い息を吐いた。

「それは承知してるんです。ですがね——若御院、最近、流行り病じゃないかって噂があるのを御存じですか」

「ええ……それは」

「もちろん、伝染病なんかじゃないってことは分かってます。と言うか、尾崎の若先生も何も言わないし役場からも何も言ってこん以上、伝染病ではないんだと考えるしかないんでしょう。でも、実際、今年は変ですよ。こんなに死人が続くなんて考えられんです」

「……はい」

「まるで伝染病みたいでしょう。そうじゃないのか、そうなのだけど事情があって言えないのか。役場や病院にも事情があるのかもしれないです。そこのところは、わたしなんかには窺い知れないわけですけど」

誠二は言って、ひときわ重い溜息をついた。

「……薄情な、と思わんでください。友引を避けて葬式を繰り延べしたくないんですよ。そうやって延ばしてるうちに、また次の訃報が入るかもしれないんでね」

　静信が誠二の顔を見返すと、誠二は恥じ入るように笑う。

「正直言って、一日に二軒の葬式はきついです。二軒で済むって保証もないしね。それでなくても夏以来、弔組の人たちも駆り出され続けてて、疲れてるんですよ。辟易して(へきえき)るって言うんですかね。墓地の整理だって工務店に頼まないといけないんですが、工務店だって日にいくつも予定が重なったんじゃ身動きが取れんでしょう。なので繰り延べたくないんですよ。これはなにも、わたしだけの意見じゃないんで……」

　静信は頷いた。事態はそこまで進行しているのか、という気がした。たしかに、夏以来の葬式の数を考えると、世話役や弔組で率先して働く人々の苦労は並大抵ではないだろう。辟易していても無理はない。

「……了解しました。たしかに、おっしゃる通りかもしれないです。御遺族がそれでいいとおっしゃるのでしたら、こちらから不満を言うようなことでもありませんし」

　誠二は心底、肩の荷を下ろしたように表情を緩めた。

「若御院がそう言ってくだすって安心しました。なにしろ年寄りの中には、とんでもないって言う者もいますんで」と言って、誠二は苦笑する。「歳を取ると、口を出すだけで実際に動く必要はないわけですからね。何とでも言えるんでしょうが、実際に身体を動かすほうにしたらねえ。そうそう仕事だって休めないって人もいますしね」

　そうでしょうね、と静信は頷く。誠二は深々と頭を下げた。

「そういうことで、よろしくお願いします。喪主さんが、戒名も相応で、式も最低限でいいってことですんで」

「かしこまりました」

3

「あんたたち、どこ行くの？」

母親に訊かれて、かおりはぎくりとした。慌てて手提げを身体の陰に隠す。

「ちょっと」と、答えたのは昭だった。

母親の佐知子は不審そうに二人を見比べる。

「すぐに帰ってきてよ。お母さん、弔組の用で出かけるから。留守番してて」

「弔組？」

佐知子は、さも飽き飽きした、というように息を吐いた。

「亡くなったんですって。本橋のお婆ちゃん。──なんだか、こんな用で引っぱり出されてばっかりで嫌になるわ」

昭は、かおりに目配せをする。かおりは、昭の言わんとするところを悟って妙に緊張した。本橋鶴子の死も「あれ」のせいだと昭は言いたいのだ。

「……行ってらっしゃい」

「できるだけ家にいてね。頼むわよ」

曖昧に頷いて、かおりは昭と家を出た。弔組の用なら帰りは遅いし、夕飯時までに帰れば母親には分からないだろう。

昭はどことなく燥いだ足取りで山の麓にある祠へと向かう。村を南から押さえる末の山の麓だ。昭は妙に意気揚々としていたくせに、山際の祠が近づくにつれて顔色を翳らせた。やがて不安そうに、かおりを見る。

「なあ、かおり。あの人、来ると思う？」

「結城さん？　来るんじゃない？　自分で言い出したことだもん」

そうだよな、と昭は呟く。

「……逃げ出したりしないよな」

「昭、怖いの？」

かおりが問うと、昭は唇を尖らす。

「そんなわけないだろ。でもさ、大人って調子いいからさ。やるとか行くとか約束しといて、すぐに反故にするだろ」

「結城さんはまだ高校一年だよ」

「そのくらいの奴のほうが、怪しいんだよ。ノリだけで適当なこと言ってさ」

「そうかもね」と、かおりは答えた。「その時は真剣でも、帰ってから馬鹿馬鹿しくなって思い直したりしてるかもしれないし」

だったらいいのだけど、と思う。かおりは昨夜、眠れなかった。時間が経てば経つほど、自分たちのしようとしていることが馬鹿馬鹿しく思えた。昭のような子供じゃあるまいし、吸血鬼だの起き上がりだのだなんて。そんなことを真面目に考えること自体、すごく自分が子供っぽい愚かなことをしている気がしたし、にもかかわらず恵の墓を暴く、という行為はあまりにも重大事でありすぎる。

「だったらガッカリだな。見処のある奴だと思ったのに。――でも、来てないよな。そういうもんだもんな」

ひとりごちる昭を連れ、かおりは黙々と歩く。手提げの中に入れてきたスコップだの熊手だのが、耳障りな音を立てた。

南にある末の山と西の山が交わるあたり、ちょうど水路の脇にその祠はある。祠と言っても、板で三方と屋根を覆っただけの小さなものだ。もともとはそこに石の柱が納まっていたが、それが折られたのは夏の話だ。収穫の終わった田圃越しに、祠が見えてきたが、その周囲には誰もいなかった。近づくと、石の柱が見えた。それは半ばからわずかに屈曲して立っている。折れた部分を補修してあるのだが、歪んでいるのだ。

「やっぱりな……」と、昭は寂しげな溜息をついた。「かおり、どうする?」

「どうする、って。結城さんがいないんじゃ、仕方ないじゃない」

「そういうわけにはいかないだろ。おれたちだけでも、なんとかしないと」

でも、と言いかけたときには祠は間近で、そして、その背後から夏野がひょろりとした身体を現した。昭が小さく声を上げた。

夏野は目線で促すようにして、祠の裏を示す。昭が小走りにそこに向かった。

「へーえ。本当に来てたんだ」

昭が祠の陰に廻り込んで言うと、夏野は何のことだ、というような目で昭を見た。

「兄ちゃん、見処あるじゃん」

「これ持て」

夏野は二本あるシャベルの一本を昭に寄越す。もう一本、鍬が用意されていた。

「持ってくのか？　隠しようないぜ、こんなもん」

「堂々としてりゃいいんだよ。穴掘りの手伝いに行くんだって顔をしてりゃ、誰も気にしない」

「そんなものかなあ」

昭は言って、感心したようにシャベルを見た。かおりは、なんとなく手提げを背後に隠した。たしかに、本気で墓を掘るつもりなら、こんな小さなスコップなんての役にも立たないだろう。子供の玩具みたいなものだ。ぜんぜん実際的じゃない。そんなも

のを後生大事に携えてきた自分たちが妙に恥ずかしかった。

「でもこれ、どうしたんだ？」

「近所から借りた」

「何て言って」

「何も。変に言い訳すると怪しまれるんだよ、こういうことは。何も言わずに、貸してくれ、って言やいいんだ。そしたら勝手に相手のほうで善意に解釈してくれるんだから」

「兄ちゃんって、大胆……」

「行くぞ」夏野は昭に声をかけて、かおりを見る。「どっち？」

かおりは、祠に近い林道を示した。

「あれを上がっていって、ちょっと入ったところ」

夏野は頷き、鍬とシャベルを何気なく提げて先に立つ。少しも気負ったところがない様子で林道を登っていった。昭がひどく嬉しそうにそれに続いた。

林道には人気がなかった。鳥が鳴いて、風が吹いて、そういう爽やかな秋の日だ。自分たちが何をしようとしているのかを考えると、あまりにもそぐわなくて奇妙な感じがした。林道の途中から折れて小道に入る。いつの間にか下生えが生い茂っていたけれども、枝が払われているので、すぐそれと分かった。

かつて恵の棺が運ばれていった小道だ。大人たちは粛々と棺を運び、黒い穴の中に恵を連れて行った。恵は埋められ――そしてそこで土に還ったはずだった。

かおりは、ぞくりと身体を震わせる。木立の下にわだかまった冷気のせいなのかもしれなかったし、あるいは、土に還るということが何を意味するのか、思い浮かべてしまったからかもしれない。それは腐敗する、ということだ。恵の身体は腐敗し、ぐずぐずになって、それを地中の虫だのがばらばらにして、土に還してしまう。

(もしも恵が、ちゃんと棺の中にいたら?)

それはいないことよりも、恐ろしいことのような気がした。腐り果てた恵なんか見たくない。人間が死んで、おぞましい汚いものになってしまうことなんか、信じたくなかった。それは「起き上がる」ことより、何倍も恐ろしいことだ。

思っているうちに、小道の先が開けた。駐車スペースほどの空間があって、そこに二本、角卒塔婆が立っている。一本は古く、一本は新しい。古いほうは恵の祖母のもの、新しいのは恵自身のものだ。こんもりと塚になっていたはずの土は、なだらかな盛り上がりになっている。

「うん」夏野は誰にともなく言って、腕まくりする。軍手をして、躊躇なく新しい角卒塔婆へと歩み寄った。

「本当にやるのか?」

訊いたのは、昭だった。夏野は角卒塔婆に手をかけ、昭を振り返る。

「帰るか？」

「別に怖いわけじゃないけどさ。墓を掘るのはいいけど、なんか、卒塔婆を倒すのって、こう……」

「こんなものは、単なる角材だ。別に神聖なものでも何でもない」

夏野は言い放って、卒塔婆を突いた。呆気ないほど簡単に、角卒塔婆は倒れて転がった。

「うわ……！　兄ちゃん、無茶するなあ」

昭が半ば呆れたように、半ば感心したように言ったが、夏野の顔は険しかった。倒れた角卒塔婆に屈み込む。

「そんなに力、入れてねえぞ、おれ」

「だって」

「もともと土がゆるいんだ。しっかり立ってなかった」

そんなはずは、と、かおりは言いかけた。恵の埋葬のとき、卒塔婆を立てる様子を見ていた。何度も塚を突き固めて、深く卒塔婆を差して、しっかりと立っているか、大人たちが確認していたのを覚えている。

「見ろよ」と、夏野は角卒塔婆の根元を示した。「ここと、ここ、二箇所、土の跡がある」

かおりは恐る恐る近づいた。真っ白だった卒塔婆は風雨に汚れている。墨の色も流れて、それはもうかなり傷んでいる、という印象を与える。恵の死はそのように、時間に穢されて、醜いものに変容している。そんな気がした。卒塔婆の根元は土の色を吸って汚い色に変じている。そして——たしかに二箇所、その色には変わり目があった。

「……ほんとだ」

昭が呟く。わずかに三センチほどの段差。土の色が根元は濃く、それより上は、かなり薄い。

「誰かが、差し直したんだ」

夏野の声に、昭は顔を上げる。

「……誰が？」

「知るもんか」

「おれたちの他にも、恵の墓を弄った奴がいるってことだよな」

だろうな、と呟いて、夏野は卒塔婆を傍らに動かした。かなり重そうな手つきだった。そうして、地面に放り出してあったシャベルを手に取る。——本当に掘る気だ。

かおりは、やめよう、と叫びかけ、そしてふいに口を噤んだ。ほんの少し離れた、枯れた草の間に白いものを見つけたからだ。それは四角い包みに見えた。小さな、箱。汚れて退色したリボンがついている。かおりは側に寄ってそれを拾い上げた。

「どうした？」

「これ……」かおりはそれを示した。間違いない。白のレースペーパー、水色のリボン。恵へのプレゼントだ。

「何だ、これ？」

手許を覗き込んだ昭と夏野を、かおりは見上げた。

「これ……あたしが恵の誕生日に用意したプレゼントだよ。でも、あたし、これを恵のお墓に入れた……」

夏野は眉を顰めた。

「埋めるの待っててもらって、棺の上に載せて埋めたの。たしかに、穴の中に入れた」

夏野は倒れた角卒塔婆を振り返った。

「それがそのへんに落ちてる、ってことは、誰かが清水の墓を掘り返したんだ」

「まさか」

かおりは足が震えるのを感じた。まさか、本当に？

けれども、かおりは間違いなくこれを恵の墓の中に入れた。棺に入れることを思い浮かばなくて、ここに来てから思い出して、慌てて家に取りに戻った。たしかお寺の若御院が、待っているから、と言ってくれて。そして墓穴の中に入れた。棺の上に置いて。土が被せられ、塚が作られて——。

誰かが土を掘らなければ、これが外に出てくるはずがない。墓は暴かれたのだ。何者かが恵の墓を掘り、そして埋め戻し、角卒塔婆を立て直した。

夏野は決心したように、シャベルを土に突き立てた。昭が及び腰でそれに続く。かおりは震えながら二人の作業を見守り、そして自分も鍬を手に取った。

がつんと手応え(てごた)がして、鍬の先が何かに当たったのは小半時以上も穴を掘り進んでからのことだった。かおりは思わず鍬を放り出した。夏野がそのあたりの土を掘り上げる。すぐにシャベルを放して手で土を掻(か)き、じきにその手も止めた。

かおりは声にならない悲鳴を上げた。昭がしがみついてくる。夏野が何かを言いたげに、かおりたちを見た。

土の中には、汚れた棺の蓋(ふた)が現れていた。――その蓋がずれている。

かおりがさっき感じた、妙な手応えは鍬の先が蓋に当たってずらした手応えだったのか、それとも蓋はそもそもずれていたのか。いずれにしても、穴の底、かおりたちの前には、底辺が五センチほどの細長い三角に間隙(かんげき)が現れていた。

かおりは歯の根も合わないほど震えながら、その黒い隙間(すきま)を見つめる。

「蓋……打ちつけるよな?」

夏野に言われて、かおりは頷(うなず)いた。もちろん、棺の蓋は釘(くぎ)で打ちつけた。かおりが間

近で見ていたのだからたしかだ。

「開いてるわ……」

夏野が間隙に手をかけた。

「に、兄ちゃん」

「やめて！」

かおりの悲鳴には構わず、手をかけて蓋を持ち上げ、動かないと見ると、そこへシャベルの先をねじ込む。無理矢理に棺を裂くようにして蓋をこじ開けた。土が雪崩を打って棺の中に落ち込み——そして、中に恵はいなかった。

蓋が裂かれたように口を開け、棺の中には土塊が流れ込んでいる。その下で黒ずみ、腐臭を放っているのは、かおりたちが中に入れた花だ。けれども恵の姿はなかった。どこにもない。

「——恵！」

かおりは叫んで、しゃがみ込んだ。

間違いない。恵は、起き上がったのだ。

4

恵の墓を埋め戻し、塚を作って卒塔婆を立て直すまでに陽が翳った。林の中には、薄闇が漂い始めている。枯れ草でシャベルや鍬を拭い、なんとか始末をつけて山を下りると、村は夕焼けの中、錆びた色をしていた。

「なあ……どうすんの、これから」

昭は夏野を見上げた。

「さあな」と、夏野の返答は素っ気ない。そのくせ厳しい表情で暮れなずむ周囲を睨んでいる。

昭は待ち合わせた祠の脇の斜面に坐り込んだ。かおりが力つきたようにそれに続く。夏野はようやく汚れた軍手をしたままなのに気づいたのか、それを外し、祠の裏に向かって投げた。

「恵……どこに行ったのかな」

かおりが、ぽつりと言う。——問題はそれだ、と昭も思った。

「兼正じゃないのかな。康幸兄ちゃんも兼正に入っていったし、きっとあそこが連中の巣なんだぜ。あそこにみんなで乗り込んでさ、やっつけるんだよ、やっぱり」

同意を求めて夏野を見たが、夏野は「まさか」と素っ気ない。

「なんで」

「まず、連中が何なのか分からないだろ」

「ゾンビなんだろ？　死人が甦ったわけだし。——いや、吸血鬼なのかな。恵、貧血で死んだんだよな」

「そもそも、そこからどうなのかはっきりしないんだ。もしも吸血鬼なら昼間には出歩けない。杭を打てば死ぬ。けれどもそんなのは映画や小説の中の話だろ。本当にそれで撃退できるのかどうか分からないじゃないか」

「そっか。——ゾンビなら？」

「昼間にだって出歩けるだろうし、たしか首を切るしかないって話だったよな、映画の中では。でも、これだって本当なのかどうか分からないんだ」

「夜にしか出歩けないいんじゃねえかな。だって、兼正の連中、昼間に出歩いてるって話、聞いたことねえもん。で、恵が死んだのって貧血のせいだろ。やっぱ吸血鬼なんじゃ」

　かおりが口を挟んだ。

「吸血鬼だったら、昼間は棺の中にいるものなんじゃないの……？」

　夏野は頷いた。

「そういうことになってるな。だけど清水はいなかった。墓を抜け出してどこかに行った。たぶん隠れてるんだろう。たしかに兼正にいるのかもしれないけど、だとしたらあそこは連中の巣窟だ」

「だから、忍び込むんだよ、昼間に。連中が寝てる間にさ」

「辰巳とかいう若いのはどうなんだ？」

「あれ？　そう言えば、あいつだけは昼間もうろうろしてるよな」

「お前らが兼正を見張ってるとき、あいつがお前らの背後にいたんだ。辰巳も連中の仲間だとすると、お前らが怪しんでることを連中は気づいてる。だとしたら、あっちだって用心してるだろうし、辰巳は昼間にだって動いていられる。うかつに乗り込んだら返り討ちだ」

「じゃあ、こういうのは？」昭は身を乗り出した。「夕方とかさ、夜明けに兼正を見張ってるんだよ。そして連中が出入りするところを捕まえてやっつける。こっちは、こう——十字架とかいっぱいつけてさ」

「そういうものが、本当に効果あるのかな」

そうか、と昭は呟いた。

なんだか、すごくややこしい。映画の中の吸血鬼なら十字架で撃退できるはずだ。けれども、恵たちが映画の吸血鬼と同じだという保証なんかない。十字架を突きつけて——それがなんの効果もなかったら。

「連中がみんな兼正に集まってるとしたら、夕暮れや夜明けの遭遇率は高いだろうさ。でも、それってのは、危険率も高いってことだ。一人を倒してる間に、二人も三人も帰ってきたらどうしようもないしな」

「そっか……だいたい、連中が何人いるかも分からないんだもんなあ」

「これまで死んだ奴、全部と考えても……よく分からないな。夏からこっち、一体何人、死んだんだろう」

「うーん」

昭が首を傾げた横で、かおりは小さく呟くように言う。

「本橋のお婆ちゃんも、起き上がるのかな」

「本橋？」

かおりは頷く。

「今日、亡くなったらしいの。近所のお婆さんなんだけど」

夏野は考え込む。そう——こうしている間にも死者は増えている。その全部が起き上がるのだとしたら？　昭の言うように桐敷家の周辺で待ち構え、少しずつ相手の数を減らしていくことも可能だが、それ以上の勢いで相手が増えていくのだとしたら、なんの意味もない。まず水際で甦生を食い止めなければいけない。

夏野は、かおりを振り返った。

「その婆さんの墓、分かる？」

「知らない——けど、まさか」

「そっか」と昭が興奮した声を上げた。「墓で起き上がるところを待ってて、やっつけ

るんだな」

「起き上がる前に片をつけるんだよ」

「でも……そんな」

「他に手がないだろ。お前んちの弟の言うように」

「昭だよ、昭」

夏野はちらりと昭を見て苦笑する。

「昭の言うように、簡単に兼正に乗り込んでいくわけにはいかないんだ。じゃあ、どうすりゃいいのかって話になると五里霧中。そうやってる間にも連中の仲間は増えていく。できることからやってくしかないじゃないか」

「そうだけど……でも、本橋のお婆ちゃんのお墓なんて知らないわ」

「今日が通夜なんだろ」と、昭が言う。「だったら、葬式って明日じゃないか。葬式の行列をつけていけばいいんだから簡単だよ」

「なるほどな」

「母ちゃんが弔組で出て行くし、そうすりゃ、だいたい何時頃に葬式が始まるか、分かるだろ。その頃に近所に行って、行列のあとをついていけばいいんだ」

「うん」と、夏野は言って昭を軽く小突いた。「冴えてるじゃないか」

「へへ」

昭は嬉しそうに笑う。かおりはなんとなく、つまらない感じがした。

「明日、母ちゃんが出たら電話するよ。兄ちゃんち、電話番号は？」

5

静信が病院の裏口から入ると、ちょうど国広律子が帰り支度をして出てきたところだった。もう九時が近い。まだスタッフがいたのか、と気まずい思いがすると同時に、敏夫だけが際限のない苦役に就いているわけではないことに改めて思い至った。

「あら、若御院」

「今晩も先生に付き合うんですか？」

静信は曖昧に言葉を濁した。

「節子さんの具合、良くなってましたよね。ずいぶん」

「みたいですね」

律子は首を傾げた。

「若御院も大変ですね。お寺もお忙しいでしょうに、毎晩、当直の手伝いなんて」

「いや……そういうことじゃ」

静信は律子の口調に、どことはなく様子を窺う調子を感じた。そう、律子が不審に思

わないはずがない。どう考えても入院患者の様子を観察するのに坊主の手は必要ない。素人に付き合わせるぐらいなら、看護婦を付けるのが当たり前というものだろう。

「先生も、若御院に手伝わせるぐらいだったら、わたしたちを使ってくれればいいのに」

「そうじゃないんです」静信はとっさに言った。「あの……今書いている原稿にアドバイスをしてもらっていて」

「あら」

「医者の意見を聞きたかったものだから。それでぼくが敏夫に付き合わせてるんです」

「なんだ、そうなんですか」

「そのお詫びに当直に付き合ってる、というのが本当なんです。手伝うより邪魔をしてる感じですけど」

「そっか。……でも、大変なのには違いないですよね。若御院も、あまり無理をなさらないでくださいね」

「ありがとうございます」

　軽く頭を下げ、冷や汗の出る思いで裏階段を上った。――そう、本当に看護婦が不審に思わないはずはないのだ。そのうちに誰かが、何をしているのだ、と言い出すだろう。複雑な気分でナースステーションに入ると、節子の笑い声が聞こえた。

「いやだわ、先生、そんな子供みたいな」

「まあ、いいじゃないか。あんたが気弱にならないように、おまじないだよ。ここに幹康たちがいると思って、気張るんだな。お迎えが来た、なんて後ろ向きなことは考えないようにすることだ」

「はいはい。——あら、若御院」

節子が、回復室を覗き込んだ静信に気づいて笑った。

「見てくださいよ。先生ったら、こんなものを持っていらしたんですよ」

節子は枕許のテーブルを示す。そこには小さな本尊と燭台、香炉や花立てや数珠が載っていた。

「敏夫……こんなものをどこから」

敏夫は澄ました顔で笑う。

「仏壇のを失敬してきたんだ」

「そんなことをして」

「一晩くらい、構わんさ。どうせお袋は見もしないんだから。仏さんだって、お袋みたいな不信心者の側にいるより、節子さんを見守っているほうがいいだろう」

言ってから、敏夫は数珠を節子に握らせる。

「いいかい。あんたには徳次郎さんがいるんだ。徳次郎さんは前の奥さんを亡くしてる。

幹康も、可愛い内孫も嫁も亡くした家族の縁の薄い人だ。せっかく気立てのいい後添いをもらってたっていうのにその人まで具合が悪い。あんたがどうにかなると、徳次郎さんはあの家に一人で残されることになる。そこのところをよく考えて」

「……ええ」

「奈緒さんや幹康が夢枕に立ったら、徳次郎さんを残しては行けないから三十年後にまた、と言ってやるんだな。あんたのほうで急がなくても、向こうは親子三人だ。のんびり待っててくれるさ」

そうですね、と節子は目頭を押さえた。敏夫は頷き、隣にいるから、と言い置いて明かりを消し、回復室を出る。静信もそれに従った。

「節子さん……いいようだな」

小声で問うと、敏夫は頷く。

「意識も清明だし不具合も改善されてる。もともと後期に入っていたわけでもなかったし、回復する最初の例になるかもしれない」

ただ、と敏夫は声を低めた。

「症状が治まったからと言って、原因が絶たれたわけじゃないからな。治れば入院させておくわけにもいかないが、家に戻してからが心配だ」

静信は俯いた。入院初日、節子の周りには異常なことなど何もなかった。二日目の昨

夜、訪問者があった。誰だか定かでないあの人物は、夜の闇に紛れて去っていった。それは敏夫の台詞のせいかもしれなかったし、そうでないのかもしれなかった。

　敏夫は回復室を振り返る。

「あれが効果あるといいんだが。——どう思う？」

　あれ、とは数珠や本尊のことだろう。

「さあ……」

「進くんは死の前夜、ママ、と言ったんだそうだよ。幹康がそれを聞いてる。進くんはなぜ奈緒さんを呼んだんだ？　単に子供が母親を恋しがって呼んだだけか？　それとも、本当に母親の姿を見たのか？　節子さんはなぜ、奈緒さんが戻ってくる夢を見たんだ。幹康でも進くんでもなく」

「だからと言って、奈緒さんが甦ったんだと結びつけるのは、短絡すぎはしないか？」

　敏夫は皮肉気に笑う。

「進くんはまだ幼かった。母親が死んだということをきちんと理解できていなかった。だから苦しくて単純に母親を呼んだのかもしれない。節子さんのところを襲った不幸は、奈緒さんに始まる。節子さんの無意識は始まりが修正されれば、その後に続いた不幸も修正できると期待したのかもしれない。そうかもしれないし、そうでないかもしれない。どちらも確証がないことにかけちゃ同じだ」

「だが」

「確証が必要だというのは分かる。おれだって望むところだ。吸血鬼なのかそうでないのか、確かめてみれば、否定的な結果になってもすっきりするってもんだ。——奈緒さんの墓を暴いてみよう」

「敏夫」静信は息を吐いた。「それは無茶だ。どうやって徳次郎さんや節子さんを説得するんだ。たとえ事情を説明したところで、同意を得られるはずがないだろう」

敏夫は目を見開いた。

「当たり前だ。それこそ奈緒さんに他殺の疑いでもあって、裁判所から発掘の命令があればともかく、あるいは伝染病の疑いがあって保健所の命令があればともかく、そんなことが許されるはずがないじゃないか」

静信は瞬いた。だから、と敏夫は声を低める。

「秘密裏にやるんだ。他に手があるか？」

静信は口を開いた。

「暴挙だ」

「確かめてみることが必要なんだ。墓を暴いてみれば、奈緒さんなのかそうでないのかは分かる」

「墓を暴いたところで、その程度のことしか分からない、と言うべきだ」静信は敏夫を

ねめつけた。「仮に奈緒さんが棺の中にいなくても、遺体が甦ったということの直接的な証拠にはならない。遺体が眠っていたとしても、お前は吸血鬼だという仮定を放棄する気にはならないだろう。奈緒さんじゃなかった、と言い出すだけのことじゃないのか？」

「それは……」

「死者の尊厳を無視して、遺族の気持ちを踏みにじって、得られるのはその程度のことでしかない。絶対に同意できない」

敏夫は苛立ったように机を叩いた。

「じゃあ、お前は手を拱いていろと言うのか。他にどうしろと言うんだ」

静信は答える言葉を持たなかった。

「夏以来、一体どれだけの人間が死んだと思う。それもまだ増えているんだ。激化しながら続いている。原因は分からない、対応策も分からない。石田さんの行方も分からない。書類を抱いて消えたままだ。そりゃあ、データはおれたちの手許にあるさ。おれがまとめて兼正に渡りをつけるだけのことなのかもしれない。けれども兼正なら――行政ならなんとかできるのか？　原因を探し出して死を止めてくれるのか。それはいつだ？　目の前でこれだけの人間が死んでいるんだぞ。そしておれたちは――おれは、仮定に

すぎないとは言え、原因究明と解決に至る手がかりを見つけたのかもしれない。途方もない仮定だが、少なくとも症状的には整合するんだ。なのに何もせず、黙って事態を見守っているのか？　よろしくお願いします、と他人に荷物を引き渡して、誰かが安全を授けてくれるまで待っていろと言うのか！」

「敏夫」静信は敏夫を制し、回復室のほうを見た。敏夫は慌てたように声を低める。

「……おれは重い荷物を兼正に渡す。たぶん兼正はその荷物をさらに誰かに手渡すんだし、その誰かも自分以外の誰かに手渡すんだろう。荷物が自分の目の前から消えれば、それでおれの役目は終わりなのか？　役目は果たした、やるべきことはやった、と枕を高くして眠れるわけか？　目の前でそれが続いていてもか」

「……悪かった」

「なんとかしなきゃならないんだ。八方塞がりな現状を打破できるなら、どんな些細な手がかりでもいいからほしい。どんな荒唐無稽な想像でも、確かめてみる値打ちがある。そのくらい事態は逼迫しているんだ。今回の波は高い。じきにピークを過ぎるだろうが、たぶん半月も経ずに次の波が来る。これのピークは今度の比じゃないんだ。二の倍は四、四の倍は八、八の倍は十六、十六の倍は三十二だ。その次は六十四、その次は百二十八。二百五十六、五百十二、――総じて千二十二。外場の人口がどれだけだと思ってる。千三百だぞ。五百十二の次はないんだ」

静信は愕然とした。最初に後藤田秀司、そして山入の三人で四。八月半ばに次のピークがあって、静信たちが異常を察知したとき、すでに死者の総計は十に上っていた。調べている間にも死者は増え続け、一気に二十を数えた。まさか倍々で犠牲者が増えているということはないだろうが、一度のピーク当たりの犠牲者は、たしかに鼠算式に増えることになる。

「今のところ、助かった例は一例もない。ただの一例も、だ。致死率百パーセント。発症したら助からない。おまけに不審な転出がある。この調子で蔓延していけば、来年の今頃、村は廃墟になっている」

「……済まない」

静信が言うと、敏夫は激昂したことを恥じるように押し黙った。静信も不明を恥じて押し黙らざるを得なかった。回復室からも、なんの物音もしなかった。

静信は俯く。夏以来の死者。膨大な数の村人が死んだ。異常すぎた夏、秋に入ったというのに、それが鎮火する様子はない。疫病だと思った。だが、それは確実に伝染し拡大しているとしか思えないのに、伝染病だとも思えなかった。不審な転居者。辞職。村はたしかに何者かによって（死によって）包囲されている。そもそも、これが尋常の事態だと考えることのほうに無理があるのかもしれなかった。

「……何かが村を徘徊していて、それが人を襲い血を吸っている、という敏夫の指摘に

は整合性があるように思う。ぼくには詳しいことは分からないけれども」

「ああ……」

「何者かによって吸血が行なわれている。そのために犠牲者は貧血から出血性のショックを起こして死亡する。この死は連続する。連続するのは当然だ。何者かが徘徊していれば、それがいる限り当然、連続することになる。ただ連続するだけでなく、それは伝染しているように見える」

「伝染しているんだ。鼠算式に増えている患者がそれを証明している」

静信は頷いた。

「節子さんは奈緒さんの夢を見たと言う。節子さんを襲ったのは、すでに何者かの犠牲になった奈緒さんなのかもしれない。だとしたら、何者かに襲われ死んだ者は、同じ何かとして甦るということだ。そして自らが汚染源になる。それは甦った死者だ。一度は死亡を確認された屍体で、けれども起き上がり、移動し、行動する。犠牲者を選び、襲撃を行ない、生者の安全を脅(おびや)かす。——屍鬼だ」

「……屍鬼」

「屍鬼は人を襲い、血液を摂取する。非常に知的で生産的な存在だし、計画的に行動するのだと見なしていいと思う。少なくとも、思考能力を失った生ける屍(しかばね)——ゾンビのような存在ではない。昨夜、節子さんを訪ねてきた誰かが屍鬼だとするなら、それは宙を

漂い、壁を通り抜けて犠牲者を来訪することはできない。霊的な存在ではなく、限定された肉体を持つ存在だ。村で言う『鬼』とは違うし、ヴァンピールとも違っている。ヴァンピールは、棺の中で発見される姿こそ生々しいが、祟りをなすときには、むしろ霊的な存在だと解釈したほうがいいんだと思う。けれども屍鬼はそういう存在じゃない。徹頭徹尾、肉体に閉じ籠められた存在だ。自らの身体を使って移動し、犠牲者を襲撃する。襲撃された犠牲者は死亡したのち、屍鬼として甦る」

　敏夫は頷いた。

「そうだとしか思えない」

「一連の死は、山入に始まった。最初に不調が確認されたのは、大川義五郎さんだ」

「義五郎爺さんが最初の犠牲者だろう。義五郎さんは七月の末に村の外に出かけ、一泊して戻ってきたときには様子がおかしかった。伝染病なら潜伏期間が必要だが、吸血鬼――屍鬼による襲撃なら潜伏期間は必要ない。おそらく義五郎さんは出かけた先で襲われたんだ。そして災厄を山入に持ち帰った。義五郎さんは八月の頭に死亡した。そして甦生し、秀正さんと三重子婆さんを襲い、秀司さんを襲った」

「それはない」静信は敏夫を遮る。「義五郎さんは遺体で発見されている。秀正さんも、三重子さんもだ。しかも手違いもあって、三人は火葬にされているんだ。義五郎さんの死亡が屍鬼の襲撃によるものだとしても、義五郎さんは起き上がることができない。秀

正さんも三重子さんもだ」

敏夫は虚を衝かれたように瞬き、すぐに指を上げた。

「襲われた者のすべてが、必ず起き上がるとは限らないとしたら？　起き上がる者もいるし、起き上がることのない者もいる。三重子婆さんは起き上がらなかった。秀正さんも、おそらく。だが、義五郎さんが起き上がらなかったとは言い切れない」

「死体があったじゃないか」

「バラバラになった死体がな。義五郎さんは山入で死亡し、そして起き上がっていたとしたら？　そして秀正さんを襲い、三重子さんを襲い、秀司さんを襲った。三重子さんは秀正さんが死んだのを見て危機感を抱き、義五郎爺さんのなれの果てを倒した。ひょっとしたら、古典的に杭を打って。義五郎爺さんは、起き上がることのない死体に戻った。だが、その時点で三重子婆さんの容態は不可逆的な段階に入っていた——。

おれたちは不思議だった。なんだって三重子婆さんは、義五郎爺さんと秀正さんの死を通報しなかったんだ？　できなかったんじゃないのか。義五郎爺さんが死んだ、死んで起き上がって自分の亭主を襲っている、それを他人に通報できるか？　言ったところで信じてもらえるとは思えない。だから三重子婆さんは誰にも連絡できなかった」

静信は考え込み、そして首を振った。

「……駄目だ。やっぱりそれは違う。納得がいかない」

「静信、おい」

「頭から否定しようというんじゃない。それでは帳尻が合わないんだ。いいか？　義五郎さんは七月末、どこかに出かけた。戻ってきたときには様子がおかしかった。たしかに村の外で何かが起こったのかもしれない。だが、義五郎さんが寝込んですぐ、秀正さんも寝込んでいるんだ。三重子さんが病院に立ち寄って、そう言っていたんじゃないのか？　この時点で、義五郎さんは死んでない。起き上がっていたはずもない。にもかかわらず秀正さんが倒れている。――では、秀正さんを襲ったのは誰なんだ？」

「義五郎爺さんが、すでに起き上がって戻ってきたとしたら？」

「たった一日で死んで起き上がったって？　そんなことが起こるものなら、通夜の最中に起き上がった者がいたはずだ。そうじゃないのか？」

敏夫は返答に窮したように黙り込み、恨めしげに静信を見た。

「他に解釈のしようがあれば教えてほしいもんだな」

「それをやってるんだろう。――山入の三人は遺体で発見されている。義五郎さんも秀正さんも相好の区別がついたとは言いにくい状態だったが、警察が解剖しているんだ、本人に間違いないことなんか確かめているだろう。義五郎さんが甦り、自分は行方をくらまして他人の死体を置いて逃げたということは考えにくい。それでなくても、義五郎さんが死亡する以前に秀正さんは体調を崩している。三重子さんを襲ったのは義五郎さ

んなのかもしれないが、秀正さんを襲ったのだけは義五郎さんではあり得ない」

「考えられるのは、義五郎さんとは別に屍鬼がいた、という可能性だな。村に屍鬼が侵入していたんだ。山入に、と言ってもいい。それが義五郎さんを襲い、秀正さんを襲い、三重子さんを襲った」

「としか考えようがないんだが……。じゃあ、義五郎さんが出かけたのは？ あれは関係ないんだろうか？」

敏夫は唸った。

「どうも分からんな」

静信は頷き、さらに記憶を辿った。

「後藤田秀司さんは、秀正さんの具合が悪いことを聞いて、『ちぐさ』から山入に向かった。このとき、すでに三重子さんは容態が悪く、秀正さんは死亡していたと推定される。なのに秀司さんは二人の様子についてなんの報告もしなかった。そして、山入から帰ってすぐに寝込んでしまった」

「やはり山入だ。屍鬼がいたんだ。そいつが秀司さんを襲った。屍鬼は犠牲者を操ることができるんだ。だから秀司さんは何も言わなかった。違うか？」

「なのかもしれない。三重子さんも同様だ。だから秀正さんの死を誰にも報告しなかった……」

「義五郎さん、秀正さんは秀司さんが山入に行った時点で死亡していただろうが、腐乱した死体が残っていたぐらいだから、二人は屍鬼じゃない。三重子さんはまだ死亡していない。やっぱり山入にはその当時、三人以外の奴がいたんだ。そいつが後藤田の秀司さんを襲った」

「だろうな。そして秀司さんは死亡した。それから広沢高俊さん、清水恵ちゃん。安森義一さん、後藤田ふきさん。清水隆司さん、安森奈緒さん……」

「だが少なくとも、義一さん、恵ちゃんは山入には行ってない。そう、だからおれたちは感染ルートを特定できなかった。犠牲者同士の中には接点を持たない者があったんだ。媒介動物がいるのじゃないか、と思ったわけだが、ある意味でそれは正しかったんだ。

　今やこの病気は村全体に広がっている。むらなく広がっていすぎる。もっと偏りがあるべきなんだ。しかも、丸安で発症したのは義一さんだけだ。直接伝播するものなら、義一さんから奈緒さんに移ったと考えられる。なぜ家族じゃなく奈緒さんなんだ。接触の頻度は家族のほうが断然、多いんだぞ。しかも奈緒さんからは、進くん、幹康、節子さんと三人が発症しているんだ。これが逆なら分かる。丸安で症例が四、工務店で一、というなら。ところがそうじゃない。この病原体は伝播する際、ひどく恣意的に犠牲者を選ぶんだ。

だが、媒介しているものが人の形をし、人のように意思を持っていると考えれば、恣意的なのは当然だ。丸安では何らかの理由で、義一さんしか襲撃できなかった。いや、むしろむらのない広がり方を考えると、連中は偏りが出ないように犠牲者を選んでいるんだ。だが、工務店では襲撃を促す事情があった。だから工務店でだけ、妙な偏りが出た」

「襲撃を促す事情……」

「それが何だかは分からんが。ただ、ひとつだけ確実に言えることがある。秀司さんは山入で襲われた。その後、三重子さんが死んで山入の住人は絶えた。被害の舞台は山入から村に移った。この時点で、屍鬼は山入から村に移動している」敏夫は言って、ひとり頷いた。「越してきたんだ。村に入ってきた」

「越してきた？」

「兼正の連中さ。他に考えられるか？　昼間には決して出てこない住人、夜にだけ姿を見せる。いかにも採光の悪い、気密性の高い洋館は何のための代物(しろもの)だ？」

「それは、違う」静信は反射的に否定した。「そんなはずはない。——そうとも、桐敷家の人々が越してきたのは、山入の死体が発見されたあとのことだ。それ以前にはいなかった。駐在の高見(たかみ)さんだってそれを確認したんじゃないのか」

「襲撃の現場は山入だったんだ。連中は山入に潜伏してたんじゃないのか？　そもそも

三重子さんの家にいたのかもしれない」

「けれども」

「いや——それができるなら、そもそもあんなたいそうな家を移築して、悪目立ちする必要なんかないか。あの家は連中にとって必要だったんだろう、おそらくは。たしかに高見さんは、誰もいないようだ、と言っていた。なにしろメーターがまったく動いてなかったからな。だが、連中が屍鬼なら電気やガスや水道を使う必要があるのか？　人間が数日とは言え、まったく電気も水道も使わずに隠れているのは至難の業だ。あの猛暑の最中ならなおさらだろう。だが、本当に身を隠そうと思えば、人間だって蠟燭を用意するなり水を持ちこむなりするんじゃないのか。ましてや相手が人間でないなら、メーターが動いてないことなんざ、なんの証明にもならない」

「しかし」

「怪談話があったろう。いるはずのない家で人影を見た、物音を聞いたとかいう。そっちのほうが事実だったんじゃないのか。連中はそもそも、山入に入り込んだ。被害者が三人、桐敷家の住人は六人だ。一部が山入に入り込み、他の者は屋敷に入ったのかもしれないし、全員がすでに屋敷にいて山入に通っていたのかもしれない。だから、山入で三人が死ぬ以前から、屋敷には人のいる気配があった、そういうことじゃないのか？　すでにその頃から連中はたしかにいたんだ。そして着々と村の連中を襲っていた。連中

が表立って転居してくる前にも犠牲は出てる。秀司さんだけじゃない、前原の婆さんをはじめ、不審な転出者がいたんだ」

「それは……」

「そうして、ある程度の被害が出てから、これ見よがしに越してきた。それこそお前の言うように、一連の死が始まった当時、まだ村にはいなかったという不在証明のために、あえて賑々しく引越の真似事をしてみせたんじゃないのか。そこから高俊さんを襲い、恵ちゃんを襲い、義一さんを襲った。——恵ちゃんは失踪した晩、最後に兼正に向かって坂を登っていったのを目撃されている。おそらく恵ちゃんは兼正の屋敷に辿り着いたんだ。家に帰ろうとして出てきたときには足許が定まらず、道を失った。そうでなければ、意識のないまま外に放り出されたんだ。疑わしくない程度に屋敷からは距離をおいた山の中に遺棄された」

けれども、と呟きながら、静信は退路を見失った自分を自覚していた。

「もしも屍鬼がいるとすれば、外場は仲間を増やすには絶好の場所だ。なにしろ未だに土葬だからな。火葬にされてしまえば、起き上がる間もあるまい。そう、屍鬼なんて連中がいながら、その存在がこれまで知られてなかったのは、そのせいかもしれない。火葬の風習が抑止力として働いていた。よほど特殊な事情がない限り、連中は起き上がることができなかったんだ。だから数が極端に少ない。人目につくほど増えることができ

なかった」

「そう……それはそうかも……でも」

「だが、村じゃ土葬だ。しかも墓地は山の中に分散している。滅多なことじゃあ、起き上がってきた死人が目撃されることもない。連中にとっちゃ、村の時代錯誤の風習は願ったりかなったりだったんだろうさ」皮肉気に言って、敏夫は言葉を切った。ふいに何かに思い至った、という顔をした。「そうか、虫送りだ」

「……え？」

敏夫は軽く身を乗り出して静信の顔を見る。

「虫送りの日、トラックがやって来て引き返した」

静信は首を傾げる。そう言えば、そんな話もあった。それが、と問うと、敏夫は確信したように頷いた。

「あれが始まりだったんだ。虫送りは、悪鬼邪霊を追い払う儀式だ。そこにたまたま、屍鬼が来合わせた、というわけだ。連中は村に入ろうとしたが、入れなかった。そうとも、そもそも連中は招待されなくては入り込めないんだ」

馬鹿な、と言いかけ、静信は言葉を失った。たしかに虫送りは疫霊を祓う儀式だ。村の内部の穢れを道祖神に移して、村の境に連れて行き祀り捨てる。そう、村には境界があるのだ。境界の内部は「ウチ」であり、境界の外部は「ソト」だ。虫送りはソトから

悪霊がウチに入ってくるのを防ぎ、ウチの内部にある悪霊をソトへと追い出す。もしも吸血鬼なるものが存在していて、招待されなければ「ウチ」には侵入できないものだとしたら、同様に村の「ウチ」にも招待がなければ侵入できないことになりはしないか。

「だから連中は引き返した。そして、義五郎爺さんをソトに呼び出したんだ。どうやってか、義五郎爺さんに自分たちを招待させた。そうして入ってきたんだ」

「どうやって」と、言いかけ、静信は記憶の中に意味ありげな断片を見つけた。「道祖神……壊された」

「え？」

静信は軽く額を押さえる。脳裏に褪(あ)せた赤い色が甦った。山入の小さな祠(ほこら)。倒され、首が折れていた石地蔵の赤い前垂れ。村のあちこちで、なぜだか続いた道祖神の破壊。

「道祖神が壊されていたんだ。おそらくは、村中の」

「そうか。それで境が壊れたんだ。連中は遮蔽物(しゃへいぶつ)を取り払った。それで越してきたんだ。この村に」

――人間なら誰だって、神様に見放されてるって感じは分かると思うわ。

静信は俯いた。敏夫は言葉を重ねる。

「だとしたら、呪術(じゅじゅつ)は有効なんだ、やっぱり。連中は村に正面から侵入しようとして、

虫送りに行き当たって失敗した。土葬なんていう時代錯誤の風習を後生大事に守っている村は、同時に虫送りなんていう風習も後生大事に守っていたんだ。それで連中は入ってこれなかった。だから義五郎さんを呼び出し、襲って、招待させた。連中は犠牲者を意に添わせて操ることができる。そうでないと辞職の説明がつかない。

それはおそらく、極端な感情の鈍麻と無関係じゃないんだ。患者はいつだって他人事のような顔をしてる。自分の状況に無関心だ。節子さんは奈緒さんが戻ってくる夢を見た、と言った。もしも奈緒さんが屍鬼になって節子さんを訪ねてきていたのだとしたら、犠牲者にとっちゃあ現実はそんなふうに変容してしまうということなんだろう。現実に対する正確な認識能力を失って、それは夢のように感じられる。夢の中で、死んだはずの嫁が入れてくれと窓に向かって小石を投げる。犠牲者は清明な意識を失い、夢と現実の境目を喪失したままそれに従う。まるで憑かれたように」

静信は俯いた。

(沙子……君は)

「そうか」と、敏夫が声を上げた。「あの車だ」

「……車?」

「下外場の坊やを撥ねた。運転手は酩酊しているようだった、という話があったろう。運転手は発症していたんだ。犠牲者だった。多くの犠牲者が辞表を出したように、操ら

れ、車を運転して山入に向かった。そして義五郎さんを外に呼び出したんだ。義五郎さんは出て行き、襲われた。そして連中は招待をもぎ取ったんだ。その頃にはまだ村の道祖神は破壊されていない。招待があれば道祖神は遮蔽物としての意味を成さないのかもしれないが、あとで塚が破壊されている以上、やはり都合の悪いものではあるんだろう。ならば招待だけでは正面から村に侵入できなかったはずだ。おそらくは別のルートから――林道を経由して山越えで直接山入に入り込んだんだ。ひょっとしたら義五郎さんは山入の地蔵を破壊してそれを助けた」

「村の道祖神は？」

「あれは八月の頭だった。ちょうどその頃、罹患（りかん）した奴がいるだろう。――秀司さんだ」

どうだ、というように、敏夫は満足気な笑みを浮かべて静信を見た。静信は返答できなかった。

神様に見放された感じが分かる、と沙子は言った。

――まさしく、沙子は「神様に見放された」存在だったのだ。

6

「いい匂い」背後から声がして、律子は振り返った。妹の緑が台所の入口、珠暖簾を掻き分けて首を突っ込んでいる。「こんな時間にどうしたの？　夜食？」

「そう」と、答えながら律子はサンドイッチの耳を落とす。「ただし、あんたやわたしのぶんじゃないんだから、つまみ食いはしないの」

早くも側に来て伸ばしていた緑の手を、律子は叩いた。

「けち」

「先生がね、泊まり込みなの。工務店の奥さんが入院してて、このところずっとそうなのよ。で、差し入れ」

「奥さんも悪いの？　あの家、どうかしてる。次々に」

うん、と律子は頷いた。安森節子も死ぬのだろうか。そうすればもう、工務店のあの家に残るのは安森徳次郎だけだということになる。なんて寒々しい話だろう。

「でも、わざわざ差し入れとはお姉ちゃんもマメだね」

「だって給食係はいないもの。奥さんも、そういうことをする人じゃないし」

「若奥さん？　帰ってきてるんだ」

「いい御身分よねえ。好きなときに出て行って帰ってきて。あたしもそういう理解のある旦那さんがほしいもんだわ」

口調のわりに、緑の言葉には真剣味がない。

「でも、それこそ大奥さんが御飯くらい食べさせるでしょ。自分の息子のことなんだから。なにもお姉ちゃんがそこまでしなくても」

「そうかもしれないけど」と、律子は笑いながら、そんなことはあり得ないことを確信していた。敏夫が泊まり込んでいるだけならまだしも、静信がいるのだから。孝江は例によって気づかないふりをするのだろう。「まあ、いいじゃない。夜食ぐらいにはなるわよ」

緑は思わせぶりな表情で律子の顔を覗き込んだ。

「お姉ちゃん、先生には親切なんだあ」

「そりゃそうよ。昇給やボーナスに響くもの」言って、律子は声を低める。「お母さんに聞こえるでしょ。やめてよ」

「了解」緑は小さく舌を出した。

律子は背後を振り返ったが、母親が台所を覗き込む様子はなかった。テレビの音がしており、その合間に軽い鼾が聞こえる。うたた寝をしているのだろう。それを確認して、

律子は手早くサンドイッチをアルミホイルで包む。ポットにスープというのもたいそうな話なので、インスタントで我慢してもらおう。

「帰ってから入るから、お風呂のお湯は残しといてね」

「はいはい。気をつけて」

手を振る緑に頷き、差し入れを収めた紙袋を提げて律子は勝手口から家を出た。犬小屋から太郎が顔を出す。

「あんたも散歩に行く？」

声をかけたが、太郎は尻尾を巻いて後退りし、小屋の中に逃げ込んでしまった。心細気な、鼻にかかった鳴き声が短く聞こえた。

夜の中に出てみると、薄いジャケットだけでは頼りなかった。このところ、朝晩にはぐっと冷え込むようになった。身体から体温が引き剝がされていく感覚は、何かを喪失していく感覚と似ていて、だから深まる秋には独特の心細さがつきまとっている。

（心細い……）

心の中で言葉にしてみると、いっそう身に迫った感じがした。ジャケットは少し薄すぎた。寝静まった集落、夜道には人気がない。もっと早くに思いついていたら良かった。そうしたらこんな夜中の道を歩かずに済んだのに。いや、それとも緑か太郎についてきてもらえば良かっただろうか。

律子は無意識のうちに、油断なく周囲に視線を配っている自分に気づいた。

――近頃、夜道が怖いのはなぜだろう。

いや、そもそも人はどうして夜の暗がりが怖いのだろうか。暗がりには危険が潜んでいても分からない。それが怖いと言うなら、昼間の背後だって同様に怖いはずだ。背後、物陰、光が当たっていても見えないものはいくらでもある。にもかかわらず、それは怖いと思わない。人は夜を恐れる。そう――「まるで太古の昔、天敵がいて、それが夜行性だった、その名残のように」。

気がつくと、足が速まっている。項のあたりに焦げるような緊張感があって、それから逃げるように足を急がせた。

（どうってことないわ……そんなにたいした距離じゃないもの）

通い慣れた道、ほんの十五分ほどの行程。怖いことなど何もないはずだ。ここは村の中で、都会の裏道じゃない。

寺の前を過ぎて丸安製材に続く坂にさしかかった。坂の頂上には街灯が立ち、製材所の事務所前の街灯と、その先に点された病院の玄関灯とで明るい。律子は小走りに坂を登り、街灯の下で息をついた。尾崎医院は目の前だ。二階の一室に明かりが点っているのが、ブラインド越しに漏れていた。二階の角部屋――ナースステーションだ。それを確認して息をつく。

（どうかしてる）

律子はいまさらながら苦笑した。子供みたいにびくびくしていた自分がおかしかった。紙袋を手の中で持ち換え、律子は残る道のりを歩き出す。そのとき、視野の端に白いものが見えた。

ついさっきまでは、あれほど何かに出合いそうな気がしていたのに、いったん息をついてしまい、目の前に見慣れた病院の建物があると、目にしたそれが異常なものであるかもしれない可能性は不思議なほど念頭に浮かばなかった。律子はごく当たり前に、誰かがいるのかしら、と思った。

（こんな時間に）

珍しいことだ、と視線を向けると、丸安製材の材木置き場を歩いている人影がある。誰だろう、淳子だろうか。――淳子を思い浮かべたのにも理由などない。あれは丸安製材の地所だから、丸安製材の誰かなのだろうと思い、中では淳子がもっとも律子にとって思い浮かべやすい相手だったというだけのことだった。

足を止めてしげしげと見ると、それは実際、若い女のようだった。淳子がどうして、こんな時間に材木置き場を歩いているのだろうかと思い、次いで、淳子ではないことに気づいた。淳子はショートカットだ。少なくともあの人物の髪は長い。

人影は材木置き場を抜けて、病院のほうに近づき、建物の裏手に廻り込もうとしてい

る。尾崎恭子だろうか、と思う。

律子は小首を傾げて人影を見つめ、なんだ、と思った。

（若奥さんじゃない。あれは）

奈緒さんだわ、と律子は思い、同時にそう思った自分に違和感を感じた。人影は建物の裏手に廻って姿を消した。

（でも……安森の奈緒さんは……）

すっと氷で背筋を撫でられたような気がした。

（奈緒さんは……）

足に力が入らない。膝が震えている。（馬鹿な）そんなことがあるはずがない。あれは似ているだけの他人だ。（きっと、そう）

けれども律子はその場を動きたくなかった。ほんの少し先には尾崎医院の玄関灯がある。一息に駆けて逃げ込みたかったが、玄関は戸締まりをされている。律子は裏口の鍵しか持っておらず、裏口に辿り着くには人気のない、暗く細い土手道を歩くか、駐車場を横切り、建物と生け垣の間の障害物の多い路地を歩いて建物の裏手に廻らなければならない。あの、奈緒に似た、まったくの別人に違いない誰かが消えたあたりへ。

律子はその場で二度ほど足を踏み直した。

――駄目だ、行けない。

あの土手道には、とても足を踏み入れられない。律子は無意識のうちに紙袋を何度か持ち換え、それから後退った。（そんなはずはない）製材所の街灯の下に逃げ込み、土手道のほうを見つめ、身を翻して坂を駆け下りた。（……でも）もう二度と、こんな夜中に出歩くまい、と決意しながら。

7

静信は、唐突に我に返った。一瞬、見当識を失い、周囲を見まわす。白い壁の小さな部屋、向かい側では開いたドアの前に陣取った敏夫が、椅子に坐ったまま首を垂れている。疲れているのだろう、起こすには忍びなく、それと同時に、同様に疲れている自分、つい眠っていた自分にも思い至った。

せめて自分だけでも起きていないと、と思う。目を向けると回復室のドアは開いている。さっき敏夫が節子の様子を見に行った際、何かあったら聞こえるようにと、開け放しておいたものだ。暗い病室を白い衝立がかろうじて区切っていた。

異常はない、何も。

耳を澄ますと、微かに規則正しいパルス音や酸素の音が聞こえるような気もしたが、同時にそれが詰め所にまで届くはずがないことも自覚していた。まだ半分、夢の中にい

る。目を覚まさないと。

静信は腕に額を載せたまま、コーヒーメーカーに視線を向けた。――あるいは、向けたつもりになった。

(コーヒーでも淹れよう……)

身体を起こして、立ち上がって、豆をセットし、水を汲む。それで目が覚めるだろう、おそらくは。そうしよう、と決意しながら、静信は目を閉じた。身体は泥が詰まったように重く、自重でひしゃげていきそうだった。

起きないと、と思いながら、静信は眠りに引き込まれていく。駄目だ、と泡のように思念が浮かぶその前に、静信は風が通るのを感じた。

風は回復室の暗闇から静かに流れてきた。詰め所の中へと流れ込み、温い小さな渦になって消えていった。

四章

I

静信が再び目を開けたとき、時計は午前五時を指していた。三時間ほど眠ってしまった自分に気づいた。

回復室を振り返ると、衝立（ついたて）の向こうには暗闇（くらやみ）がわだかまっている。静信はなんとなく違和感を感じて身を起こした。

夜明けまでにはまだ間がある。暗いのは当然のことだ。スタンドの明かりを消したのは敏夫で、二時頃に様子を見に行ったとき、明かりを消して、代わりにドアを開け放しておいた。最後に見たときから何も変わっていない。違和感のあろうはずがなかった。

静信は節々が痛むのに顔を顰（しか）めながら身を起こす。ひどく寒いな、と思った。回復室のほうに歩きながら、ごく冷たい空気の流れを感じた。そして、妙にはっきりと聞こえる戸外の音。あるかなしかの風に揺れる樹木が立てる音。――風の音。

静信は目を見開いた。違和感の正体に気づいた。風が通っている。回復室に駆け込み、開いた換気窓に真っ先に目を留めた。

（窓が開いている——なぜ）

敏夫は開けてない。思いながら視線を巡らせると、ベッドの上に節子の姿はなかった。

「節子さん」

回復室にはナースステーションではなく廊下に直接出るドアがある。そのドアも開いている。どこもかしこも開け放されて、空洞と化した空間に冷えた微かな風が通っていた。

眠ってはいけなかった。臍を噛みながら敏夫を起こした。

「敏夫、節子さんがいない」

椅子で寝入っていた敏夫は、不審そうに静信を見てから飛び起きた。

「……いない？」

「いないんだ。窓が開いてる。廊下側のドアも」

敏夫は回復室に飛び込んだ。ベッドの上は蛻の殻だった。白いシーツの上に、敏夫が握らせた数珠が置き去りにされている。たしかに窓が開いていた。廊下側のドアも開いていて、節子の姿はどこにもない。廊下に飛び出して左右を見ても節子はいない。

「敏夫」

静信に呼ばれて振り返ると、静信は硬い表情でベッドサイドの枕頭台を指していた。

その上には敏夫が家から持ち出してきた仏具があったはずだ。本尊と花立て、香炉。そ

れが存在しない。駆け戻り、枕頭台の周辺を捜したが、それらのものは見当たらなかった。

「済まない……眠ってしまっていて」

静信が呟いたが、そもそも敏夫に静信を責める資格があるはずもない。

「二階を見てくれ」

言うと頷き、静信は二階を奥へと走っていく。敏夫は回復室を出、手術室を覗き込み、あるいはナースステーション内の小区画や物陰を覗き込んでから裏階段を見下ろした。冷えた風が階下から吹き上げてきていた。敏夫は裏階段を半分降り、そして通用口が開いているのを目にする。裏口のドアが開き、土間に寝間着を着た女の下半身が覗いている。

階段を駆け下りた。間違いなく節子だった。節子は半身を建物の外に乗り出すようにして倒れている。駆け寄って脈に触れたが、脈拍は触知できなかった。

背後から物音がして、振り返ると静信が顔色を失って立っていた。

「節子さんは……」

敏夫は首を振る。

(そんなはずはない)

昨日までは順調に回復する兆しを見せていた。バイタルサインも安定していたし、正

常値に戻りつつあった。貧血も改善されていたし、意識も清明さを取り戻していた。どう考えてもこれほど急激に死ぬはずがない。

敏夫は下駄箱の上に置いた懐中電灯を取って周辺を照らした。通用口の周辺には砂利が布かれている。それがひどく踏み荒らされているような気もしたが、これはたしかとは言えなかった。さらに光を外辺へ向ける。土手道に上がるあたりの土がやはり踏み荒らされているように見えた。そして、そこで何かが光る。懐中電灯の明かりを反射するものがあった。

敏夫は外に出る。植え込みを廻り込み、周囲を照らす。光を弾いたのは金色の小さな本尊だった。さほど離れていない場所に香炉を見つけ、花立てを見つけた。振り返ると、頭上に開いた換気窓が見える。回復室の窓だ。

「こんなところに？」

怪訝そうな静信の声が背後でした。敏夫は頷く。窓から投げ捨てられたのだ。位置から考えてそれしかあるまい。周辺の土の上には香炉の灰が撒かれている。そこに足跡が見えた。

「一人じゃない……」

敏夫は静信に入り乱れた足跡を照らして見せた。明らかに靴底のデザインが違うものが三つほど。足跡の上に灰が撒かれたのではない。灰の上を誰かが踏んだのだし、だと

したらそれは明け方のことだ。

「明け方に誰かが来たんだ。それも一人じゃない、たぶん複数だ」

敏夫は、通用口に倒れたままの節子を振り返った。節子は回復しつつあった。五〇〇ミリリットル程度の出血なら持ち堪えただろう。少なくとも急死することはなかったはずだ。

「複数で一気に片をつけたな」

「敏夫」

驚いたように言う静信を敏夫は促す。

「とりあえず、節子さんを病室に運ぼう。手を貸してくれ」

静信は呆然とした気分で、敏夫が節子の遺体を検めるのを見守っていた。

「特に内出血を起こしている様子はない。これと言って外傷もないし、重大な不具合の兆候も見えない」

敏夫は布団を節子にかけてやりながら言った。

「原因不明だ、と言いたいところだが。おそらく失血死だろうな」

敏夫は軽く節子の腕を示す。左腕の肘の内側に赤く膿んだような癤がいくつか、重なるように並んでいた。

静信はベッドサイドの椅子に坐り込んだ。あそこで眠らなければ、と自分をどれほど責めても責め足りない気がした。疲れていたんだ、というのは言い訳にもならない。自分も敏夫も疲れていたのは承知のうえだ。もっと計画的に交代で仮眠を取るべきだった。せめて節子の枕許に陣取っているべきだった。悔やまれることをあげつらい始めたら、きりがない。

チンと硬い音がした。敏夫が花立てを弾いた音だった。

「誰かがこれを放り出した……」敏夫は呟く。「窓には内側から鍵をかけてあった。廊下側のドアもだ。詰め所を通って誰かが病室に入ったんでない限り、誰かが内側から開けたんだし、それをできた人間は節子さんしかいない」

静信は頷いた。——だが、詰め所を通って部外者が侵入できるものだろうか。そんなことがあれば必ず目が覚めたはずだとは、静信にも断言できない。だが、不安定な状態で眠っている男二人の間を通って回復室に入り込むことが心理的にできるだろうか。そういう推測は、侵入してきた誰かが人間的な心理を持っているのでなければ意味を成さないのだけれども。

「通用口にも内側から鍵をかけてあったはずだ。戸締まりはしているはずなんだ」

「実際に戸締まりを確認したわけじゃないだろう。ひょっとしたら律子さんがかけ忘れたのかもしれない。あるいは、彼女は帰るときにぼくと会ったから、あとの出入りを考

えて開けておいてくれたのかも」

「それもなくはないな。けれども回復室に関する限り、ドアと窓を開けたのは節子さんだろう。窓から人は出入りできない。ここは二階だし、たとえ梯子を使っても大人が出入りできるほど、そもそも窓が開かない」

敏夫は壁にもたれて俯いた。

「……節子さんはたぶん、誰かに呼ばれたんだ。ひょっとしたらまた夢だと思ったのかもしれない」

「節子さんの意識は清明だった」

そうだな、と敏夫は息を吐く。

「すでにそういう暗示が埋め込まれているのか。あるいは、清明だったからこそ、誰かに呼ばれてかえって無視できなかったのかもしれない。いずれにしても、節子さんはドアを開け、裏口を開けた。それが不可能でないくらい、節子さんの容態は良かった」

「仏具が捨てられていたのは？」

「分からないな。……ただ、連中は複数でやって来た。とは言え、節子さんの状態はかなり良かったし、操られているのでもなければ、複数相手にドアを開けて招き入れたりはしないだろう。おれたちだって、いくら何でも複数の人間が入ってくれば気づいた」

それはどうだか分からない、と静信は思ったが、異論は唱えなかった。万一ということはあるが、たしかに可能性としては、目覚めた可能性のほうがはるかに高い。

「複数でやって来たのは、一気に片をつけるためだろう。節子さんは入院していて、簡単に手出しができなかった。だから、長々と悠長な襲い方をしてられなかった。だが、大勢で押し込むこともできない。だから中の一人がまず侵入する。そうでなければ節子さんを外に呼び出す」

敏夫は首を傾げた。

「仏具を捨てたのは節子さんか、それとも侵入者か……ひょっとしたら、中の一人が病室にまでやって来て、あれに気づいて捨てさせたのかもしれない。いずれにしても、あれはここにあっては都合の悪いものだったんだ」

静信は答えなかった。可能性は無限にある。今の状況からは、想像以上のことは言いようがない。

「おれたちに分かることは、どうやら仏具は連中にとって都合が悪いものである可能性が高い、ということだ。虫送りや道祖神のことを考えても呪術は有効だ。……たぶん」

「そうだな」

「そして、やはり連中の行動は人間程度には制限されているんだ。壁を這ってよじ登り、煙になって室内に侵入するようなことはできない。病院に隔離され、不寝番が付けば連

中は焦る。その程度には人間的だ。……あとはもう、何を言っても無限にある可能性のひとつでしかない」

静信は頷いた。

「……徳次郎さんに連絡をしないと」

「ああ……」と、敏夫は虚脱したように呟き、「やはり奈緒さんの墓、暴いてみよう」

静信はもう異論は唱えなかった。

「いつなら身体が空く？」

「今日は節子さんの弔いがあるだろうから。あとは法事がいくつあったかな。節子さんの通夜以外は、鶴見さんか誰かに代わってもらえると思う」

「昼間はまずいな。埋葬の下検分に誰かが墓地に来る可能性がある」

「夜に？」

敏夫は問いかけるような目をして静信を見つめ、無言のまま深く頷く。

「……今夜、墓を暴けば、その形跡が節子さんの埋葬の際に発見されるかもしれない」

「やむを得ないだろう。節子さんの埋葬が済むまで待っていられない」敏夫は言って、苦笑する。「なんとかして内視鏡を使う手もあるが、あまりそういうことには使いたくないしな。それにしたってまったく墓を荒らさないわけにはいかないんだし、だったらもう五十歩百歩だろう」

分かった、とだけ静信は呟いた。

2

「安森の奥さん、亡くなったんだって？」

清美が休憩室に入ってくるなり、そう言った。休憩室の中には、律子と聡子、やすよの三人だけがいる。武藤は節子の処置について敏夫と話をしているようだし、清美は雪から節子の話を聞いたのだろう。

「あんなに調子が良さそうだったのにねえ」

清美は溜息をついた。本当に、とやすよは雑巾を使いながら頷く。

「ひょっとしたら、治るんじゃないかと思ったんだけどね。やっぱり例のやつに罹ったら駄目ってことなのかねえ」

呟いたところに電話が鳴った。間近にいた律子が受話器を取った。十和田ですけど、と妙に歯切れの悪い声がした。そう言えば、今日はまだ姿を見ていなかったことに、律子はその時になって気づいた。

「あの……済みません、ぼく、辞めます」

え、と律子は問い返した。

「先生に伝えてください。……怖いんです、もう村にはいたくありません」

律子はどきりとした。「怖い」という言葉に反応して、脳裏を昨夜見た白い人影が過ぎったが、軽く頭を振って思い出さないようにする。

「本当に済みません。許してください」

律子はかける言葉を持たなかった。十和田を責めるわけにはいかない。最前線にいるのだ。律子ら看護婦は、それでもまがりなりにも知識がある。何をして何をすべきでないのかは心得ているし、正体不明の疫病とは言え、決して化け物と同義ではない。だが事務の十和田ではそうはいかないだろう。

「……分かりました。でも、できたら先生にもそう連絡してください。言いにくかったら手紙ででも」

そうします、と十和田は言って、電話を切った。律子が受話器を置くと、三人が窺うように律子を見ていた。

「十和田さん。……辞めるそうです」

清美が大きく息を吐いて椅子に坐り込んだ。

「やれやれ。武藤さんも可哀想に。静子さんが来てくれるようになって、楽になったばっかりなのにね」

「まったくだわ」と、やすよも頷く。「だからって無理に引き留めて、万一のことがあ

ったら、こっちだって責任の取りようもないしねえ」

ひとりごちるように言いながら、倦怠感に襲われたように雑巾を放り出した。

「疫病だもんね」清美は頬杖をつく。「実を言うと、うちのも辞めろって言うのよね」

「あらま」

「亭主がね。……最近、噂になってるでしょ、流行り病だって。どうなんだ、って訊かれたら、こっちだって、そうかもしれない程度のことは言わないわけにはいかないじゃない。そしたら、以来、辞められないのかって。子供もいるしね、まだ小さいし。本当に大丈夫なのか、って念押しされても答えられないし」

「無理もないわよね、旦那さんにしたら。もともと無理にあんたが働かなくても、食うくらいは食えるんだし」

「そうなのよ。こっちも、仕事を続けられるかどうか、旦那次第のところもあるのよねえ。とにかく他の人に迷惑がかかるから、辞めるなら代わりの看護婦が見つかってからだ、とは言ってあるんだけど」

「せめて感染ルートが分かってればね。こっちだって気のつけようがあるんだけど。そうでなきゃ、治療法なりとも分かってて回復の見込みがあるとかね」

「そうよねえ。安森の奥さんがいいようだから、ちょっと期待してたんだけど」

「致死率百パーセントだもんね、今のところ。あたしでも怖いわ。起きて怠かったりす

ると、我ながらぎょっとするもの」

　律子は二人の会話に内心で頷きながらも、昨夜見た人影を忘れることができなかった。奈緒に似た、奈緒ではないはずの誰か。病院に向かって消えていって、そして節子は死んだ――。

「本当に伝染病なのかしら……」

　律子は思わず口にしていた。清美とやすよはきょとんとする。対して、頷いたのは井崎聡子だった。

「なんだか、伝染病にしては妙ですよね。そんな感じ、しません？」

　清美もやすよも、顔を見合わせた。律子自身、聡子が頷いたことに驚いた。

「あの、聡ちゃん。わたしはちょっと言ってみただけだから……」

「そうですか？　あたし、何か妙な感じがするんですよ。今朝、先生に呼ばれて節子さんの病室に行ったらお線香の匂いがしてたんです」

「そりゃあ……」やすよは瞬く。「亡くなられたわけだから」

「そうですよね。だから先生が節子さんのために焚いたのかなって思ったんですよ。でも、香炉はなかったんです。もう片付けちゃったみたいで。お線香焚くなら、遺体を家族が引き取りに来るまで焚いたままにしておくものなんじゃないですか」

「まあ……それはそうだけど」

「死後の処置もみんな済んでました。あたしたちに任せてくれればいいのに。そもそも、節子さん入院させて、当直はしなくていいって、なんだか変じゃありません？　若御院に手伝ってもらうって、若御院は何にもできないのに。何かさせたら、おおごとですよ」

「そうねえ」

やすよが言い、律子は口を挟んだ。

「あれは、そういうことじゃないみたいです。昨日、聞いたんですけど」

静信のほうが、敏夫の手を借りるために来ているのだ、そのついでに当直に付き合っているのだ、と律子は説明したが、聡子はいっそう険しい顔をした。

「それって、もっと変じゃありません？　わざわざ患者を入院させたのって、目を離せないからじゃないですか。そこで暢気に小説の話だなんて」

「その程度のことなんじゃないの」

「だったら入院させる必要ないでしょう？」

「経過を観察したかったんじゃないかしらね。危険な状態の患者を治療するって言うより」

やすよが言ったが、聡子は首を振る。

「それでも何か変な感じがするんです。突然、節子さんを入院させてみたり、そのくせ、

当直はいいって言ってみたり。あたしたちには何も言わないのに、素人のお坊さんには当直に付き合わせて。いきなり検査項目を減らしたり――最近、先生が何を考えてるのか分からないんです、あたし」

やすよは唸ったし、清美も不安そうに首を傾げた。律子も頷かざるを得なかった。そう、最近の敏夫は言動が脈絡を欠いている。そんなふうに見えてならない。

「……伝染病じゃないのかも」

聡子は呟いた。清美が声を低める。

「たとえば、中毒とか？」

聡子はちらりと上目遣いに清美を見た。

「……起き上がりってありましたよね」

律子は殴りつけられたような気がした。

「起き上がり……」

「馬鹿な」と、清美は笑った。「やあねえ。何を言い出すかと思ったら。聡ちゃん、雪ちゃんの思考回路が移ったんじゃないの」

聡子はなおも上目遣いに清美を見、そして大きく息を吐いて自分でも笑った。

「そうですよねえ。馬鹿な、ですよねえ」

やすよも声を上げて笑う。

「分かんないわよぉ。本当に仏さんが起き上がってるのかも。そのせいで人が死んで、死んだ人がまた起き上がって。それでも伝染病みたいなもんよね、たしかに」

聡子は照れたように赤くなりながら笑う。

「なァんだ。それで若御院を呼んだんですね。御祈禱するのに」

「だったら話は簡単だわ」清美はさらに笑う。「また虫送りをやればいいのよ。それで一件落着でしょ？」

「名案だわ」と、三人は笑い崩れた。律子は笑顔を作りながら、表情が強張るのを感じていた。

奈緒に似た人影。絶対に奈緒であるはずのない誰か。病院に消え、節子は死んだ。

（起き上がり……）

馬鹿な、と思う。三人の笑い声を聞いていると、本当に馬鹿馬鹿しく思える。そんなこと、あるはずがない。真剣に考えるなんて、本当にお笑いぐさだ。

（けれど……）

けれども、と思いながら、三人に付き合ううち、律子の笑みは本当の笑いに変わっていった。

3

竹村タツはいつものように文具店の店先に坐り、村道のほうを見ながら、微かな違和感のようなものの所在を探っていた。月曜日、祭日。小学校では運動会が開かれている。楽しげな音楽や歓声が店先にまで飛び込んできていた。例によって広沢武子が大川浪江を相手に油を売っており、今日は珍しく足を止めた伊藤郁美が、二人の会話を小馬鹿にしたように聞いている。あまりにもいつも通り、なのにどこか何かが違うという気がしてならなかった。

――人通りが少ないような気がする。

タツはそう結論づけた。朝、学校へと向かう子供の数がほんの少しだけ足りないような気がする。父兄の数も、やはり例年より少ないような気がしてならない。それだけじゃない、祭日ともなれば、溝辺町やさらに遠方まで出かける車がしきりに村道を通っていくものだが、行楽シーズンであるにもかかわらず、その数は少なすぎるように思われた。

今日だけじゃない。このところ、通勤のために往来する車の数も減っているように思う。バスに乗って高校に向かう者、職場に向かう者の数も減っている気がしてならない。

たしかなこととは言えないので、タツはこれを誰にも言ったことはなかった。数のうえでどれだけとは言えない。それは長年、昇降し慣れた階段の、数が一段、足りないのに似ている。別に段数を数えて上り下りしているわけではないものの、いつもの調子に一段、足りない。だから妙に間が余った感じがして違和感がある。——そんなふう。

葬式が出ているのだから、当たり前か、とも思う。引越も多い。確実に村の人間が減っているのだ。だから減ったように感じるのは当然なのかもしれないが、漫然と通りを見守っていて違和感を感じるなんて、一体、実数にしてどれだけの人間が減っているのだろう。

考え込んでいるところに、佐藤笈太郎がやって来た。その足取りで分かる、笈太郎は何かを知らせにやって来たのだ。

「タツさん、タツさん」タツの想像通り、笈太郎は店先に辿り着く前から、もう声を張り上げている。「あんた、聞いたかい」

「何を」

「葬儀社ができるんだよ」

え、とタツは珍しく声を上げた。どうせ訃報か、誰かが引越したという話だろうと思っていた。完全に意表を衝かれて、声が出た。

「ほら、上外場に大きな木工所があったろう。広兼の。兼正の遠縁にあたる竹村だよ。

婆さんが一人残って木工所はずいぶん前に閉めてた。そこに葬儀屋ができるんだとさ。さっき木工所の寄り合いに行ったら、そう言ってた」

「ムネさんが葬儀社をやるのかい？」

「いんや。ムネさんは、なんでも施設に入ったらしいよ。あの人もずっと足が悪くて、不便してたからね。介護つきの老人ホームに入ることにしたんだと。そのあとにさ、親戚の男がやって来て、木工所の造作を始めたんだよ。造作してるのは溝辺町の大工なんだけどね、その棟梁が言うには、葬儀屋ができるとさ」

　あらまあ、と武子は呆れた声を上げた。

「この村で余所者が葬儀屋なんてやったって、商売になるはずがないじゃないか」

「そうかしら」と笑ったのは、郁美だった。「なにしろ死人が多いんだから」

「多少、多くたって」と、武子は鼻を鳴らす。「村にはちゃんと弔組ってもんがあるんだから」

「いくら弔組があったって、こうも頻繁に駆り出されちゃ、そのうちみんな音を上げるわよ。どうせまだまだ続くんだから」

「およし」タツは郁美を遮った。「そう簡単に続くなんて言うもんじゃない。忌み言葉ってもんがあるのを知らないのかい」

　郁美は小馬鹿にしたように笑い、口を噤んだ。タツはその笑みに嫌悪を感じた。違和

感を感じるほどの死者と転出。これは無責任に囃していい次元を過ぎている。何か本当に良くないことが起こっているのだ、確実に。

　郁美は不快そうに視線を逸らしたタツの顔を一瞥した。タツは分かってない。タケムラにたむろする老人たちの誰も、村で何が起こっているのか分かっていない。自分だけが事態を理解しているのだ、という確信があった。災厄が村にやって来た。郁美の予言通りだ。これはまだまだ止まらない、おそらくは。そういう予感がするのだから、きっとそうなるに違いない。この夏が酷い夏になったように。

　思っていると、村道をあたふたと大塚弥栄子がやって来るのが見えた。郁美は訃報だ、という予感を抱いた。弥栄子は誰かの死亡を伝えるためにやって来るのに違いない。

　実際、弥栄子は店先にやって来るなり、下外場の老女の葬儀があることを伝えた。やはり、と郁美は誰に対してか、溜飲が下がる気分がした。

「こりゃあ、冗談ごとじゃない。どうなってるんだい、一体」

　笈太郎は本気で不安になったふうだった。武子も浪江も、怯えたように訃報をもたらした弥栄子を見た。

「だから、言ったじゃない」

　郁美は笑う。小声を聞きつけたのか、武子は郁美をねめつけた。

「予感だとか厄がどうこうっていう寝言なら、余所に行ってやっとくれ。あんたの出任

せを信じるくらいなら、鬼が出たって思ったほうがマシだよ」

郁美は一瞬、ムッと武子を睨み、そしてはたと腑に落ちるものを感じた。兼正が厄を背負ってやって来た。兼正の土地を造作したことで災厄は加速された。――そうだ、と思った。そういうことだったのだ。

「起き上がりだわ」

ひとりごちた郁美を、タツらは呆れ果てたように見る。構うものか、と郁美は思う。どうせタツらには分からない。だが、郁美は分かっている。いずれタツたちも、誰が正しかったのか知るだろう。

兼正が夜にしか現れないのはなぜか、なぜそもそも夜中に引越などしたのか。連中は夜にしか出歩けないのだ、鬼だから。起き上がりが村に入り込んだ。そして死を撒き散らしている。鬼の触れた者は鬼として甦り、次々に生者を引いていく――。

(好きにはさせないわ)郁美は北のほうへ目をやった。(誰も気がつかないだろうと思ったんだろうけど、そうはいかないのよ。この村にはあたしっていう者がいるんだから)

郁美は薄く笑った。タツはその笑みを見つめ、さらに深まった嫌悪感を持て余す。この女は災厄を喜んでいる。

(鬼だって？　馬鹿馬鹿しい)

タツは心中で吐き捨て、視線を村道に戻した。人通りが減ったと思われる道。

（……鬼）

だが、たしかに、鬼が跳梁しているかのようだ。墓所から起き上がり、生者を山へと引いていく。引かれた死者は鬼として甦り、さらに生者を引き、そうして死は村に蔓延していくのだ。

そうか、とタツは理解した。死の連鎖と蔓延。鬼とは疫病の別名なのだ。村で伝染病が出たという噂は聞かない。けれども近頃は新種の疫病が見つかることがある。まるで退廃した人間に対する罰のように、得体の知れない伝染病が人を襲うことがあるのだ。

それだったのだ、とタツは一人納得した。休みにも開けるようになった尾崎医院。

——そういうことだったのだ。

「死んだって？　また？」

矢野加奈美は、カウンターの中で洗い物をしていた手を止めた。顔を上げて見返した元子は、テーブルを拭きながら、困惑したように頷いた。

「ええ。本橋のお婆ちゃん。隣の人が様子を見に行ったら、亡くなってたんですって」

加奈美は眉を顰めた。まただ。元子の舅も死んだばかり、それ以前から、頻繁に葬式の話を聞く。店の客の間で、どこそこの誰が死んだという話が出なかった日が、この夏

以来、一体どれだけあっただろう。後藤田親子も死んだ。山入でも老人が死んだ。これは明らかに多すぎる。

「嫌になっちゃうわ。昨日もお葬式だったんだもの」

元子は思い詰めた顔で息を吐いた。そう言えば、と加奈美は思う。昨日は元子の親戚筋で葬式があったのだ。たしか外場に住む、消防署に勤めていた男。元子の夫、前田勇の従兄弟（いとこ）が死んだ。

「本当に鬼でもいて、人を攫（さら）っているみたい……」

元子はひとりごちた。加奈美は元子の横顔に、いつもの危うい表情が漂うのを見て、ことさらに明るい声を上げた。

「いやあねえ。そんな年寄りみたいなことを言わないでよ」

そうね、と元子は笑ったが、やはり眉根が不安を湛（たた）えたように寄せられていた。

（……鬼）

加奈美は窓の外、すっかり秋めいた風景を見渡した。いつもの秋と変わらないのどかな風景だ。子供の頃から少しも変化がない。穏やかで落ち着いて安定している。——だが、目に見えないところで、不穏なことが起こっている。それは鬼が跳梁するような種類のことだ。

（まさか……）加奈美は元子に声をかけようとして思いとどまった。（伝染病？）

加奈美はひそかに息を呑んだ。悪い病気でも、とは、夏以来、誰もが一度は口にしたことだ。だが、言った加奈美自身、それを信じていなかった。そんなことがあるはずはないと思いながら聞いたし、口にした。言葉にするのを躊躇うほどのリアリティはなかった。——これまでは。

もしも、だとしたら。加奈美は片付けをしている元子の横顔を窺う。

これは元子には言えない。舅の巌が死んだばかりだ。元子はそれが子供たちに移っていないか、不安で胸の塞がれる思いがすることだろう。そう思い、加奈美はハタと自分の年老いた母親のことを思った。

母親の妙は、後藤田ふきと仲が良かった。ふきが死んでからは、気落ちしてしまい、不憫になったほどだ。その母親は大丈夫なのだろうか。

(……大丈夫)

そのはずだ。ふきが死んだのは八月、これだけの期間、無事なのだから、妙は災厄を免れたのに違いない。

加奈美は安堵の息を吐いたが、それでも背筋の下のほうに鈍い悪寒めいたものが貼りついた気がした。

郁美はタケムラから家へと戻る。その足取りは力強く、軽かった。

（鬼だ――そうだったんだわ）

タケムラを出ると、周囲を憚るようにして弥栄子が郁美を追ってきた、そうして、お札をもらえないか、と訊いてきたのが、いっそう郁美を心地良くさせていた。

自分は理解している、把握している。自分自身が心強く、誇らしかった。自分の内側を生気にあふれた何かが満たしているのを、はっきりと感じた。力が注がれている。おそらくは鬼に対峙するために。事態を把握できているのは郁美だけだ。だからこれを収拾できるのも自分だけなのに違いない。

自分の使命を悟った気分で、郁美は家に戻った。うっそりと姿を現した娘に、弾けるように言葉を向ける。

「分かったわ。鬼よ。やっぱりあたしが正しかったんだわ」

娘の玉恵は、きょとんとした。

「お母さん」

「兼正よ。連中が元凶だったんだわ。あたしの言った通りだったのよ」

郁美は娘に笑みを向けたが、玉恵はぽかんとしたあと、突然顔をくしゃくしゃに歪めた。

「お母さん、もうやめて」

「やめてって」

「そういうことを言うのは、やめてよ」

郁美は娘をねめつけた。泣きじゃくり始めた魯鈍な顔を呆れ果てた思いで見る。

「あんたには分からないのよ。本当に、父親に似て取り柄のない娘なんだから」

「お母さんは変なのよ！」

玉恵は叫んだ。泣きながら地団駄を踏む。

「もういい加減にして。村の人がお母さんやあたしのことを何て言ってるか知ってる？　なんであたしが笑い者にされなきゃならないの。お母さんが妙なことばっかり言うから、あたしは」

玉恵は土間に蹲った。声を上げて泣き始める。郁美はそれを冷ややかに見守った。

気弱で愚鈍だった夫。これと言って取り柄はなく、郁美には何ひとつ与えてくれなかった。そうなることは分かっていた。気の利いたことも言えず、小柄で凡庸な容姿の男に娶せられると知って郁美は泣いた。嫌がる郁美に両親は白無垢を着せ、無理矢理、家から送り出したのだった。夫との暮らしは、郁美が想像した通りのものだった。なんの華やぎもなく誉れもない。本当に夫は何ひとつ、郁美に素晴らしいものを与えてはくれなかった。村での閉塞した暮らし、小煩い親族――そんな愚にもつかないものの他には。

利発で可愛かった息子は生まれていくらも経たずに死んだ。長男によく似た次男も、生まれて三日と生きていなかった。残ったのは、父親に似て利発さの欠片もない不器量な

娘だけ。足枷にも似た夫が死んだとき、郁美の女としての人生は終わっていた。

(けれども、これじゃ終わらないから)

郁美は玉恵を見限って家の奥に向かう。寝間を少し整理しよう。郁美を頼ってきた連中が、がっかりしないように。家の中を磨き、光を入れ、ここに郁美がいることを村の連中に悟らせるのだ。

侮られ軽んじられただけで終わってたまるものか。

4

先頭に幢を掲げた葬列は、粛々と山に向かう。遠目に見守るかおりたちの目の前で、恵の墓へ向かうあの林道を登っていった。

「行くぞ、昭」

駆け出した夏野に続いて、昭も張り切ってついていく。かおりは渋々そのあとに続いた。かおりたちが林道の登り口まで来たとき、葬列の末尾がカーブを曲がっていくところだった。夏野はこちら、と林の中を示す。すでに枯れ始めた下草を掻き分け、カーブの先へ向かって葬列の先まわりをするように斜面を登り始めた。

道を使わず、しかも目立たないよう、できるだけ音を立てず、体勢を低くして葬列の

あとをつけていくのはひどい苦行だった。すぐに足も腰も痛み、服はちぎれた枯葉にまみれ、手足は引っ掻き傷だらけになっていった。

(……馬鹿みたい)と、かおりは次第に手の中で重みを増していく鍬を持ち換えた。

なんだって自分は、ついてきたのだろう。昭はすっかり夏野と意気投合したようで、なんだか勝手に話を決めていくし、かおりなんて少しもお呼びじゃないふうだ。山を登ったり、穴を掘ったり、そういうことをするのなら、男同士で勝手にやればいい。いつもは端からかおりを馬鹿にしてかかる昭が、妙に夏野には敬服している様子なのもつまらなかった。

そう思う、かおりの中には、もう一人のかおりがいる。何を暢気なことを考えているの、と叱責する声がする。恵はいなかった。起き上がったのだ。

(それがどうしたの?)

死んで腐っていくよりいいじゃないか、という気がする。起き上がったというのなら、恵は本当には死んでなかった、ということだ。恵がまだどこかで生きているのなら、かおりは会いたい。

(……本当に?)

恵は鬼になったのだ。恵がかおりと会うことがあれば、それはかおりが鬼に捕まるときだ。絶対に捕まらないという保証があるのならともかく、そうでなければ会えるはず

がない。かおりは鬼になんかなりたくない。死んで起き上がれば、それは「死ぬ」のとは違うのかもしれないし、結局のところ「死んでない」ということなのかもしれなかったけれど、途中で一度、「死」を通り抜けるのは想像するだに怖かった。

けれども、たとえ恵が鬼になったのだろうと、別に自分を捕まえに来るのでなければ、それでいいじゃないか、という気がする。かおりを捕まえに来ないなら、それは恵が「まだ生きている」ということだ。死んだと思った。失ってしまって、この世のどこにもいなくなったのだと思った。それがそうじゃないのなら、むしろめでたいぐらいのことだ。

(……本当に?)

かおりは自分が鬼にはなりたくない。だったら恵も、鬼になってしまった自分を喜んではいないのじゃないだろうか。自分が鬼になるなんて嫌だ。恵だってそうなのだとしたら、これは恵にとって酷いことだ。

(本当に、そうなの?)

もちろん、そうだ。だからこそ、かおりは桐敷家の人々を恨んだのだ。起き上がるにしろ、そうでないにしろ、恵は死んだ。恵だって死ぬことは辛く恐ろしいことだったに違いない。なのに死んだ。桐敷家の連中が襲って殺した。だったら許さない、と思っていたのだが、今になってみると、自分が連中を「許さない」からどうするつもりだった

のか分からなかった。

復讐したかったのだろうか（そんなこと、できるはずがない）。それとも、罪を認めさせて謝罪させたかったのだろうか（連中がそんなこと、するはずがない）。あるいは単に、言い逃れできないようにして糾弾したかったのだろうか（そんなことして、どうなるの？）。

かおりはゆうべ、眠れなかった。窓の外に恵がいるのじゃないか、家の中に入ってくるのじゃないかと思うと、怖くて怖くてたまらなかった。かおりの中には恵を懐かしみ、恵が死んだことを悲しむ自分がいて、いつだってずっと恵がもとのように生き返ってくれることを望んでいるのに、本当に恵が墓穴から起き上がって、目の前に現れるかもしれないと思うと、怖くて怖くてたまらないのだった。

（あたしは、恵に死んでてほしいの？　それとも生きててほしいの？）

どちらなのか分からない。恵が起き上がったことが、どうして怖いことなのかも分からない。そもそも恵は今、死んでいるのだろうか、生きているのだろうか。それがはっきりしないし、それが恵にとって酷いことなのかそうでないのかすら分からなかった。

放っておけばいいのよ、と思う自分がいる。恵は死んでないということだ。それでいいじゃないか、と思う。その一方で、そういうわけにはいかない、と思う自分がいる。夏野や昭が言う通り、こうしている間にも誰かが死に、鬼は増えていこうとしている。

そうやってどんどん増えていったら、この村はどうなるのだろう。そこに住む、かおりや昭や、かおりの両親は？

それは恐ろしいことだ。だから誰かが止めないといけない。そう思うと、思考はぐるりと最初の場所に戻ってくる。

（でも、起き上がるんなら、生きてるってことと一緒なんじゃないの？）

かおりはぼうっとしていて、あやうく先で足を止めた夏野にぶつかりそうになった。小声を上げたかおりに、夏野は黙るよう示す。葬列は林の中の小道を曲がっていこうとしている。恵の墓よりもずいぶんと登ったところだった。

西山のほうに向かって曲がっていく林道から、葬列は逸れて尾根のほうに向かっていた。最後の一人が小道を曲がったのを見届け、夏野は林道に出る。小道の入口まで進み、その手前でまた林の中に入った。

林の中をそろそろとつけていくと、ほど近いところで葬列の鈴の音が止まる。墓所に出たのだ。木立の間から葬列が解け、今度は穴を中心に丸く集まったのを見届けたところで、夏野はもと来た林道のほうを示した。

「どうしたの？　やめるんか？」

林道に出るなり、小声で訊いたのは昭だった。夏野は林道をさらに登っていく。

「あんなとこで待ってられないだろ。墓を確認したんだから、しばらく時間をつぶそう」

「あ、そっか」

妙に感心したように昭が頷いたとき、前方に林道が少し開けている場所が現れた。トラックが離合するための広場だ。いつ倒され、どうして放置されているのか、材木が二、三本、隅のほうに積み上げてあった。

鳥が鳴いている。風に乗って、読経の声が聞こえる。この声が絶えたら、埋葬が終わったということだ。かおりは耳を澄ます。声はどこか嗄れたガラガラとした声だ。いつかのあの若御院の、よく通る張りのある声ではない。お寺が忙しくて、若御院は来られないのだと、かおりの母親が言っていた。普通、お葬式の時には、お坊さんは複数いる。一人ということはあまりないらしいけれども、若御院が来られないだけでなく、お坊さんが一人しか来られない。お葬式や法事で立て込んでいて、どうしても手が足りないのだという。葬儀の始まりも遅かった。これもお寺の都合だ。そんな話は聞いたことがない、一体どうなっているのだ、と母親は自分のことのように憤慨していた。

(たくさんのお葬式……)

考えてみれば、たくさんの人間が死んだのだ、夏以来。かおりの知っているだけでも、恵に大塚康幸、本橋鶴子で三人目。他にも山入で三人の老人が死んだらしいし、それ以外にもお葬式をしばしば見かける。かおりが知っている以上にたくさんの人が死んでいるのに違いない。

読経の声が絶えるまでには、かなりの時間がかかった。夏野が何度も腕時計に目をやる。時間を確認するまでもなく、影は次第に伸び、木立の下には薄暮が漂い、夜に傾いていくのがよく分かった。ようやく読経の声が絶え、葬列に参加した人たちが林道を下る声が聞こえた頃には、空の色が変わっていた。

かおりたちは林の中を墓所へ急いだ。そっと覗くと、まだ数人の男たちが残って、後始末をしている。木陰で男たちが山を下りるのを待ち、ようやく人気が絶えたときには、あたりのあらゆるものに影がまとわりついていた。

「どうする……?」

昭は不安そうに周囲を見まわしながら夏野に訊いた。林の中、下生えの奥はもう見通せない。空だけはまだ茜色を留めていたけれども、木立に囲まれた墓所の中は薄暗かった。そこに盛られた塚、差された角卒塔婆の文字は、側に寄らなければ読みとれない。今から墓を暴いていたら、肝心の棺に辿り着いた頃には手許が見えないほど暗くなっているのに違いない。

「出直したほうがいいんじゃないかなあ。ほら、墓の位置は分かったわけだしさ」

昭が言うと、夏野はじっと角卒塔婆を見つめる。それから意を決したように、昭を振り返った。

「お前らはいいから、もう帰れ」

「兄ちゃんは？」

「やるべきことをやっていく」

でも、と昭とかおりは同時に声を上げた。夏野はきっぱりと首を横に振った。

「明日にはもういないかもしれない」誰が、とは夏野は言わなかった。「今日のうちに片付けておかないと」

「いくら何でも、今晩のうちに起き上がることはないんじゃないかな」

昭は周囲を見渡して言う。

「なぜ？」

「なぜって——なんとなくだけど」

「そういうのを希望的観測って言うんだ。そうだといいなって話だろ。得てして、そういう予想は外れることになってる」

夏野は言いながら、角卒塔婆に手をかける。恵のそれと違って、それは多少、揺すっただけでは倒れそうになかった。

「兄ちゃん、でも、まずいよ」

「いいから。お前たちは帰れよ。急がないと家に帰るまでに陽が落ちるぞ」

昭は上目遣いに夏野を見た。

「いや……兄ちゃんがやるって言うなら、おれも手伝うけどさ、もちろん」

「いいから帰れって」

　夏野は角卒塔婆の周囲を掘り始めた。昭もそれに続く。

「言っとくけど、別におれ、怖じ気づいてるわけじゃないからな」

「そんなことを言ってるわけじゃない。今から作業してたら完全に陽が落ちるだろうが。危ないから帰れって言ってるんだ」

「危ないのは兄ちゃんも一緒だろ」

「おれはなんとかなる」

「じゃ、おれだってなんとかなるよ」

　でも、とかおりは声を上げた。

「ねえ……明日にしようよ」

「怖いんだったら、かおりだけ帰れよ。おれ、兄ちゃんを手伝って帰るから」

「いらねえよ」と、夏野は土を掘りながら言う。角卒塔婆が揺れ始めた。「それより、お前は姉ちゃんを家に送り届けろ。もうこんな暗いのに、女の子だけで帰せないだろうが」

　昭はちらりと、かおりを見た。

「大丈夫だよ、かおりはか弱くなんかないし。おれより体格、いいんだもん、あいつ」

「そういう問題じゃない。こういうことには向き不向きがあるんだ」夏野は手を止めて、

かおりを示す。「姉ちゃん、今ももうびびってるじゃないか。これで何かあったら竦んで動けないに決まってるだろうが。お前、怖じ気づいてないんだろ？　そういう奴がついててやらないでどうするんだよ」

「そう言うんだったら、兄ちゃんがかおりを送っていけばいいだろ。そうしろよ、おれ、兄ちゃんが戻ってくるまで一人でやってるからさ」

「昭……」

夏野は溜息をつく。意地になったようにシャベルを使う昭を、呆れたように見た。

「大丈夫」かおりは言って、昨日と同じように鍬を握った。「あたしも平気だから」

かおりは言ったが、もちろん強がりでしかなかった。暗くなるのは怖い。今も周囲のどこかに誰かが潜んでいそうで、風が枝を鳴らすたびにびくびくしている。しかも穴の中には——棺の中には確実に死体が横たわっているのだ。それを暴き出すなんて、考えるだけでも恐ろしい。けれども、かおりは一人で家に帰りたくなかった。薄暗い山道を物陰に怯えながら、物音にびくびくしながら一人で帰されるなんて、たまらない。そのくらいなら、暗くなってもここに三人でいたほうがいい。三人で山を下りて、せめて街灯があって人家があるところまで一緒のほうが。

夏野は溜息をつき、それからまたシャベルを使い始めた。かおりも必死になって鍬を使う。墓を暴いているのだという罪悪感や躊躇は、一刻も早く安全な家に帰りたいとい

う意識の前に消し飛んでいた。

土は、恵の墓のそれよりも柔らかかった。掘り進めるのに苦はなかったし、作業は恵の時よりも数段、早く進んだ。それでも陽が落ちるのは早い。土の色は濃くなり、汗を拭うために顔を上げるたび、林の中の闇色が濃くなり、墓地も薄墨を塗り重ねたように見通しが悪くなっている。

何度目かに顔を上げた時だった。かおりはすぐ近くで下草を掻き分ける音を聞いたように思った。土を掘る音に紛れていたが、たしかに草叢が鳴る音だったと思う。周囲を見渡したが、木立の間はほとんど見通しが利かない。すぐ近くで作業をしている昭や夏野の表情でさえ、見て取りにくかった。

(気のせい……?)

かおりは、周囲を何度も見まわす。微かにまた、どこかで音がした。音の出所を探そうとしたが、どこなのか分からない。

「……どした?」

昭が顔を上げた。表情は分からないが、声に不安そうな色が滲んでいた。

「音が……」

かおりが言った時だった。突然、右手の草叢が鳴って、人影が飛び出してきた。かおりには声を上げることも身構えることもできなかった。

男だった。知らない誰か。掴みかかるように伸ばされた手。閃光のように思念が浮かんだ。帰れば良かった、逃げなければ、捕まる、殺される、手の中の鍬、足許が悪い——。

背後から引き倒された。男の手は空を掻いた。かおりが尻餅をつくまでの間に、誰かがかおりと体を入れ替え、そして男が仰向けに転んだ。鈍く激しい音を聞き、同時に饐えたような臭いを嗅いだ。

男は盛大に転んだまま、動かなくなった。倒れたかおりの前には夏野がいて、肩で息をしている。両手でシャベルを握っていた。

「なに……ねえ……！」

かおりは身もがいて起きあがる。その脇で昭が硬直したように立ち竦んでいた。男は動かない。かおりは夏野の腕を掴んだ。

「な……殴ったの？　大丈夫なの……？」

夏野は息を荒げたまま、かおりの手を振り解いて男のほうへ近寄る。両手でシャベルを構えたままだった。じっと男の顔を覗き込み、それから側に膝をつく。さらに顔を覗き込み、シャベルを放した片手で顔に触れた。

かおりも恐る恐る側に寄る。昭が痛いほどかおりの手を掴んできた。

「……兄ちゃん」

夏野は軍手を啣(くわ)えて脱いだ。素手で男の顔に触れ、軽く鼻先に翳(かざ)す。次いで首筋に触れた。あたりには饐えた臭気が漂っている。

「ねえ……どうしたの？ 何が起こったの」

「兄ちゃん、その人、誰」

「分からない」

夏野の声は掠(かす)れていた。

「その人、大丈夫なの？」

「……死んでる」

かおりは硬直した。激しい目眩(めまい)がする。悪い夢の中に踏み込んでしまった気がした。

「うそ……」

「息をしてない」

昭が、かおりの手を放して夏野の側に駆け寄った。

「兄ちゃん、殺したの」

「……かもしれない」言って、夏野は男の胸に耳を当てる。「──駄目だ。やっぱり死んでる」

「嘘(うそ)でしょう、ねえ！」

かおりも近づき、そして息を呑(の)んだ。男の顔には見覚えがない。少なくとも知らない

誰かであることは確実だった。左耳の上のほうの髪が変なふうに逆立っていた。血で汚れているようにも見えたが、すでにあらゆる色彩が薄闇の中に溶け込んでいた。

足から力が抜けた。大変なことになった、という気がした。これは誰だろう。どうしてこんなところに現れたのだろう。あんなふうに飛びかかってくるなんて。

坐り込んだ足首に、ひやりとしたものが触れた。妙に柔らかいそれは、男の手だった。着ている物はごく普通のシャツとズボンで、どこという特徴もない。

「姉ちゃん、どうしよう」

昭が腕を摑んできた。

「そんなの……」

分かるはずがない。誰だろう。墓を暴いているところを見つかったのだろうか。それで飛び出してきたのだろうか。

「兄ちゃんは悪くないよ。だって……こいつが飛びかかってきたんだもん。かおりを庇って殴ったんだろ。だから」

そうだ、とかおりは思う。あんなふうに飛びかかってこないで、まず声をかけてくれていたら。あれじゃあ、かおりだって怖い人が襲ってきたのだと思うし、とっさに夏野がかおりを庇って殴ったことは責められない。

——でも、それを大人にどう説明すればいいのだろう。それを説明しようとすれば、

なぜ三人がこんなところにいたのか、何をしていたのかを説明せねばならない。

「せ……正当防衛だよ。兄ちゃんのせいじゃないよ」

夏野はじっと男の顔を見ている。ふっと息をついて、かおりたちを振り返った。

「こいつ、なんとかしないと」

「なんとかって……」

夏野が半分掘り進んだ穴を見て、かおりは背筋が凍る気がした。まさか、このまま埋めてしまおうというのだろうか。

「駄目よ、そんな……！」

「冷たい」と、夏野は恐ろしく淡々とした声で言った。「少しも体温がない」

「死んでるんでしょ。……でも、だからって隠すわけには」

「そうじゃない。冷たいんだ、もう」

え、とかおりは呟いた。ついさっき触れた男の手の温度を思い出した。

「こんなに早く、体温が消えるはずがない。倒れてから何分も経ってないんだぜ？」

かおりは、男をまじまじと見つめ、それからそっと手を伸ばして、男の手に触れてみた。やはりそれは冷たかった。躙り寄って顔に触れる。昭も同じようにして、夏野を見上げた。

「そもそも体温がなかったんだ、こいつ」

「まさか……」

かおりは男を凝視した。

「だと思う。死んでるのはたしかだけど、少なくとも、絶対に、ついさっき死んだわけじゃない」

――これが。

ごく普通の人間に見える。昭や夏野となんの違いもない。体温がないことを除いては。

「ねえ……」昭がおずおずとした声を上げた。「……だったらさ、こいつ、本当に死んでるの？」

かおりはどきりとした。体温がない、そもそも死んでいた。――だったら今、息をしてない、鼓動がないからと言って死んだと言っていいのだろうか。

夏野は昭を見返し、そして男の腕を摑んだ。シャベルを放して両手を摑み、昭に足を持つよう指示する。

「その穴の中に放り込もう」

「う……うん」

昭は男の足を握り、そして嫌そうに顔を歪(ゆが)めた。

「そんで、どうすんの？」

「どうしようもないだろ。とにかく、今日のところは、このままにしておくしか」

言って男を穴の縁まで引きずり、中へと転がし込む。

「土、かけとこう」

「本橋の婆ちゃんは？」

「……分からない」夏野は大きく息を吐いた。「さすがに今は考えられない。落ち着いてから明日までゆっくり考えてみる」

「そ、そうだな」

昭はシャベルを拾って、土を掬い始めた。かおりもそれに倣う。

「ざっとでいい。明日、また来るから」

「でも、こんな状態を見つかったら？」

「おれたちがやったんだって、分からなきゃ構うもんか。むしろ、こいつが起き上がりなら、大人に見つけてもらったほうが、ありがたいぐらいだ」

そうかもしれない、とかおりは心の中で頷いた。この男が誰にせよ、起き上がりなら、すでに死んだ誰かのはずだ。大人たちが墓が暴かれているのを見つけ、そこでとっくに死んだはずの誰かを見つける。とうに埋葬され、土に還っているはずの誰か。そうすれば、村で何が起こっているのか、ひょっとしたら理解してくれるかもしれない。

とりあえず、男の身体を覆う程度に土を被せた。あたりはすっかり夜だ。

「——行こう」

夏野が言い、かおりも昭もそれに続いた。

5

静信は杣道(そまみち)を登りながら、何度も手の中でシャベルを握り直した。横に並んだ敏夫も、何も言わない。無言で先を照らしながら、黙々と坂を登っている。

いくらも経たずに少し開けた場所に出た。ちょうど西山と北山の交わるあたり、いつぞや清水恵が見つかった場所とさほど離れていない。そこが安森家の墓所だった。かなりの広さがあるところに、真新しい角卒塔婆が四本、立っている。三本は安森奈緒、進、幹康のもの、もう一本は安森義一のものだ。そもそもこの墓所は安森本家のもの。安森工務店の人間もここに一緒に埋葬される。

敏夫の持った懐中電灯の明かりが角卒塔婆を検(あらた)め、そのうちの一基で留まった。静信自身の字で「安森奈緒」と俗名と忌日を裏書きしてある。

奈緒の塚はかなり土が下がっていた。そこにまばらに雑草が生え、それが立ち枯れている。そのすぐ近くには黒々と穴が開いていた。昼間に弔組の男衆が来て節子のために用意した墓穴だった。

節子の通夜(つや)は静信自身が執り行なった。奈緒の通夜もだ。埋葬式を行なったのも静信

自身、それをこれから暴く。

「下手に弄(いじ)ると、明日の埋葬で大騒ぎになるな」

敏夫が言って、静信は頷いた。敏夫はともかく、自分はその現場に立ち会わねばならない。それを思うと胃が痛む思いだった。

「とんだ重労働になるが、こんなもんでどうだ?」

敏夫は言って、肩にかけたナイロンタフタの旅行鞄(かばん)の中から小菊の束を引っぱり出した。

「これは」

「お袋の鉢植えから切ってきた」敏夫は笑う。「帰りしな、全部の墓の草を毟(むし)って花と線香を供えておく。それで誤魔化せんかな?」

なるほど、と静信は頷いた。墓を暴いて埋め戻せば、奈緒の墓だけ異様に整う、という言い方もできるわけだ。同じように他の墓も整え、いかにも誰かが墓参りにきたふうを装(よそお)う。それで誤魔化せるかどうか疑問だが、何もしないよりはましだろう。

「やろう」

敏夫が宣言した。懐中電灯を適当な場所に置き、手許(てもと)を照らす。奈緒の墓の周囲にビニールシートを敷き詰めて、敏夫が塚にスコップを入れた。掘り上げた土はシートの上に零(こぼ)す。シートの外に零さないことが肝要だ。節子の墓から掘り上げた土を踏み荒らさ

ないよう、足許には気をつけた。

いくらもしないうちに、角卒塔婆が揺れ始めた。静信はそれを倒し、丁寧に抱えて汚れない場所に横たえる。さらに無言でシャベルを使う。想像した以上の重労働になった。禁を犯している、という思いが、神経に鑢をかける。山道を登ってくるときから、静信は常に誰かの視線を感じていた。誰かが側にいて自分たちを見ている、という気がしてならず、時には物音や人の気配を察知するのだが、振り返ってみても誰の姿もない。気のせいだとは了解していた。

棺を掘り当てるまでには、かなりかかった。棺を覆った土を除け、蓋を露わにする。敏夫が目配せをしてから、シャベルの先を蓋の下に差し入れた。梃の原理でこじ開けようということだったが、シャベルの先をこじ入れるまでもなく蓋がずれた。ずっ、というその音を、静信は慄然とする思いで聞いた。

「……開いてる」

敏夫の声は喉に絡んで嗄れている。こんなに簡単に蓋が開くはずはない。釘で打ちつけてあるのだから。静信はハンドライトを手に取り、棺の表面を検めた。釘を打った箇所が裂けている。誰かがすでに棺を暴いているのだ。

敏夫でさえ、シャベルを構えたまま棺を凝視していた。不思議に手が止まる。たぶん、この棺は空だろう。中に奈緒はいない。そう思うのに、かえってそのことが恐ろしく思

える。本当に棺を開けていいのか、開けて後悔しないのか、と身内で問う声があった。

──これを開けたら、もう逃れられない。

微かに、敏夫が息を呑み下す音がした。敏夫はシャベルの先を蓋の下に差し入れる。抵抗なく蓋は持ち上がり、そして棺の中の空洞を露わにした。

──屍鬼だ。

やはり、と目眩がする思いだった。棺の中には奈緒がいない。

ふいに静信は視線を感じた。墓所を取り巻いた樅（もみ）の中から誰かが見ている、という直感。それも一人や二人ではない。樅の下の暗闇の中に、無数の何かが潜んで息を殺し、静信と敏夫を見守っている。ハンドライトの光を向けた。闇は後退したが、払拭（ふっしょく）はできなかった。闇が下がったそのぶん、闇の中に潜む者も後退したという気がした。ざわざわと移動する音が聞こえたような気もしたが、それは風にそよぐ枝の音にすぎない。

「どうした？」

敏夫に問われて、いや、と静信は答えた。分かっている、これは罪悪感がもたらす幻覚の一種だ。

「やはり奈緒さんだったんだ」

「ああ……」

敏夫は頷いて、蓋を戻した。丁寧に合わせ、再びシャベルを使い始める。土を零さな

いよう気を配りながら、墓穴の中に注ぎ込んでいく。土を盛っては突き固め、やがてシートの上の土を掬えなくなるとシートごと持ち上げて土を塚に落としていった。角卒塔婆を立て直し、塚を突き固めて均す。シートを使い、足跡やシャベルの跡を残さないよう気をつけた。何度もライトを当て、墓が暴かれた形跡が見当たらないことを確認して、他の墓に取りかかる。敏夫は顔を地面に擦りつけるようにして草を毟り取りながら、この下にも空の棺があるんだと思うか、と静信に訊いた。

「……分からない」

「暴いてる時間はないな。だが、いずれやらなきゃならんかもしれん」

塚を整え、花を供え線香を供えた。土塊を落としていないか確認し、見つけたものは手で払って雑草の間に均し込む。四時間が経過していた。

忘れ物がないか確認し、帰る間際に敏夫が節子の墓穴を覗き込んだ。

「節子さん……起き上がると思うか」

「分からない」

奈緒だ。それは分かった。屍鬼だというのも、たしかだろう。——だが、それが分かったからと言って、自分たちはどうすればいいのだろう？　節子は死んだ。節子もまた甦生するのかもしれない。一体、これまでにどれだけの死者が甦生して、村にはどれだけの屍鬼が暗躍しているのか。

敏夫とは明日の夜、訪ねると約束して山道の途中で別れた。くれぐれも気をつけて戻れ、と互いに声をかけ、静信は怠い身体と痛む節々を騙しながら寺へと向かう。杣道沿いに戻りながら、ふと顔を上げた。

静信は北山に入っていた。足を引きずって道を逸れ、杣道すらない斜面を登る。すぐに見知った小道に出た。後戻りするように辿ると、一軒の廃屋に出る。

静信は黒々としたそのフォルムを見上げた。教会そのものに見えるが、これは教会ではない。沙子は最初、おっかなびっくり近寄ってきて、「教会じゃない」と驚いていた。これが本当に教会なら、沙子は入れないのかもしれない。沙子のあの反応は、入れるはずのない場所に入れたことによるものなのかも。

神様に見捨てられた感じが分かる、と沙子は言った。そうだろう、沙子は死体が起き上がるはずもない、という摂理を裏切った瞬間、神に見放された生き物になったのだ。人を襲い贄を求める。神の秩序に悖り、敵対する秩序の中に取り込まれた生。

「けれど……それは、君のせいじゃない」

静信は呟いた。

沙子が屍鬼なら、誰かが沙子を襲ったのだ。そして沙子は死んだ。死んで起き上がった。起き上がった沙子や奈緒を責めることは誰にもできない。沙子も奈緒も被害者であることに違いはないのだ。

襲ったのは正志郎(せいしろう)か、千鶴か。いずれにしても暗黒が沙子を襲い、暗黒の中に捕らえた。もはや沙子はこの暗黒から出ることはできず、闇の秩序の中で生きていくしかない。今も、そしてこれからも、神の光輝の届かぬ世界に囚(とら)われて逃れられない。

――死は誰にとっても酷(ひど)いことなのよ。

「その通りだ……本当に」

6

夜陰は山の端々を塗りつぶしていた。当然のことながら山の中に人の気配はなく、時折小動物が下生えを揺らして乾いた音を立てた。末の山にある墓所もまた、闇に塗りつぶされている。墨色の中にいっそう濃く、黒々と穴が口を開けていた。その底で蠢(うごめ)く者がある。

身動きをしているのは男だった。男が身を震わせるたび、身体を覆った土が零れた。やがて男は身を起こす。しばらく、呆然(ぼうぜん)としたように穴の底に坐(すわ)ったまま、闇を見ていた。風が鳴って、林がどよめく。

男はそろそろと片手を上げた。左の耳の上に触れた。そこでは乾いた血と土で固められた髪が逆立っている。男はしばらく髪を撫(な)でつけ、そしておもむろに立ち上がった。

自分の置かれた状況を把握しようとするかのように周囲を見まわし、穴を這い出る。

男はゆらゆらと墓地を出た。次第に足は速まり、林道と斜面を経由して西山をまっすぐに北上していく。

男は健脚で、疲れを知らなかった。小走りになっていても、息ひとつ弾ませない。と言うより、そもそも男は呼吸をしていなかった。足取りにも迷いがない。濃い闇の降りた林の中を、草叢に足を取られることなく、飛ぶように抜けていく。

男は一度も休むことなく、西山の中程にある小屋へと辿り着いた。うち捨てられて久しい風情の作業小屋だったが、穴の開いたトタン屋根には継ぎが当たっていたし、反った板壁の隙間も漆喰で埋めてある。

男は扉を開け、中に二重になったもう一枚の扉を開けた。中には蠟燭一本ぶんの明かりもなかったが、数人の人影があることを、男は見て取った。

「……高俊?」

中の一人が口を開いた。広沢高俊は、おずおずと中に進んだ。

「妙な子供を見た」高俊は言った。「末の山で墓を暴いてました」

相手は低く驚いたような声を上げる。

「墓を掘っていたんです。子供が三人。高校生ぐらいの男が一人、中学生か小学生ぐらいの男が一人、その間くらいの女が一人だった。高校生ぐらいの奴は、工房の息子だと

思う。前に見たことがある」

「……それで？」

若い男の声が、囁くように先を促す。

「襲おうとしたら、反対にやられた。スコップで殴られたんです。今まで気を失ってた」

「……高校生？」

「そうです」

そうか、と男は短い沈黙を作った。

「ここで気づかれるのは嬉しくないな。話を広められないように手を打っておく必要があるかもしれないね」

「三人ともですか」

「中学生の男女は待ったほうがいい。今ここで手出しをするのはまずいだろうから」

「放っておくんですか」

「お仕置きは必要だろうね、余計な口を利かないように。ただ、外堀から埋めていったほうがいいな。どこの誰だか分かるかい？」

「いえ」

「それを確認するのが先決だな。工房の息子を見張っていれば、きっと周辺に姿を現す

だろうが……」言って、男は軽く言葉を切った。「小学生か中学生ぐらいの男と、中学生ぐらいの女と言ったね。その女の子は、ひょっとしてお下げ髪の？」

「ええ、そうです」

「なるほど……」と彼は笑う。「あの子供たちか」

「心当たりがあるんですか、辰巳さん」

ああ、と辰巳は笑う。

「下外場の姉弟だね。屋敷の周辺をうろついていた。ああ、あそこにやって来たのが工房の息子か」

「どうします？」

「工房の息子は殺してしまおう」

辰巳は低く言って、吟味するように宙を見つめ、やがて改めて頷いた。

「殺したほうがいいだろうな。どうせ高校生だ。村外に通学しているから、屋敷の人たちも反対はしないだろう。処置はぼくが采配する。高俊は気にしなくていい」

「墓が暴かれてます」

「それはまずいな。埋めて元の通りにしておくんだ」

はい、と高俊は頷く。踵を返そうとした高俊を、辰巳は思い出したように呼び止めた。

「ああ――それから」

振り返った高俊に、辰巳は憐愍を含ませて微笑む。

「君のお母さんは駄目だった」

高俊はわずかに目を瞠り、そうして目を伏せた。

「……そうですか」

「腐臭がしていた。彼女は起き上がらない。……残念だったね」

いえ、と高俊は呟いた。

五

I

静信が衣を整え、納戸(なんど)から出て寺務所に向かうと、美和子が困り果てた顔をして振り返った。

「ああ——静信、角(すみ)くんから何か連絡がなかった？」

いいえ、と静信は答える。昨夜の、口にはできない用件を済ませ、寺に戻ってからシャワーだけを使って寺務所で仮眠を取った。朝の勤行(ごんぎょう)を終わらせてから改めて納戸で寝ていたので、そもそも角と顔を合わせるチャンスがない。

「どうしたんだろうな」

すでに袈裟(けさ)をつけた鶴見が首を傾(かし)げる。これから安森節子の葬儀だ。

「まだいらしてないんですか？」

「そうなんだ」

鶴見と角が同行することになっていたのに、その角が来ないのでは予定に差し障(さわ)りが出る。

「角くんのところに電話したら、おっ母さんは、ずいぶん前に家を出たと言うんだが」

「事故でなきゃいいんですけど」と、光男が口を挟んだ。「で、どうしますか。もう出てもらわんと工務店との約束に間に合わんのですが」

光男は言って池辺を見たが、池辺は困惑したように予定表を見た。静信と鶴見が出けている間、池辺は法事をこなさなくてはならない。

「電話して、法事の予定を変えられないか、訊いてみましょうか」

光男は言ったが、静信は首を振った。

「そういうわけにはいかないでしょう。今からじゃあ、近隣のお寺さんに助けてもらうわけにもいかない。徳次郎さんにはぼくから説明してお詫びします。村もこういう状況だからぼくと鶴見さんとで、なんとか堪えていただきましょう」

光男も池辺も、頷くしかなかった。光男は静信と鶴見を送り出し、池辺を送り出して、再度、角の実家に連絡をした。また角の母親が出て、出かけたきり角は戻ってないこと、戻ったら確実に連絡させることを約束した。

その角から電話があったのは、夕刻が近づいてからだった。ちょうどその頃、静信は節子の埋葬に付き合い、自分たちの蛮行の形跡を墓所に探して、とりあえずなんの痕跡もなく、誰も不審を言い出さないことに安堵していた。

受話器を取ったのは、例によって光男だった。

「あんた――角くん」

光男の声は無意識のうちに責める調子になる。角は意気消沈したように、済みません、と答えた。

「わたしに謝ってもらっても困る。先様の気持ちを考えてもらわんと。若御院だって言いにくいことを言って頭を下げてくれたんだからな」

はい、と角の声は悄然と小さい。

「んで？　何がどうしたんだ。事故か何かでもあったのかい」

「そういうわけじゃ……」角は歯切れ悪く口ごもり、そして言う。「済みませんけど、ぼく、しばらくそちらには行けません」

「ちょっと、角くん」

「申し訳ありません。若御院にも奥さんにもよろしく言ってください」

光男は溜息をついた。

「角くん。あんたが若御院たちに顔を合わせづらい気持ちは分かるよ。わたしも、頭ごなしにきついことを言ったかもしれんな。けど、だからってそういうことを言い出すのは大人気がなさすぎはしないかい」

「……違います」角はさらに口ごもる。「気まずいからとかじゃなく……」

光男は首を傾げて角の言葉を待った。角は抑揚のない声で、かねてから用意してあっ

た台詞(せりふ)を読み上げるようにして言う。

「忙しすぎるんです。始終、駆り出されて疲れました。外場は変です。だから嫌になったんです。戻りたくありません。外場に行くこと自体が嫌です」

光男は絶句した。

「角くん」

「済みません。そういうことです。もう呼ばないでください」

光男の返答を待たず、角は電話を切った。ぽかんとしたまま受話器を握りしめた光男を、ちょうど戻ってきた池辺が不審そうに見た。

「……どうしたんです？」

「ああ……いや。おかえり」

光男は言って、受話器を置く。もう一度、掛け直したものかどうか迷った。池辺はそんな光男を窺(うかが)うように見ている。言葉を発する間もなく、鶴見が戻ってきた声が聞こえた。埋葬に立ち会う静信と別れ、一足先に戻ってきたのだろう。

「何だい」鶴見は寺務所に戻ってきて、妙な空気に気づいたのか渋い顔をする。「また誰か？」

「いや」と、光男は答えた。「その……角くんが、辞めるそうだ」

池辺も鶴見も、言葉にならない声を上げた。

「辞めるって、この時期に」

　鶴見の声には怒りが含まれている。

「外場が嫌なんだってさ。忙しすぎる、変だと言ってた。しばらく来ないってことだったが、もう来ないってことだろうな」

「そんな、勝手な」

　鶴見は吼えるように言ったが、池辺は力無く呟く。

「そうか……角さん、怖じ気づいちゃったんですね」

「おい、池辺くん」

　池辺は椅子に腰を下ろして、予定表を見た。朝から三軒の法事をこなして戻ってきた池辺は、ようやく身体が空いたことを確認した。

「ちょっと前に、角さんと言ってたんですよ。この数は尋常じゃない、って。若御院はたしかなことじゃないなんて言ってたようですけど、間違いなく伝染病ですよ。けれども、伝染病だって話を行ったお宅で聞いたことがない。若御院が言っていたのは、伝染するかどうかは分からない、ではなく、何という伝染病なのか分からない、って意味なんじゃないんですか。伝染してるのなんて確実なことだし、それも半端な規模の話じゃない。未だに拡大してるんですから。けれども病名は分からない。エマージング・ウイルスとか言うんですよね。最近、そういう新種の病気があるんでしょう?」

光男も鶴見も黙り込んだ。

「正直言って、おれも怖いんです。なんだか大変なことが起こってるような気がして。でも、これだけの方が亡くなっている以上、誰かが弔わないといけないわけでしょう。だから、逃げ出すわけにはいかないよな、って話をしたんですけど……」

そう、とだけ光男は言った。「怖い」というのは無理もないのかもしれなかった。光男自身は村で生まれて村で育った。この寺が居場所だし、もとより村が住処で骨を埋める気でいる。逃げ出そうにも逃げ出す場所さえないのだが、角も池辺もそうではない。角は村に来なければいいだけ、池辺だって帰る家がある。

同じことを考えたのか、鶴見が大きく息を吐いた。

「おれは村の者だからね。逃げ出す場所もないから、逃げるなんてことは頭に思い浮かびもしなかったが。……そうだな、君らにしたら、そうかもしれんなあ」

「ぼくはそんなつもり、ないですから」

そうか、と鶴見は笑う。光男は溜息を零した。

「……一体、どうしてこんなことになっちまったんだろうねえ。こんなことは、これまでなかったんだが」

「兼正の御仁かね」

言ったのは、鶴見だった。光男は驚いて鶴見の顔を見る。鶴見は心外そうに太い眉を

上げた。

「あの家が越してきて以来だろう。いかにも金持ちそうな御仁だ、どっか海外にでも旅行に行って、そこから何か持ち込んだんじゃないのかね」

「越してくる前からじゃないですか？」池辺は心許なさそうに首を傾ける。「そう、前ですよ。山入の事件があったとき、まだ越してきてませんでしたから。山入の通夜の日だったでしょう、越してきたのって」

「そうだったかな」

光男は顔を顰めた。

「そういうことをうかつに言うもんじゃない。頼むから檀家衆にそんなデマを吹き込まないでおくれよ。……まあ、兼正の一家も格別、村の連中と付き合おうなんて気はなさそうだし、いまさら村の連中が病気を怖がって遠巻きにしたところで痛くも痒くもないだろうが」

池辺は殊勝に頷いたが、鶴見はさらに渋面を作った。

「……なあるほど。そういうことだったんだな」

「はあ？」

「いや、近頃、村の連中がさ」鶴見は声を低める。「距離があると言うか。いや、全部ってわけじゃないし、檀家衆の話じゃない。ただ買い物に行ったり出かけたりするとな、

身を引く連中がいるんだよ。どことなしに距離を作られてる感じがする。配達を頼んでも、渋々だったりな」

　そう言えば、と光男も思いを巡らせた。寺に品物を納めにくる中にも、何のかんのと言って配達を渋る者がいるように思う。

「つまり、そういうことさ」

「そういうことって」

「だから、流行り病だよ。みんなそれを口には出さないが疑ってるんだ。あるいは、単に縁起が悪いってことなのかもしれないが。おれたちは真っ先に死人のところに行く。始終死人と接触してる。だから、あまり係わり合いになりたくないんだろう」

　光男は大きく息を吐いた。そういうことか、と思う。言われてみれば、たしかにそういう様子だった。寺はいつの間にか忌避されているのだ。

「角くんが嫌がるのも無理はないか……」光男は首を振った。「だが、これを若御院や奥さんにどう伝えたもんかな」

　同意するように、鶴見と池辺が曖昧な声を上げた。光男は重い腰を励まして上げる。何にせよ、美和子か静信かどちらかに報告しないわけにはいかない。

　腰のひける気分で厨房に向かうと、美和子と克江が、厨房の始末をしていた。そう言えば、最近、手伝いに来る檀家衆の数も減ったように思う。あまりにキリがないので単

に足が遠のいたのかもしれないが、それ以外にも寺に出入りすることを躊躇う理由があるのかもしれなかった。

　光男は美和子に声をかけ、口ごもりながら角の辞意を伝えた。美和子はいたく傷ついた顔を見せた。

「そのう……どうも、村じゃ伝染病じゃないかって思ってる連中もいるみたいで。まさかとは思うんですが」

　美和子は顔を強張らせた。

「単なる噂だとは思うんですけどね。まあ、そういうわけで角くんも……」

「光男さん」美和子は光男の手を引いて、厨房の隣にある控え座敷の上がり框に坐らせる。「……静信は大丈夫なのかしら」

「奥さん」

「疫病かもしれないんでしょ？　たしかにそうとしか考えられないとわたしも思ってたわ。どう考えても亡くなられる人が多すぎるんだもの。それに静信は、このところ敏夫くんと密に連絡を取って何かしているみたいだし。そのことなのじゃないかしら」

「ええ……そうなのかもしれないです」

「大丈夫かしら。それでなくてもあの子、最近、いつ寝てるのか分からないような状態で。朝から晩まで駆り出されて」

そうですね、と光男は答えた。疫病だとしたら村の大事だ。静信一人の身の上を気遣っている場合ではないが、大丈夫だろうかと言い出す美和子の気持ちはよく分かった。美和子にとってはたった一人の子供だ。それもやっとのことで授かった一人息子。静信が生まれるまで、美和子は跡継ぎを望む檀家の声に急かされてかなり辛い思いをしている。やっとのことで得た一人息子は、幸いなことに出来が良く、檀家衆の評判も上々だが、その息子を失ったら、と思えば不安になるのも無理はなかった。

光男もまた、微妙に立場は違えど、同じ不安を感じる。たった一人の跡取りなのだ。信明はすでに住職としての役目を果たすことができない。実質上、静信が住職だが、その静信には妻も子もまだいない。それどころか晋山式もまだで、正式に寺を継承しているわけでさえないのだ。寺は村の要だ。檀家にとって、寺の存続は何よりも大事な優先事項だ。もしも静信に何事かあれば。信明はあの状態、下手をすれば本山からの斡旋で、見ず知らずの余所者が住職としてやって来ないとも限らない。

「そういうことじゃないよ」

口を挟んだのは、黙々と流しを掃除していた克江だった。

「奥さん、心配せんでもいい。こりゃあ、疫病とか、そういうことじゃないから」

「母ちゃん、そんな安請け合いを」

「安請け合いじゃないさ」克江は手を止めて、光男と美和子を振り返った。「お前には

分からないのかい。あたしには、ちゃあんと分かってる。こりゃあ疫病なんてもんじゃない。だから若御院は大丈夫だよ。心配ない」

「でも……克江さん」

克江は美和子に太鼓判を押すように頷いた。

「これはね、寺は避けて通るのさ。若御院や御院にだけは手出しできない。それより光男、お前のほうこそ用心おし」

「用心って」

「身を慎んでりゃ心配はない。ちゃんと信心して、真っ当に暮らせってことさ」

「母ちゃん」

光男は克江に説明を求めようとしたが、克江は首を振った。

「あたしが何を考えてるか口にしたら、お前はあたしを虚仮にするだろうさ。でも分かってるんだよ、ちゃんとね」

そう言ったきり、黙々と掃除をする。美和子が不安そうに光男を見てきたが、光男も首を傾げるばかりだった。

2

　夏野はバスを降りると、まっすぐに村道を上った。公民館のグラウンドの隅に、かおりと昭の姿が見えた。

「兄ちゃん」

　声を上げたのは、昭だった。夏野は頷く。夕暮れの迫ったグラウンドには、人影がない。ベンチやジャングルジムが設けられた一郭も同様だった。夏野は鞄をベンチに放り出す。昭が横にやって来て腰を下ろした。

「なあ、どうするか、思いついた?」

「いや」と夏野は短く答える。「でも、もういいんだ」

「いいって、なんで」

「今朝、行ってみたんだ」

　夏野が言うと、昭はかおりと顔を見合わせる。夏野は誰にともなく頷いた。

　とてもじっとしていることができなかった。何よりも、シャベルの先が正体不明の男に当たったときの嫌な手応えが手に貼りついていて、それを忘れることができなかった。冷静に考えれば事態は明らかだと思われた。夏野たちは新仏の墓を暴こうとしており、

それを通りがかった誰かが見とがめたのなら、襲ってくる前に誰何するだろう。夏野らが屈強で不審な大人だというのならともかく、一人は女の子で、一人は子供だ。まず、何をしているのかと声をかけてくるのが当然だし、駆けつけてくるにしても飛びかかることはない。

だが、男は問答無用で、かおりに飛びかかってきた。あれはどう考えても、かおりを襲おうとしたのだし、あそこで自分が男を排除したことは正しかったのだという気がした。男がもう冷たかったことにも疑問の余地がない。だいたい、いくら打ち所が悪かったにせよ、一撃でああも簡単に絶命するとも思えない。男はそもそも死んでいたのだ。

――だが、両手に残った感触が、そういう理屈を拒む。夏野は人間に向かって、明らかに重大な傷害を与え得るような凶器を振り上げたのだし、その結果、男は倒れた。倒れた男はもう動かなかった。身を起こし、大丈夫だ、と示してくれることはなかったのだ。

それを思うと、怖くて震えが止まらなかった。取り返しのつかないことをした。それも絶対にしてはならないことをした、と思う。怖いのはその「罪」そのものだった。罪の意識から逃れることができず、必ずこの罪には罰が与えられるはずだという確信からも逃れることができなかった。善悪は夏野の人格の奥深いところに刷り込まれ、生理的な感覚として馴染んでいる。それは理屈を超越する。どう言い聞かせても、あれは許さ

れないことだという意識から逃れられなかった。

　眠ることができず、落ち着いていることもできず、深夜にあの墓所に行って、男の死をもう一度確認したいという衝動を感じた。それを抑えることができたのは、正確に言うなら夏野は「男の死」を確認したかったのではなく、「男の生」を確認したかったからだ。男が死んでいないことが確認できれば、夏野は罪の意識から逃れることができる。その期待を捨てられず、何としても成就したく、だからこそ墓地へ駆け登ってみたくてたまらなかったのだった。だがそれは「男の死」を確認することになるのかもしれなかった。それが怖かった。だからこそ、出かけてみたいという衝動をかろうじて抑えることができた。

　けれどもそれも夜明けまで、曙光が射すとそれ以上の我慢はできなかった。家を抜け出し、自転車を駆って林道へ向かい、本橋家の墓所に向かった。――そうしないではいられなかった。

「……兄ちゃん？」

　昭に促され、夏野は息を吐く。

「あいつは、いなかった」

　え、と昭とかおりが声を上げた。

「じゃあ……あいつ、死んでなかったんだ、やっぱり」

夏野は首を振る。

「分からない。墓、元に戻ってたんだ」

「それ――どういう」

「だから、墓が元通りになってた。塚を作って角卒塔婆が立て直されていたんだ。あいつの姿はなかった。一緒に埋められているのか、それともあれからもう一度動き出して、姿を消したのかは、分からない」

「誰が、そんな」

「さあな。けれども、そいつが夜のうちにそれをしたのはたしかだ。本橋の婆さんの家族じゃないだろ。いくら何でも夜に墓参りに行くとは思えないからな。それも葬式の夜に」

昭は頷いた。

「あいつが?」

「それも分からない。とりあえず棒を突っ込んで探ってみたけど、塚のすぐ下に死体が埋まってるふうじゃなかった。たしかとは言えないけど」

「本橋の婆ちゃんが起き上がったんじゃ」

「かもな。とにかく、塚が壊されたら分かるようにはしておいた。そのへんの小石を目印に置いてきたんだ。もしもこの先、婆さんが起き上がって塚が壊れるようなことがあ

れば、そのあとに埋め戻しても、見れば分かる」

昭は神妙に頷き、そして夏野の顔を覗き込む。

「なあ、どうするんだ、これから？　やっぱ、本橋の婆ちゃんの墓、もう一回、掘り起こすのか？」

本橋鶴子の死体には手を触れてない。水際で食い止めなければならないとすれば、あれをあのままにしておけない。昭はそう考えたのだが、夏野は妙に淡々と昭を振り返った。

「なあ……昭、昨日、おっかなかったか？」

「別に」

昭は言ったが、これはもちろん嘘だ。怖くて怖くて寝られなかった。かおりが音を上げて、夜に泊めてと言ってきた。そうでなかったら昭のほうが、かおりの部屋に逃げ込んでいたかもしれない。

「剛胆だな」夏野は、昭の強がりを見透かしたように笑う。「……おれは、怖かったよ」

「まさか」

「怖かったんだ。もう一度、墓を暴いて、婆さんの死体を確かめて、起き上がってこないように杭を打つ。──そういうことが、自分にできるかどうか分からない」

「でも、……やるんだろ？」

「やらないとな」

夏野の声は掠れたように低かった。

結城は、「済みません」という声に玄関を振り返った。

すでに窓の外は暗い。梓は台所で夕飯の用意のために立ち働いている。それで結城自身が立った。

玄関のドアを開けると、小学生ぐらいの女の子が立っていた。どことなく、荒んだ風情のある子だという印象を受けた。それは子供らしからぬ暗い表情のせいだったかもしれない。

「はい？」

「ここ、結城さんち？」

「そうだよ。君は？」

「しずか」とだけ、少女は言った。「お兄ちゃん、いますか」

結城は首を傾げた。

「お兄ちゃん——夏野かい？」

少女は頷く。

「夏野はまだ学校から帰ってないんだけど。何か用事かな？」

少女はまた頷いた。

「大切な用があるので、待っててもいいですか」

少女は窺うように結城を見上げて言う。正直に言って、結城が感じたのは、微かな嫌悪だった。それは少女の台詞が、まるで言い含められたことを棒読みしているように聞こえたせいかもしれなかったし、なんとなくまとわりついて見える荒んだ気配のせいかもしれなかった。あまり息子と仲良くしてもらいたいタイプの子供ではない、という感覚。

「用っていうのは何だい?」

結城は訊いたが、少女は首を横に振った。

「それはどうしても急ぐのかい? もう夕飯時だろう。明日にしてはどうだい?」

「だめ」少女は短く言う。「大切な用があるので、待ってる」

結城は困惑した。

「でも、夏野は何時に帰ってくるか分からないよ。君はどこの子だい? 中外場?」

「門前」

「名字は何ていうんだい?」

「松尾。松尾、静」

「松尾か――。門前のどのへん?」

「上外場との境。境松」

　地名なのか、屋号なのか、結城には分からなかった。少女はそれで分かるはずだ、というふうだったし、結城自身、それ以上——たとえば誰それの家の隣だなどと説明されたところで分からない。

「ずいぶん遠いね。もう真っ暗だし、今日は帰ったほうがいいんじゃないかな。お嬢ちゃんが来たことは伝えておくから」

「待ってる」

「本当に、何時に帰ってくるか分からないんだ。寄り道をして夜遅くに帰ってくることもあるしね」

「大事な用なので、待ってる」

　少女は結城を睨み据えるようにして繰り返す。結城は息を吐いた。

「そう……」

　結城は周囲を見る。暗い道のどこにも、息子の姿は見えなかった。少女はじっと結城を見ている。上目遣いに何かを待つ表情だった。結城がそれを与えないことに不満を抱き、苛立っているふう。

「君は夏野の知り合いかい？」

　少女は頷いた。癇を立てた子供独特の口調で、「大事な用なの」と繰り返す。

分かったよ、と結城は根負けしてドアを開いた。

「とにかく、中で待っているといい」

結城が言うと、少女は礼も言わずに玄関の中に滑り込んでくる。さっさと結城を置いて家の中に上がり込んだ。

「ちょっと、君」

少女は振り返る。明かりの下で見てみても、別にどうということもない、村にはいくらでもいそうな女の子だった。

「お兄ちゃんを待ってる。お部屋に行っていいでしょ」

とっさに結城が感じたのは不快感だった。子供は夏野の部屋で待っている、と言っているのだということは分かったが、あまりにも傍若無人なように思えた。そればかりではない。理由の明らかではない嫌悪感。結城はこの少女が気に入らなかった。夏野がもしも、親しくしているのだとしたら、なぜ、と問いたい気がした。少女はどこか奇妙で、結城の常識を逸脱したところがあり、どことは言えないが禍々しい感じがした。

「いいでしょ。どっち?」

少女は苛立ち、足を踏み鳴らすようにして言った。駄目だ、いい加減にしろ、と言いたい気がしたが、結城はそれを堪えた。

少女はどことなく汚れていた。精神に障害があるように見えなくもなかった。有り体

に言えば、気味が悪い。——だからこそ、結城は拒むことができなかった。こんな小さな女の子に対して、外見が気に喰わないからと言って、不快感を抱く自分自身に抵抗があった。

「廊下を左に行った奥だよ」

少女はくるりと背を向ける。さっさと廊下を奥に向かい、曲がり角で思い出したように振り返った。

「お兄ちゃんも一緒なの。あとで来るの。いい?」

結城はかろうじて頷いた。

「ああ。どうぞ」

少女は頷き、やっと笑った。その笑みが暗くて、やはり結城は気に喰わなかった。玄関を閉め、何気なく廊下を辿る。曲がり角まで来ると、夏野の部屋のドアが閉じるところだった。

「なあに、あの子」

背後から声がした。梓だった。

「……気味の悪い子ね」

「そんなことを言うもんじゃない」

結城は言ったが、それは自分自身の内面の声に他ならなかった。

梓がとりあえずお茶を運んでいくと、暗い部屋の中に、子供が一人、ぽつねんと坐っていた。

梓は嫌悪感を抑え、明かりを点ける。ことさらのように明るい声を出して、暗くて怖くないの、お茶はいかが、夕飯は、と声をかけたが、子供は黙って坐っているだけだった。にっと笑ってはみせるが、とりたてて返答もなく、梓と話をしようという様子もない。訊きたいことは色々とあったが、這々の体で梓は退散した。

「何なのかしら、あの子……」

結城に言っても、結城は生返事しかしない。

「ああいう子がいるのね、この村にも。なんか、ずいぶんと印象の違うとこだわ、ここ」

「——何が？」

「だから、風光明媚でのどかなところだと思ってたんだけど、そうでもないな、って気がして。外場って、卒塔婆から来てるのよね、たしか。いかにもそういう感じ」

梓は言ってみたが、結城の返答はなかった。もっと違うものを期待して越してきたはずだった。けれども実際に来てみると、なかなか村の共同社会の中には入れず、一年も経ってやっとのことで入ってみると、不祝儀の手伝いに駆り出されてばかりだ。村社会

の度し難さを、梓はようやく理解していた。

なんとなく溜息をついたとき、玄関の開く音がした。廊下を覗くと、やっと夏野が帰ってきたところだった。

「おかえりなさい。夏野くんにお客さんよ」

「──客？　保っちゃん？」

梓は首を振りながら迎えに出る。声を低めた。

「小さな女の子。誰なの、あれ」

「女の子？　さあ」

「あんたの知り合いなんでしょ。なんでも門前の子だって。松尾静とかいうみたいよ」

夏野は怪訝そうな顔をした。

「誰、それ」

「誰──って。あんたを訪ねてきたのよ。用があるから待ってるって」梓は言って、背後からやって来た結城を振り返った。「なんでしょ？」

結城は頷く。

「あの子じゃなく、そのお兄さんのほうが用事があるのかもしれないけどね」

「松尾──覚えがないな」

「明日にしたらどうかと言ったんだが、大事な用だからと言って聞かないんだ。お兄さ

んも来るけどいいか、と言ったけど、そっちのほうはまだ来てないな」

夏野は首を傾げている。

「どこ？」

「お前の部屋だ」

夏野は不快そうに結城を見た。

「部屋に入れるなよ、勝手に」

「あの子のほうが、部屋で待ってると言ったんだ。いいかと訊かれて、無下に駄目だとも言えないだろう」

結城が言うと、夏野ははっとしたように目を見開いた。結城は一瞬、夏野が何かに怯えたかのように感じた。

「あの子はどういう子なんだ」

「だから、知らないって」

言いながら、夏野は廊下を急ぐ。叩きつけるようにドアを開いた。そうしてそのまま、廊下に立ち竦む。

「――夏野？」

「女の子がいたって？　――それ、どういう子？」

結城は首を傾げた。

「どういうも」言いかけて夏野の部屋の前まで行き、中を覗いて結城は口を開けた。部屋の中には誰もいなかった。窓が開いて風が通っている。床の上には梓が運んできた紅茶が、手を付けられることがないまま冷めていた。

「そんな……」

夏野は窓の外を窺う。

「門前の松尾静と名乗ったんだ。大事な用があるから待たせてくれ、──部屋で待ってるって」

「どんな子？」

「どんなと言われても。なんだか、薄気味の悪い子供だったけれども」

そう、と夏野の声は低かった。

「……兄ちゃんが来るって？」

「そう言ってた。お兄ちゃんがあとから来るけどいいか、と」

夏野は妙に白い顔を結城に向けた。

「何て答えたの」

「いや」結城は思わず口ごもる。なぜだか分からない、自分がひどい失態を演じた気がした。「断るわけにもいかないから、いいよ、と」

そう、と息子の声はいっそう低かった。

「昭、電話よ」

母親に呼ばれて、昭は箸を置いた。廊下に出て受話器を取る。

「はあい」

「――昭か？」

夏野の声だった。

「お前、帰ったら客、来てなかったか」

「いいや？　別に」

そうか、と夏野は呟く。

「いいか？　親父さんとお袋さんに頼むんだ。誰かがお前と姉ちゃんと、どっちかを訪ねてきても絶対に家に入れるなって」

「……なに、それ」

「いいから。理由は適当に考えろ。大事な用だとか言われて、家で待ってると言われても、追い返してくれと頼め。出直してくれ、と言ってもらうんだ。絶対に家の中に入れるんじゃない。いいな？」

「う……うん」

昭はとりあえず頷いた。夏野はもう一度、念を押して通話を切った。昭は少しの間、

受話器を見つめて、夏野がどうして唐突にこんな電話をかけてきたのか、その意味を考えていた。

3

「どうだった。墓荒らしの話は出たか?」

部屋に入るなり敏夫に言われ、静信は失笑した。

「出なかったな。夜中にお参りに来たらしい情け深い誰かの話なら出たけど」

「なるほど」と敏夫は本に目を落としたまま笑う。ひとしきり笑ってから、「……で、どうする?」

静信は何を言わんとしているのかを悟って俯いた。

屍鬼だ。確証はないが、間違いないと言ってもいいだろう。しかし、――これからどうすればいいのか。屍鬼がいる、気をつけろと言って、他人が果たして信じてくれるものだろうか。こうしている間にも襲撃が行なわれている。被害は増えているのに、それを食い止める手だてが静信たちにはなかった。

「呪術が効力を持つのはたしかなんだろうな。でもってたぶん、招待がなければ入ってこれない。屍鬼を寄せつけないためには、怪しい奴を招かないことだ。できれば護符だ

の破魔矢だので身を守る。——そういう呼びかけをして、聞いてもらえると思うか？」

静信は無言で首を振った。敏夫は溜息をつく。

「こういうとき、おれは信用がないからな。また尾崎の不良医師の悪ふざけが始まった、と思われるのが関の山だろう。おれに比べて、お前は人望があるが……」

その先を敏夫は言わなかったが、静信は頷いた。静信は別の意味で信用がないのだ。得体の知れない小説家という副業。誰も実態は分からないまま、何かしら奇矯なイメージを抱いているらしい。おまけに静信にはそれを否定できない前科がある。未だに檀家が嫁を取れ、跡継ぎを早くと急かさないのは、腫れ物に触るような気分を拭えないせいだと、静信自身、了解していた。ここで屍鬼が、などと言い出そうものなら、ついに、と言われるのが落ちだろう。

石田はいない。兼正も代替わりして、息子は先代ほどの人望がない。あったとしても、兼正にせよ石田にせよ、説得することは途方もない難事だったに違いないし、たとえそれができたにしても、村人を説得するのは不可能に近いだろう。せめて同じような疑惑を抱いている人間が他にもいれば、と静信は思った。そういう人間が何人かいて、手を携えることができれば、村人に疑心を吹き込むことぐらいはできるかもしれない。けれども単に、静信と敏夫が声高に叫んだぐらいでは、荒唐無稽すぎる現実を納得させることはできないだろう。

「打つ手がないな……」

「ああ」

「何もしないわけにはいかない。どうだ、また墓荒らしをする気があるか?」

「節子さん?」

「節子さんが起き上がるかどうかも確認しなきゃならんが、とりあえず、死人の最初から辿ってみたほうがいいかもな。山入の三人は火葬にされているから、最初の死体は後藤田の秀司さんか」

静信は俯いた。どうあっても墓を荒らすことには抵抗がある。だが、とりあえず墓を暴いて死体を確認するくらいしか、できることがないのも事実だった。

「幸か不幸か、後藤田の縁者は本家だけだ。後藤田の爺さんが死んだ時点で付き合いも希薄になっていたようだし、墓参りする人間もいないだろう。奈緒さんのときほど気を遣わなくていい。労働としては若干、楽だと思うがどうだ?」

静信は考え込み、そして頷いた。頷くしかなかった。

敏夫はすでに用意をしていた。懐中電灯を掲げ、夜陰に紛れて静信と敏夫は後藤田の墓所に向かう。埋葬があってそれきり墓を訪ねる者もなかったようで、秋草に覆われた墓所は荒廃の色が深かった。

今度は委細構わず、手当たり次第にシャベルを使って棺を掘り出した。それでも地中、深いところに埋められた棺を掘り出すのは、うんざりするような重労働だった。

棺を掘り当て、蓋を半分がた掘り出したところで、秀司の棺が空であることは予想できた。奈緒のそれと同じように、蓋の一部が裂けている。ほとんど蓋を打ち壊すようにして中を覗いた。やはり秀司はいなかった。

静信がそれを埋め戻す一方で、敏夫はふきの墓に手をかけた。静信がとりあえず掘り上げた土を戻し、塚らしきものを作ったところで、敏夫がふきの棺を掘り当てた。

「……おい」

敏夫は棺の蓋を懐中電灯で照らして示す。きちんと釘が打たれ、蓋が壊されている様子がない。さすがに敏夫も及び腰になるのが見て取れた。

「……どうする？」

「どうもこうも」と、敏夫は汗を拭って泥だらけになった顔を顰める。「このまま確認しないわけにはいかんだろう」

静信は頷いた。敏夫が自棄を起こしたように乱暴にシャベルの先を蓋の下にねじ込む。蓋が裂ける音がして、同時に腐臭が漂いあふれてきた。敏夫は汚れたタオルを顔に当てる。シャベルの先を蓋の下に差し入れたまま、柄に膝を当てて無理にも蓋を持ち上げた。静信も同じく脱いだトレーナーで顔を覆い、懐中電灯の光をわずかな間隙に射し入れる。

敏夫はすぐにシャベルを放して蓋を落とした。静信も目を背け、そしていまさらのように墓に向かって手を合わせる。敏夫は何も言わなかったし、静信も何も言わなかった。二人で黙々と墓を埋め戻した。

こちらの墓ばかりは、秀司のそれのようにとりあえず埋めればいいとはいかなかったが、そもそも掘り上げるときから要領を心得ていたので、埋め戻すときにもさほどの時間はかからなかった。塚を作り、角卒塔婆（そとば）を立て直し、再度、手を合わせて墓所を出る。膝も手も疲労で痙攣（けいれん）を起こしたように震えていた。

「……すべての死人が甦（よみがえ）るわけじゃないってことだな」

敏夫はまだ肩で息をしながら、杣道（そまみち）を下り、林道に出たところで坐り込んだ。草叢（くさむら）に身体（からだ）を投げ出す。

「実際にはどの程度にしろ、百パーセントじゃない。これは助かる」

同じようにして夜の林の中に坐り込みながら、静信は頷いた。

「しかし、問題は変わらない。これからどうすりゃいいんだ、おれたちは」

静信は沈黙した。もしもすべての死者が甦るわけでないのなら、現在、最も急がねばならないことは屍鬼の実数を把握することだ。村にはどれくらいの屍鬼が潜んでいて、それらの屍鬼はどの程度の犠牲者を出しているのか。

屍鬼の実数を把握しようと思えば、実際に墓を暴いて空の棺を数えてみればいい。

——いや、と思う。それでも実数は分からない。不審な転出者がある。そのうちの幾人かは村から出て行く前、発症していたことが明らかだ。おそらくは、ほとんどすべてがそうだったのだろう。屍鬼に襲われ、本人の意思とは関係なく、引越すと言葉を残して出て行った。荷物を運び出したのは高砂運送。夜にしか現れない引越屋。おそらく転出者たちはこの地上のどこかに越したわけではあるまい。たぶん彼らは見つからない。きっと、石田も。

秀司とふきの墓を暴くのは後先に気を配らなくても良かったから手軽に済んだが、奈緒の墓を暴くのには四時間がかかった。実際問題として、敏夫と静信だけで全部の墓を秘密裏に暴いてみることは不可能だし、労力に見合うだけの意味があるとは思えなかった。しかも、と静信は喉を鳴らした。まだ鼻に腐臭がこびりついている。

途方もない数の死者、それに相応の墓、墓の中にはある割合で腐乱した死体が眠っている。それを暴き、確認することを思うと、さすがに絶望的な気分になった。なんとかしてそれだけは回避したい、と思ってしまう自分を、静信は否定する気になれなかった。

同じことを考えたのか、敏夫が呟く。

「まず、屍鬼をこれ以上増やさないことだ」言って静信を見る。「吸血鬼の場合、そもそも甦らないよう、杭を打ってから埋葬するんだよな、たしか」

静信は渋面を作った。生理的な嫌悪感を感じる。それは死体を損なうことだ。もしも

死体が確実に甦生するものなら、それは予防策ではあるのかもしれない。だが、甦らない者もいる。これに杭を打つのは、死体損壊に他ならないし、「杭を打つ」という行為そのものにひどい抵抗を感じた。

「静信、他に何か穏当な手はないのか」

「……ヴァンピールの場合、杭を打って埋葬するのが一般的だ。そうでなければ首を切る。あるいは、死体の足に穴を開ける、俯せに埋葬する、という伝承もあるけれども」

「どれも不可能だろうな」

「あとは鎌を首筋に構えるとか、塚に杭を打ち込むとか……。もしも死体が起き上がったとき、それが自動的に死体に危害を加えるよう、セットしておくんだ。あとは網を入れる、穀物や種を撒く」

「へえ？」

「ヴァンピールは、それを全部拾わないと身動きができない、という俗信がある。しかも一年に一粒しか拾えないんだそうだ。……けれども、屍鬼の場合、それが当てはまるもんかな」

「第一、どれも胡乱だ。もっと何か、棺の中に入れても不審でないものじゃないと」

「十字架、イコン、メダル……」

「本尊とか守り札とか？」

「だが、守り刀なら死体に抱かせるし、数珠だって握らせる。奈緒さんの棺の中にも秀司さんの棺の中にも守り刀と数珠が取り残されていた。効果があるかどうかは疑問だ」

敏夫は唸った。

「他にどうすればいいんだ？　もしも薬物で事足りることならな。それこそ、パラコートでも注射してそれで甦生を阻止できるもんなら、患者が死んだ時点で、何食わぬ顔をして処置できるんだが。だが、どうすれば甦生しないようにできるのかが分からない。エンバーミングする習慣があればな。——もっとも、エンバーミングで甦生を阻止できるのかどうか分からないが。確実なのは火葬だろう、やはり」

静信もこれには同意せざるを得なかった。

「けれども、火葬は……」

「村の連中はうんと言わないだろうな。うんと言わせるためには、事態をぶちまけなきゃならんが、屍鬼だ吸血鬼だと言ったところで信用してくれるとも思えん。次善の策として、大々的に疫病だ、と言う手もあるが」

静信は少し、その場合の行く末について考えてみた。

疫病だ。だから土葬は危険だ。火葬にする必要がある。そう訴えて、村人の何割がそれに従ってくれるだろう。

「無理なんじゃないかな……。それこそ、行政のほうから強制されないことには」

人間は、自分だけは、という思考回路から逃れられない。それは事態を舐（な）める、という行為とも、ある種の傲慢（ごうまん）とも別次元の事柄だ。村人の中には死後の身体を依然として個人と見なす思考回路が厳然として存在する。死体を損なうことは、生きている家族を損なうことと同様の抵抗を感じさせるはずだ。問題は、それができるかできないかではなく、絶対的に不本意なことだ、ということだった。火葬は不本意だ。たぶん、誰もそれを選択したくない。しかしながら誰も自分や、生き残った他の家族が失われることなど望んでいない。疫病は脅威だ。それは生者を損なう。脅威をそのまま放置することも、やはり不本意なのに違いない。村人の選択肢は、ここでふたつに限られる。生者の安全を重く見て、火葬という不本意な選択を行なうか、あるいは死体を損ないたくない、という思いのほうを重く見て、生者の安全を脅威にさらすか。

そして、と静信は思う。人間というのは複数ある選択肢のすべてに対してネガティブであるとき、得てして存在しない第三の――ポジティブな選択肢を捏造（ねつぞう）するのだ。おそらく、村人は考える。「そんなことは起こらないはずだ」――必ず自分たちに危険が及ぶと決まったものとは限らない。自分の家族だけはそれを免れる可能性は皆無ではない。もしもそれが起こらなければ、自分は不本意な選択を回避できる。

それを分かっているのか、敏夫も溜息（ためいき）をついて頷いた。

「疫病だと大騒ぎしてみせたところで無駄だろうな……。だとしたら、秘密裏におれた

ちがやるしかないって話になるんだが」

　静信は頭を振った。それこそ不本意な選択というものだ。

「とにかく水際で堰き止めなきゃならん。死体に処置できないなら、死体を作らないようにすることが必要だ」

「ああ」と、静信は頷いたが、そのために何をする必要があるかを考えると、さらに暗澹とした気分にならざるを得なかった。呪術は有効だ。患者を守るためには、敏夫による救命措置と、襲撃を回避するための呪法が不可欠だ。それをやれるのは、神社か寺しかなく、専業の宮司がいない神社にそれは期待できない。寺がやるしかない。つまりは、寺が疫病退散祈願の祈禱をやれ、ということだ。犠牲者の家に乗り込んでいって、疫病退散のための祈禱を行なう。だが、静信はそういう現世利益の思想に馴染まなかった。

「虫送りをやる必要があるんだ、もう一度。道祖神を改めて立てて、村を挙げて再度、虫送りを行なう」

「何て説明して？」

　すべての解決策の前にはこの難問が立ち塞がっていた。

「とにかくやるしかない。そのうえで屍鬼の数を減らす必要がある」

　何気なく同意しかけ、静信はすぐに敏夫の言が何を意味するのかを理解して愕然とし

た。「数を減らす」とは、つまり──。静信はこの瞬間まで、この災厄を終息させるために は、敏夫が示唆した行動を避けられるはずもないことに、まったく思い至っていなかった。呆然として敏夫の顔を見た。敏夫は心外そうに眉を上げる。

「何を驚いてる。当然だろう。屍鬼を根絶する必要がある。連中が一人でも存在している限り、汚染は広がる一方なんだ」

「でも」

「でも、何だ？」

静信は急速に確信が揺らぐのを感じた。屍鬼だと思った、それは誤解ではないか、という気がする。──いや、静信は屍鬼ではない、という可能性に縋りたいのだ。それこそ、不本意な選択肢を拒絶するために。

「……たしかに秀司さんは甦生したのかもしれない。そうして、今も人を襲っているのかも」

「かも、じゃないだろう」

「けれども、確認したわけじゃない。ぼくたちが確認したのは、墓に死体がない、という事実だけだ」

「おいおい」敏夫は目を見開く。「それ以上の事実が必要なのか？」

「それは、そうなのだけど……」静信は俯く。「秀司さんは甦生した、でもいい。そし

て今も汚染を広げている。汚染を食い止めなければならないのはたしかだけど、そのために秀司さんをもう一度、殺すのか？」

「他に手があるのか？」

「けれども、秀司さんは生きているわけだろう？　それを殺す？　ぼくらが？」

「でも、今は生きてる。秀司さんはそもそも死んでるんだ」

「殺すもなにもない。秀司さんは生きてる。そういうことじゃないのか？　秀司さんが甦ったのは、別に秀司さんの責任じゃないだろう。不幸な事故のようなもので、だから」

「お前、一体何を言い出したんだ？」

「だから」静信は口ごもる。自分でもどう言えばいいのか分からなかった。「秀司さんは死んだのだけど、甦生した。起き上がったということは、生き返ったということじゃないのか？　いわば、いったん心停止した患者が蘇生したようなもので、それをもう一度、死んだ状態にするということは、殺すということじゃないのか？　それは殺人とどう違うんだ？」

「おいおい。相手は屍鬼だぞ？」

「屍鬼だろうと何だろうと、そういうことなんじゃないのか？　もちろん、屍鬼は人を襲う。汚染を拡大する。けれどもたとえば、殺人犯だからと言って、ぼくらが勝手に処刑していいのか？　生かしておいては為にならないと言って、人を殺す権利は、ぼくら

にはないはずだ」

「問題をすり替えるな」

「すり替える？」

「屍鬼による襲撃と、殺人を一緒にするなと言ってるんだ。社会の中に組み込まれた殺人と襲撃を同じレベルで考えてどうする。たしかにおれたちには殺人犯を処罰する権利などない。それは国家に委譲されているんだ。だが、屍鬼を裁く法がどこにある？　国家はそれを代行してはくれないんだぞ」

「けれど」

「お前のそれは、単なる怯懦だよ。要は自分が屍鬼をどうにかするのが怖いんだろう。抵抗があるのは分かるさ。じゃあ、屍鬼を殺すのは怖いから嫌だと言って、屍鬼が人を殺すのを放置するのか？　屍鬼が死ぬことは酷くて、人が死ぬことは酷くないのか」

「それは……」

「このまま犠牲者が増えるのを黙って見てろと言うのか。屍鬼を一人生かしておけば、そこから鼠算式に屍鬼が増えていく。犠牲は拡大していくんだ。それは道義に悖ること じゃないのか、お前の中では？」

静信は返す言葉を持たなかった。たしかにそうだ。敏夫の言っていることは正しい。屍鬼を死んだ状態に戻すことが殺人なら、屍鬼が人を襲うことも同じく殺人だ。屍鬼を

殺すことが罪なら、屍鬼が人を殺すことも同様に罪だ。屍鬼を殺人者と置き換えてみれば、理は明らかだろう。もちろん、防衛のために屍鬼を狩ることは容認されなければならない。

（……本当に？）

理は明らかだ、と思いつつ、静信は納得できなかった。そもそも屍鬼と殺人者を置換することに迷いがあった。その迷いを、静信はうまく表現することができなかった。

「村を見殺しにするのか」

敏夫に問われて、静信は俯いた。

「少し考えさせてくれ」

「──おい！」

静信は立ち上がり、敏夫を残して林道を下った。文字通り、逃げるように。

4

聖堂の祭壇は、これまでそうであったように、そしてこれからもそうあり続けるように、空洞を掲げて立ち枯れていた。ランプの明かりを受け、埃にまみれた燭台だけが空虚な光を放っている。

仕えるべき神が見えない——沙子の指摘は正しいと思う。人の世界の常識的な正義を、そのまま正義として信じるなら、屍鬼は撲滅すべきなのだ。屍鬼は人を狩る。これは悪で、その悪を恒常的になす屍鬼は敵だ。悪を根絶するために、屍鬼を狩らねばならないし、それは正義を守るための聖戦に他ならない。なのに静信は、そこで躓く。屍鬼が人にとって敵対するものであることは間違いないが、屍鬼が人を狩ることを、すなわち悪だと言えるのか。

静信の中の良心は囁く。それは彼らの罪ではない。奈緒も秀司も屍鬼に変容することを望んだわけではないだろう。ましてや殺戮を望んで屍鬼になったわけではないのだ。それを罪だと咎め、敵対するからと言って悪だと断じていいものなのか。

そう考えてしまう自分が少数派であることは知っている。大多数の信仰を得られない神は、神の名に値しない。だが、大多数が示す正義は静信にとって正義ではない。罪のない者を罰することに躊躇しない神は、神ではない。——少なくとも、静信にとっては。

空洞の教会、空洞の祭壇、司祭はいても神がいない。信仰に対する固い決意だけがある。まさしく、静信はこの廃墟を建てた隠遁者に共鳴しているのだ。この世に自分だけではないことを確認するために、ここに足を運ばないではいられない。

それが分かっても、自分がどうすべきなのかは分からなかった。村は災厄の中に落と

し込まれている。こうしている間にも被害者は増え続けている。屍鬼として起き上がった者に罪はないが、屍鬼の犠牲者として命を失おうとしている者にも罪があったわけではない。理不尽に他者から殺害されることを肯定することはできない。容認は肯定と同義だろう。とうてい容認はできないし、誰かがこの災厄を止めねばならない。そしてそれができるのは、事態の実相に気づいている敏夫と静信だけなのだった。

静信は深い溜息をつき、吐き出したそれのぶん力を失って首を垂れた。背後でカタリと、小さく扉の開く音がした。

「こんばんは」

静信は無言で背後を振り返った。少女の形をした「それ」は、いつものように祠の中に滑り込んでくると、ごく軽い足取りで身廊を近づいてきた。

「……また落ち込んでいるの？」

うん、と静信は頷いた。

「尾崎先生とまだ仲直りできないの？」

「いや。もっと別のことだよ」

沙子は首を傾げる。間近のベンチに腰を下ろした。手を伸ばせば届く範囲。静信は唐突に、自分がなぜ今日まで無事でいられたのか疑問に思う。沙子はいつでも静信を犠牲者の列に加えることができた。意図的にそれをしなかったのだろう。敏夫が恣意的に他

を助け、他を助けないように、沙子も恣意的に他を殺し、他を殺さないのだと感じた。

「村の様子はそんなに酷いの?」

「そうだね。酷いよ」

大変ね、と沙子の声は本心から静信に同情を寄せているように聞こえた。

「敏夫は暗礁に乗り上げている。いや、乗り上げていた、と言うべきかな。新種の疫病なのかもしれないが、そもそも疾病として不整合がある。だから対策も救済策も立てられない」

「それは本当に大変だわ。でも、過去形なのね?」

静信は頷いた。

「疫病だけじゃないんだ。このところ、村では転出が多い。住人が不審な状況下で姿を消す。ぼくらに協力してくれていた役場の人も消えた。まるで失踪したとしか思えない状況で」

「……変ね。でも、それは疫病とは無関係よね?」

「普通は無関係だろうね。この疫病で死ぬ者は、死の直前に辞職していることがある。村の外に勤めに出ている人間は、ほぼ例外なく発症してから辞職しているんだ。これだって普通は疫病とは無関係だ」

沙子はわずかに眉を顰めた。

「……普通でない症状、普通でない転居や辞職、これらのものに整合性を持たせるには、普通でない何かを想定するしかない。敏夫はそう結論づけた。普通でない何かの存在を想定すれば、状況は明らかだった。——だからもう過去形なんだよ」

沙子はまじまじと静信を見る。痛々しい沈黙が訪れた。この瞬間、聖堂の中に響いているのは、自分の押し殺した息づかいだけのように思われた。そしてそれは、おそらく間違いではないだろう。

沙子は視線を逸（そ）らし、それから顔を上げた。白い顔には、邪気のなさそうな笑みが浮かんでいる。

「普通でない何かって？」

「……アベル」

沙子の笑みが、一瞬だけ微（かす）かに歪（ゆが）んだ。

「それは本当に普通じゃないわ」

「他によって殺戮された者。殺害され、葬（ほうむ）られ、なのに墓穴から甦（よみがえ）ってきた者。……屍鬼だ」

沙子は俯き、くすくすと声を立てて笑う。

「驚いた。尾崎先生は意外にロマンティストだったのね」

「これはもっと散文的なことだよ。極めて殺伐とした現実だ。無慈悲で無機的な」

「……そう？」

「ぼくは君が屍鬼だと思う……」

沙子は顔を上げ、微笑んだ。

「本当に室井さんはロマンティストだわ」

「そうかい？」

ええ、と沙子は立ち上がる。静信は一瞬、身を硬くした。息を詰めたまま、沙子が背を向け身廊を戸口へと向かっていくのを見守る。沙子は歩き、そして歩みを止めて振り返った。

「ねえ、室井さん。カインはどこから放逐されたんだと思う？」

静信は首を傾げた。

「この間、ふっと思ったの。神はアダムとエバを創り、エデンに園を造って住まわせた。けれどもアダムとエバは禁断の木の実を取ったせいでエデンの園を追放されるの。そうやって追放された土地でカインは生まれたのよね？」

「そして、エデンの東、ノドの地に追われた……」

「でしょ？　カインがいたのはどこ？」

「エデンだろうね。エデンという土地の中に園があって、アダムとエバは園を追われた。けれどもまだエデンの中だ」

沙子は首を振った。

「そういう意味じゃないの。エデンの園は楽園よね？ アダムとエバは罪によって楽園を追放されたわけだから、楽園の外は流刑地なんじゃないの？ ノドはそのさらに外でしょ？ 流刑地の外って、一体何なのかしら」

静信は瞬いた。

「祝福された土地と、されない土地。楽園と流刑地――世界がそうやって二分されると、流刑地の外は楽園だってことにならない？」

沙子は遠くから微笑む。

「面白いでしょ？ カインは罪によって流刑地を追われ、楽園に放逐されたことになるの。神は罪を犯したカインを狂気と見なして、楽園で保護することにしたのかもしれないわね？ そうでなければ、流刑地の罪人を殺して裁くことで、罪を許されて楽園に呼び戻されたのかも」

静信は腰を浮かした。

「罰されるべき流刑地の罪人を殺した者は、殺戮者なの？ それとも正義の人なの？」

沙子は小さく笑い、身を翻した。呼び止める間もなく、傾いた扉の間から滑り出て行く。

静信は言葉を失って立ちつくした。

今になって彼は不思議に思う。

(楽園と、それを取り巻く流刑地)　丘の周囲に荒野が存在するのだろうか、それとも荒野に丘が存在するのだろうか。

(罪人を殺した者は……　丘の裾野に巡らされた高い城壁は、神の秩序の終端を示すのか、　その罪は)　それとも、神の奇蹟の限界を示すのか。

5

彼が目を開けると、見慣れない小部屋の中だった。彼はしばらく横たわったまま周囲を窺い、自分がなぜ、こんな寂れた部屋の煎餅布団の上に横たわっているのかを考えた。

彼はついさっきまで眠っていた。そして目覚めた。それだけは思い出すことができたが、それ以外の記憶は存在することがたしかであるにもかかわらず、はっきりと捉えることができなかった。なぜこんな見覚えのない部屋で目覚めることになったのか不思議

でならなかったが、ならば一体、どういう部屋で目覚めるはずだったのかを考えてみても、不思議なほど何も思い浮かばないのだった。

彼は釈然としないまま身を起こした。三畳に布団が一組だけ。他には何もない部屋だった。いかにも古びた板張りの天井、ぶら下がっている電灯の形にもやはり見覚えがなかった。しかも電球は外され、埃にまみれている。明かりがないばかりか、見まわしても窓は存在しない。それでも、どこからか明かりが漏れてきているのか、周囲が見て取れないほど暗くはなかった。何もかもが色彩こそ失っていたものの、蒼褪めた景色は細部まで明瞭だった。

三方の壁には漆喰が塗られている。それが随所で剝がれ落ちていた。残る一方にはベニア板が張られている。板は新しいようだったが、単に打ちつけられているだけのそれは、剝げ落ちた漆喰以上に荒んだ印象を与えた。布団はカビ臭かったし、周囲の畳は毳立ち波打って、腐敗した湿気の臭気を放っている。

うち捨てられたどこかのようだ、と彼は思った。家の奥に隠され忘れ去られた、今はもう使われていない納戸のような場所。――そう思うのは、周囲の物音と気配から、ここがそれなりの大きさのある建物の奥まった場所だという感じがしたからだった。どこか遠くに人がいる。それも同じ建物の中だ、という気がした。

彼は立ち上がり、漆喰の壁の端にあるドアに近づいた。そのドアの周辺だけが妙に新

しい造作であることが分かった。彼はドアノブに手をかけたけれども、ドアは開かなかった。鍵がかかっているようだが、内側には錠らしきものは見当たらない。

（なんで……）

鍵がかかっているのだろう。それも外から。こんな荒んだ部屋の中で、自分一人で、しかも部屋には見覚えがなく、とても人を泊めたり住まわせたりするような部屋とも思えない。座敷牢というものがあるなら、ここがそれなのかもしれなかった。

（でも、なんで？）

彼はなぜ、自分がそんな場所に囚われているのか、理解できなかった。ましてやここがどこなのか、彼には見当もつかなかった。何が起こったのだろう。何かが自分の身の上に起こって、それで尋常でない場所にいることだけは確実だったが、その何かが起こる以前、自分はどういう場所で何をしていたのか、思い出そうとしても、やはり曖昧模糊としてはっきりとしないのだった。

ドアを何度か押しながら、彼が首をひねっていると、ドアの向こうで足音がした。彼は思わず部屋の端まで退った。鍵を外す音がしてドアが開いた。ドアの向こうにもやはり光はなかったが、それでも蒼味を帯びた薄闇の中、入ってきた人影の相好は見て取れた。

「目が覚めたね」

笑って言った若い男に、彼は見覚えがあった。あることはたしかなのに、それが誰だか思い出せなかった。危険な人物だとは思わなかったが、彼は本能的に退った。はっきりとはしない不安のようなもの、違和感のようなものを感じた。それが何に由来するものなのかは分からない。

男が何気ない仕草で近づいてきて、彼はとっさに「来るな」と呟いた。――呟こうとしたのだが、声にならなかった。声が出ない、と彼は激しく動揺した。同時に、何か確固とした空洞のようなものを自分の身内に感じて、彼はさらに狼狽した。

何かがおかしい。まるで悪い夢の中に迷い込んでしまったように、違和感と不安が彼を取り巻き、現実的な感触から彼を隔絶しているように思われた。

「怯えなくていいんだよ、村迫正雄くん」

男は言った。それで彼は、それが自分の名前だということを思い出した。

「ぼくは君の味方だ。だから怯える必要はない。心配はいらないから、落ち着くんだ」

正雄は首を振った。いつの間にか部屋の隅に追い詰められていた。それ以上、近づくなと言いたかったが、やはり声は出なかった。声帯が麻痺しているのでもない、言葉にならないのでもない、文字通り「声が出ない」という感触がした。

男はそれを心得ているかのように頷く。

「ぼくは辰巳という。前にも会ったね？　君の味方だ。だから怖がる必要はないんだ。

ゆっくり深呼吸をしてごらん。そうして喋る。いいね？」

正雄は闇雲に首を振りながら、それでも深く息を吸い、そして吐いた。なんだか妙な感触がした。それを言葉にするのは難しい。強いて言うなら、これは深呼吸じゃない、という感じ。ではどうすればいいのか、思い巡らせてみても途方に暮れるような違和感。

「落ち着くんだ」辰巳との距離は、もう腕を伸ばせば届くほどしかなかった。「大丈夫だ。何も心配することはない。君の不安を取り除くために、ぼくは来たんだからね」

正雄は首を振り、その場に蹲った。積もり積もった不安と違和感が、何かを越えようとしている、という切羽詰まった予感がした。

「……来るな」

ようやく声が出たが、その声は掠れていた。今にも泣きそうな自分を、その声から自覚した。

「来るなってば」

分かった、と辰巳は笑った。自ら一歩退り、間合いを開いて床に坐る。壁に背を押し当てて蹲った正雄の顔を覗き込んだ。

「大丈夫だ。何もしない」

「……ここ、どこなんだよ」

「家だよ」

「じゃあ、安全な場所だ、と言い換えようか。これからね、ここが君の家になるんだよ、正雄くん」

「違う」

何を言っているのか分からない、との意を込めて、正雄はひたすら首を振った。辰巳はなおも微笑んでいる。正雄に同情しているふうですらあった。

「うん。君がひどく混乱しているのは分かっているよ。見覚えのない場所を家だと言われれば、いっそう混乱するだろうね。——そう、君はこの部屋に見覚えがない。どうしてこんな場所にいるのか分からない。自分に何が起こったのか分からないし、異常なことが起こった気がして不安になっている。何かがおかしいという気がするんだろう？」

言い当てられ、正雄は頷いた。意味もなく辰巳が恐ろしかったが、同時に自分の表現しにくい不安を理解してくれているふうなのに安堵もした。

「無理もないと思うよ。——いいかい？　君は甦生したんだ」

正雄は首を傾げた。

「本当に良かったと、ぼくは思うよ」言って辰巳は微笑む。「でも君は甦生と言われてもピンと来ないだろうね。いや——心配しなくていいんだ。みんなそうなんだから。みんな最初は混乱する。けれどもすぐに落ち着いて、自分が大変な幸運に恵まれたんだってことを理解して喜ぶようになる」

辰巳は言って、正雄を見た。

「君の着ているそれが何だか分かるかい？」

正雄は自分を見下ろした。白い着物のようなものを着ている。それがあちこち、泥で汚れていた。

「これ……」

「経帷子だよ。そして、左前になってる。打ち合わせが逆になっているんだ。なぜだか分かるかい？」

正雄は呆然と帷子を見下ろした。左前は死に装束ではなかっただろうか。それとも逆だっただろうか。必死で記憶を探ったが、判然としなかった。

「そう、それは死に装束なんだよ。……君は一度、埋葬されたんだ」

馬鹿な、と正雄は呟いた。辰巳は同情するように微笑む。

「うん、馬鹿なと言いたい気持ちは分かる。でも、本当なんだよ。君は死んだと見なされて埋葬されたんだ。けれども甦生した。つまり本当には死んでいなかったんだ。棺の中で目覚めるところを、ぼくが助けた。ここに運んであげたんだ」

「……そんな」

「覚えていないかい？　君は体調が悪かったんだ。怠くて辛くてたまらなかった。そして、そのうちもっと悪くなった。身動きができなくなって、君は意識を失った」

正雄は目を見開いた。──そう、体調が悪かったのだ。その辛さには覚えがあった。辛くて辛くて、そのうちに身動きができなくなった。なのに家族は誰も、正雄の不調に気づいてはくれなかった。喉が渇いても水を与えてくれる者はなく、呻いても大丈夫かと顔を覗き込んでくれる者はなかった。このまま死ぬに違いない、と正雄は苦しい息の下で思った。──そして。

「……おれ」

意識を失ったのを、死んだと誤解されてしまったのだろうか。それを思った瞬間、全身が総毛立った。生きながら埋葬されてしまったのだ。助け出されていなければ、狭い棺の中で目を覚ますことになったのに違いない。誰もそれに気づかず、誰も助け出してくれず、蓋を持ち上げることも地上に出ることもできず──狭い棺の中で再度、死を迎えることになったら。

「……た、助けてくれたの?」

「そうだよ。ぼくが墓から君を掘り出してきたんだ。ぼくは鼻が利くんだよ。だから分かったんだ、君の墓からは死臭がしなかったからね。腐敗臭がなかったんだよ。だから甦生するんだって分かったんだ」

正雄は息を吐いた。埋葬されたことは覚えていなかったが、助け出してもらえて良かったと心底から思った。

「ありが……とう」

「うん。本当に甦生できて良かったよ。君は自分がなぜ体調を崩したのか、覚えているかい？」

正雄は首を傾げた。体調を崩すのに理由があるだろうか、と思い、それと同時に脳裏を一人の男の顔が過ぎった。

「……おれ」

「誰かが君をあんなふうにしたんだ。……違うかい？」

辰巳に囁かれ、正雄は頷いた。震えが立ち昇ってきた。あれは徹の死んだ日、武藤家からの帰りだった。裏庭に誰かがいた。そいつが正雄に飛びかかってきた。羽交い締めにされ、そして――。

「おれ……襲われたんだ」

誰に、と辰巳は身を乗り出して囁くように問う。

「……柚木さんだった……図書館の」

「そうだ」辰巳は笑った。「そうなんだよ。そして君は死んだんだ。分かるかい？　死んで、起き上がった」

正雄は悲鳴を上げた。柚木の顔、襲われた瞬間の感触、驚嘆と恐怖――そのあとの苦しみ。孤立した部屋の中、苦しい息と家族の無視、助けを求める相手はなく、大丈夫か

と問うてくれる者もなかった。正雄は一人で部屋に横たわっていた。その心細さと恐ろしさ。夜が怖かった。窓の外にいる誰か。それが中に入れてくれと言い、正雄は決して入れてはならないこと、入れれば自分がもっと恐ろしい場所に追い詰められていくことを分かっていながら、まるで操られたように来訪者のために窓を開けた。誰か来て止めてくれと心の中で悲鳴を上げながら、けれども決して誰も助けてはくれないことに絶望しながら、最後には本当に満足に息をすることもできず、自分の喉を掻き毟るようにして意識が途絶えるまでの短いようで長い時間を迎えた。

正雄はいまさらのように叫んだ。恐怖を訴え、救済を求める悲鳴が——かつては決して喉を突き破ることのなかった悲鳴が、今になって喉を破ってあふれだした。

「大丈夫だ」辰巳は正雄の腕を掴む。それを振り解いて後退り、壁に突き当たって正雄はあがいた。辰巳はそれを捕らえ、肩に腕を廻し、宥めるように手先で叩く。「——怖がることはないんだ。もう大丈夫なんだから。君は死んだ。けれども起き上がったんだ。怖い思いも、辛い思いも終わったんだ」

「おれ、……」正雄は身もがいた。「……嫌だ。畜生、冗談じゃねえよ、放せよ！」

「死んだほうが良かったのかい。君の甥みたいに？　博巳くんだっけ？　あの子みたいに本当に死んだほうが良かったのかい」

「……博巳」

正雄は目を見開いた。――そう、博巳が死んだのだ。家族はそれを嘆き悲しみ、正雄が苦しんでいるのに気づこうともしなかった。宗秀も、宗貴も、智寿子も。

「博巳……死んだのか?」

「残念ながらね」辰巳は頷く。「死者のすべてが甦生するわけじゃないんだ。博巳くんは甦生しなかった。君を掘り上げたとき、博巳くんの墓からは肉の腐った臭いがしてたよ」

正雄は身を縮めた。腐る――腐敗する。そう、土に還るとは、そういうことだ。この身体が、微生物や虫の住処になって、食い荒らされとろけて、見るもおぞましい物体になり果てる。

「だが、君は幸運にも甦生した。だからもう腐ることもないし、死ぬこともないんだ。君は運が良かったんだよ。なにしろ、甦生するのは数人に一人なんだから。甦生できずに腐敗していく者のほうが多いんだ」

正雄は自分の両手を見た。たしかにそこに存在する。かつてとなんの変わりもない。けれども身体のあちこちに拭いがたい違和感があった。

「おれ、死んだの……? 嘘だろ?」

「死んだんだ。よく気をつけてごらん。君は息をしていない」

「そんなこと」

「してないんだ。しているような気がするのは、喋るために空気を吸って吐いているからだよ。試しに止めてごらん。別に苦しくはないから」

正雄は狼狽しながらも息を止めた。身体にはなんの変化も起こらなかった。息苦しくないのはもちろん、息を詰めているときの、あの鼻梁(びりょう)から耳の後ろにかけてが重苦しくなる感じすらない。

「……おれ」

自分の身内に感じていた違和感の正体。正雄の身体のどこかに空洞があった。身体感覚の何かが確実に損なわれていた。

「脈もないんだ。鼓動もない。君は変容してしまったんだ。分かるだろう?」

「何だよ……これ。何なんだよ」

「君はもう死ななくていいんだ。そして、ぼくは味方だ。味方だから、埋葬された君をこうして安全な場所に運んでやったんだ」

「嫌だ!　おれ」

「いいかい。君はこれを受け入れなくてはならない。もちろん、君にはこれを拒む自由もある。君がどうしても嫌だと言うのなら殺してあげるよ。どうする?」

正雄は身震いした。

「……嫌だ」

「そう、死にたくはないだろう？　二度とあんな思いをしたくないだろう？」

正雄は頷く。自分が呼吸をしていようとしていまいと、そういうことはどうでもよかった。ともかくも自分はここに「いる」。存在しており、存在している自分を自覚していた。それをもう一度、失うことだけは耐えられない。このままでいれば失わずに済むのであれば、このままで構わない。

「君は死なずに済んだ。けれども、完全な不死身になったわけじゃない。君が幸運にも甦生した命を大切にしたいと思うなら、君は三つのことを心得ておく必要がある」

「……三つのこと？」

「そうだ。ひとつは、飢えないようにすることだ。飢餓は君を殺す。生きている人間と同じだ」

正雄は頷いた。

「ただし、君はもう食事はできない。普通の食事はね。非常に特殊なものしか受けつけなくなったんだ、と言ってもいい。それが何だか分かるかい？」

正雄は首を振った。辰巳は低く笑う。

「柚木さんも起き上がったんだ。甦生した。そして、食事をしたんだよ」

正雄はぽかんと口を開け、そして無意識のうちに右手で首に触れた。柚木はたしか
——。

「君は生き延びるために、人の血液を必要とする」

「……血」正雄は眥が裂けるほど目を見開いた。「……吸血鬼」

「何と呼んでもいいけどね。君の身体はもう液体以外のものは受けつけないんだ。身体の中に入れても、それを消化することができない。固形物は駄目だ。食うんじゃないぞ。胃の中で腐って酷い臭いを出すからな」

「おれは……」

「君が生きるためには、人間の血液が必要だ。それが得られないと、君は飢えて死ぬ。まずこれを肝に銘じておくんだ」

「そんな……」

「君が食事をするためには、人を襲わねばならない。だが、人間は易々とは襲わせてくれない。襲撃を受ければ君のように死ぬわけだからね。生命に危害を加えるものが襲ってくると分かれば抵抗する。君はもう死なないのだけど、不死身になったわけじゃない。心臓に杭を打たれたり、首を切断されたり、あるいは頭をつぶされれば死ぬ。連中にそれをさせないために、君は充分に気をつけて用心深くあらねばならないんだ」

「おれ……人を襲わないといけないのか？　襲って殺さないと？」

そう、と辰巳は低く笑う。

「だが、気にしなくていいんだよ。人間が生き延びるために家畜を殺すのと一緒なんだ

から。君はこれまで、生きるために、動物を殺してそれを摂取してきた。これからは生きるために人を殺すんだ。それは当然のことなんだよ。仕方ないんだ。気に病むことはない」

正雄は目を見開く。

「ふたつ目。君の身体は変容している。気をつけなければいけないのは、君の身体は日光に弱いということだ。焼け爛れてしまうんだよ、身体が。君の身体は陽光を嫌う。陽光のあふれた昼間を嫌う。君は夜明けと同時に眠る。これは抵抗できない深い昏睡だ。夜明けが近くなると耐えられないほど眠くなり、夜明けを過ぎると、意識を失う。そのまま日没まで目覚めないが、そのときうかつな場所で倒れると、眠っている間に焼け死ぬことになる。君は時間に気をつけなければいけない。夜明けまでに必ず、安全な場所に帰ってくるんだ」

「そんな……おれ、自信がないよ」

「心配しなくていいんだ。ぼくは味方だと言ったろう？　しばらく新しい生活に慣れるまで、ぼくも充分に気をつけてあげるし、仲間も面倒を見てくれる」

「……仲間」

「そう、仲間がいるんだよ。しばらくは必ず誰かと一緒に行動するんだね。甦って長い先輩と。色々と教えてくれる。だから心配しなくていいんだよ」

「わ……分かった」

「三つ目。ぼくらは君の面倒を見る。新しい生活に慣れるまで、面倒を見てあげるし、必要なものは与えてあげる。君を守ってあげるし、支えてあげるよ。仲間は家族のようなものだ。けれども、そのための条件がひとつある。必ずぼくの言うことを聞くんだ。ぼくは君が安全に生き延びるにはどうすればいいか知ってる。そのための知識も必要なものも、一切を君に与えてあげる。だが、君がもしもぼくの意に逆らって仲間を危険にさらすようなことがあれば、容赦なく庇護から外す。ぼくたちは結束していなければならないんだ。反逆は許さない。いいね？」

「そんな……」

「いいかい。ぼくは仲間の中でも少し特殊で、昼間にも眠らない。出歩くことができる。その気になれば、君が眠ってしまったあとに陽当たりの良い場所に放り出しておくこともできるんだよ。杭を打って首を落として殺すことができる。それを忘れないことだ」

正雄は身を縮めた。

「怯えなくていい。ぼくは別に酷いことをしたいわけじゃない。仲間の安全が優先なんだ。人間がぼくたちの存在に気づけば、必ず反撃に出てくるんだからね。それをさせないために、ぼくたちは用心深くなければならないし、誰かが身勝手な行動をすれば仲間全部を危険にさらすことになるから、身勝手を諌めなきゃならない」

「でも、おれ」

甦生したくてしたわけじゃない、と言いかけた正雄を、辰巳は制した。

「数が多くなって仲間ができるとね、どうしてもリーダーが必要になるんだ。誰かがちゃんと全体の利害を考えて、まとめていかなければならないんだよ。桐敷家にいる人々がそれを請け負う。ぼくは彼らの意向を君たちに伝える。だからぼくの言うことには逆らわないこと。それが君自身を守ることでもあるんだ。分かるね？」

正雄は頷いた。辰巳は笑って、紙袋を引き寄せた。中から一抱えの衣服を差し出す。

「とりあえず、これに着替えて。生活に必要なものはおいおい揃えてあげるから」

正雄は言われるまま、白装束を脱いで、ごく普通のコットンパンツとトレーナーに着替えた。こういうものは、どうやって手に入れるのだろう、と思う。辰巳が昼間に買っておくのだろうか、そのための資金は桐敷家から出ているのだろうか。

やはり――と、正雄は思う。桐敷家がすべての元凶だったわけだ。夏以来続いていた良くない出来事、特に連続していた死に事の元凶は桐敷家にあったのだ。

（吸血鬼……）

馬鹿みたいだ。そんなものがいるなんてこともお笑いだが、自分がそんなものになってしまったなんてさらにお笑いだ。けれども服を着る間も、ともすれば正雄は呼吸を忘れた。喋るのでなければ必要ないのだ。意識していなければ、身体は停止した状態であ

ろうとする。

「おれ……本当に死んだんだ」

「そうだよ」と、辰巳の声は優しい。「甦生できて良かった」

正雄は頷いた。この歳で死ぬなんて、真っ平御免だ。正雄は死にたくなかった。まだ何も得てない。楽しい思いもいい目も見てない。そのまま死ぬなんて冗談じゃない、と思った。辰巳は数人に一人、と言った。正雄は厳しい賭に勝ったのだ。

(博巳は死んだ……生き返らなかった)

なんとなく、悪い気はしなかった。正雄は博巳が気に喰わなかった。生意気なちび。家中の関心を一身に集めて、好き勝手にやっていたけれども、もういない。有り体に言えば勝ち誇った気分だった。

正雄は一度死んだ。恐怖がやってきて正雄を捕らえた。だが、誰も正雄の恐怖を理解しなかったし、博巳にかまけていた家族は正雄を振り返らなかった。正雄は鈍磨した思考の中で、最後まで顧みられることのない自分を確認して死亡したのだった。――そう、家の中で、正雄は孤独だった。一人きりで死んだのだ。

それまでの自分の惨めな境遇、けれども正雄はもうあの家に帰る必要がない。宗秀も宗貴も関係ないのだ。宗貴は死んでない。誰ももう正雄を宗貴と比べない。様々な圧迫から解放されたのだ、と思ったら笑みが浮かんだ。

「何が起きたのか腑に落ちてきたかい?」

辰巳に言われ、正雄は頷く。

「おれは仲間になったんだよね?」

「そうだよ。大切な仲間だ」

そう言ってもらうのは、気分が良かった。

「大切なの、本当に」

「もちろんだとも。ぼくらは数が少ないんだからね」

「うん」

正雄は「特別な子供」だった。兄弟の中で特別、歳が離れていて、特別甘やかされて、特別我が儘に育った、と言われてきた。しかしながら、実際のところ、正雄は少しも「特別」ではなかった。だから正雄は「特別」な存在になりたかった。なれるはずだと思っていた。けれどもそれを妨げられていた。周囲の無理解や無慈悲によって。そしてやっと本当に「特別」になったのだ。

辰巳はじっと正雄の顔を見ている。心中の変化を見透かすように。そして訊いた。

「食事ができそうかい?」

「食事……」

正雄は、どきりとした。

「最初の一人を襲うのには、ちょっとばかり勇気がいる。だから、最初から襲え、とは言わないよ。その踏ん切りがつかないのなら、必要なものだけを持ってきてあげる」

「……血を?」

「そう」と辰巳は笑う。「コップに入れてね。それに口をつけるのだって勇気がいらないわけじゃないけどね。けれどもじきに慣れる。君はもう変わってしまったから、嫌な臭いや味は感じないはずだ。むしろ、みんな最初は嫌な顔をするけれども、味は悪くない、と言うからね。気分的に嫌な感じがするだけで、別に嫌な飲み物じゃない」

正雄は頷いたが、喉のあたりにおぞましさのようなものを感じた。

「ただ、ずっとというわけにはいかない。最初の一人を襲うまでは子供みたいなものだから。君がずっと子供のままでも面倒は見てあげるけど、子供の取り分は少ないものなんだ。覚えがあるだろう? 子供でいると、人生の美味しいところを取り逃がすんだよ」

「……うん」

「最初の一人を襲って殺す。それがまあ、ぼくらなりのイニシエーションというところかな」

「……殺す」

「ぼくらが食事をすると、家畜は死ぬことになるんだよ。それを怖がっていたら、食事

はできない。その代わり、きちんと獲物を襲えるようになれば、君はそれで一人前だ。年齢は関係ない。甦ってどれだけ経ったかもね。君は一人前の仲間として扱われるし、君が特別、利口に振る舞うことができ、仲間のために有益であるなら、仲間の中でも重要な位置を占めることができる」

「おれが？」

「そうだよ。君が、だ」

辰巳は言って、励ますように肩に腕を廻した。

「君が甦生することが分かっていたから、君のための餌食を用意してある。捕らえて抵抗できないようにしてあるんだ。そいつを襲うのは安全だ。だから心配はないんだよ。けれどもその踏ん切りがつかないのなら、とりあえず必要なものだけを与えてあげる。——どっちにする？」

「おれ……」

「獲物は抵抗できない。君に危害を加えることはないよ。最初は少し恨みがましい目で見るかもしれないけれども、一度襲えば、おとなしくなる。ぼくらが襲うとね、あいつらはいい気分になってしまうんだよ。あとは本当に無抵抗だ。別に恨みごとを言うわけでもないし、恨みがましい目で見るわけでもない。人によっては嬉々として襲われてくれる」

「本当に……?」

「本当だとも。襲っているとそいつは死んでしまうけれども、君がその結果を恐れる必要はないんだ。それはぼくたちが生きるためには仕方のないことで、当然のことなんだからね。人を襲わないと、君が死ぬことになるんだ。誰も、他人を死なすぐらいなら自分が死ね、と言って君を責める権利はないんだよ。そういうものだろう?」

「……うん」

「だから死なせることを恐れなくていいんだ。殺すことを躊躇(ちゅうちょ)する必要はない。君が誰をどれだけ殺したって、仲間は君を責めたりしない。むしろちゃんとした奴(やつ)だと認めてくれるんだ」

「それ……人を殺してもいい、ってこと?」

「そうだよ」辰巳は笑う。「君はね、殺す特権を手に入れたんだ」

正雄は身震いした。

「……けど、知り合いや近しい人間を襲うのは許されないよね」

「なぜだい? ぼくらは歓迎するよ。特に血縁はね。君は甦生した。甦生するかどうかはね、遺伝するんだ。たぶん体質の問題なんだと思う。一人でも甦生した一家は、そうでない家族に比べて甦生しやすい。だから、家族を襲ってもいいんだよ。仲間は多いに越したことはないんだからね」

「でも、……たとえば気に入らない奴がいて、だからってそれだけで襲ったりしちゃ、いけないんだよね？」

「どうしていけないんだい？　どうせ誰かを襲わなきゃいけないんだよ」

　正雄は目を見開いた。一瞬、脳裏を過ぎったのは、夏野の顔だった。殺してもいいのだ。抹殺してしまえる。博巳がすでに死んでいるのが、ほんの少し残念な気がした。じわじわと歓喜に似たものがこみ上げてきた。正雄はそれによって自分が高みに押し上げられるような心地がした。

「どうする？　勇気を出して、襲ってみるかい？」

　優しげな声で囁かれ、正雄は頷いた。

「……やってみる」

　辰巳は低く笑った。

「君は感心な少年だな」

6

（門前、境松――松尾、静）

　音量を絞ったCDの音に耳を澄ませながら、夏野はベッドに坐って木を削っている。

夏野は門前に知人を持たない。何度思い返してみても松尾静という名前には覚えがなかった。ましてや小学生ぐらいの女の子だという。まったく訪ねてくる理由が見当たらない。

(『お兄ちゃん』か……)

松尾静と名乗った少女は「あとでお兄ちゃんが来る」と言ったらしい。夏野はなんとなく、その「お兄ちゃん」が、本橋鶴子の墓で遭遇したあの男ではないかという気がしていた。その可能性はある。連中にしたら、夏野は重大な秘密に気づいた証人だ。

松尾静がどういう子供にしろ、果たした役割は明らかだと思う。夏野に用があると言い、待たせてくれと言った。そうすることによって家の中に招き入れられたのだ。そして静は、「お兄ちゃん」の招待をも、もぎ取った。

明かりはスタンドとオーディオのものだけ。室内灯を消してあるのは、部屋が煌々と明るいと、周囲の闇が深く感じられるからであり、闇の中に自分だけが浮き上がるようで不用心な気がしてならないからだった。

暗い明かりの中、五センチばかりの木片を削り、十センチばかりのそれと十文字に組み合わせる。さて、こんなものが本当に役に立つのだろうか。

(信仰心の問題)

そういう話もあったな、と思う。いくら十字架を使っても、信仰心がなければ役には

立たない。――けれども、夏野はそもそも、宗派を問わず、信仰心を持たない。とりあえず恵の葬儀の日に親から渡された数珠（じゅず）があるだけで、その他には守り札の類（たぐい）すら持っていなかった。

やはり、保のところに転がり込むべきだっただろうか、と思う。だが、明らかに自分を目指して子供がやって来た以上、保を頼って巻き込むわけにはいかない、という気がした。それに、と思う。武藤家ではすでに犠牲が出ている。あの家はもう、連中に対して閉じてはいないだろう。ならばなおさら、保を頼って危険にさらすわけにはいかない。思いながら、二本の木片を組んで針金で巻く。こんなものでもないよりはましだろう。今の夏野は、家の外にいるのと大差ない。とりあえず壁に囲まれているけれども、相手が実際にはどういう生き物であるのか分からない以上、それで安心することはできなかった。

ただ、と両手に今も残る感触を思い出す。男を（『お兄ちゃん』……）殴ったときのあの手応（てごた）え。そこには、はっきりとした身体の感触があった。煙になって部屋に侵入してくるとか、壁を通り抜けてくるなどとは思えない、そういう想像を許さない、ひどくリアルな感触が。それを思うと、壁や窓ガラスは障壁の役割をなすかもしれない。鍵（かぎ）は鍵として有効だという気がした。問題は、家の中のすべての開口部を閉ざすことができるわけではない、ということだ。

窓はクレセント錠をかけているが、夏野の部屋には鍵がない。とりあえずノブの下に炬燵の天板をかませてあるものの、それがどの程度有効なのかは分からなかった。玄関は戸締まりをした。工房の戸口もだ。だが、さすがに両親の寝室の窓までは施錠できない。この村に越してきて以来、両親は鍵をかける習慣を放棄していた。裏口や、いくつかの窓は、そもそも鍵がきちんとかからない。

明日になったら、鍵をなんとかしないと、と思っていたところだったので、軽く窓ガラスをノックされて、夏野は驚いた。微かに——そして遠慮がちに、指の先で叩く音。恐怖は感じなかった。来た、と思っただけだ。だからと言って、もちろんノックに応えてやる気も窓を開けてやる気もない。夏野はカーテンを睨みつけて、じっとベッドに坐っている。これを無視し続けたら、相手は次にどういう手に出てくるだろう、とぼんやり思った。

ノックの音は何度も間隔を開けて、執拗に続いた。無視を続けると、窓を外から開けようとする音がする。幾度かごく軽く窓を揺すり、開かないことを確認すると、物音が途絶えた。明らかに忍ばせたふうの足音が、窓辺を離れていく。

夏野は軽く息を吐き、そして今度は家の中の物音に耳を澄ませた。裏口が開く音がしないか、廊下をやって来る足音はしないか。それらの音は聞こえないまま、また足音が窓辺に舞い戻ってきた。ためらいがちに窓ガラスをノックする。——それからまた足音

が。裏庭を遠ざかり、今度は裏口が開くのが聞こえた。実際にドアが開く音がしたわけではないが、どこかでドアが引き開けられ、それが作る空気の流れが、家の中の建具を揺する微かな音がたしかにした。

全身を耳にして、夏野は家の中の気配を探る。もともとが古い建物はよく軋む。廊下も例外ではないが、廊下をやって来る足音は聞こえなかった。代わりに裏庭をやって来る足音が、再び聞こえた。――どうやら、裏口から忍び込む決心はつかなかったらしい。また、ノックの音がした。夏野は壁に背中を預けたまま、息を潜めてそれを無視する。

そして、声がした。

夏野は壁から背中を離した。ごく低く、押し殺した声が、夏野、と呼んだ。男の声か女の声かも分からない。囁くような、あたりを忍ぶ声だが、明らかに聞き慣れた調子が含まれていた。

――夏野。

窓の外から小声がする。夏野は一瞬、それを保だと思った。親しい誰かが自分を呼ぶときの声の調子。そして、そんなふうに呼ぶ人間は、保以外に思い浮かばない。

夏野はそろそろとベッドを下りた。夏野が立ち上がった気配を感じ取ったのか、ひそやかなノックがやんだ。

「……誰だ」

低く言うと、おれだ、と押し殺した声がする。やはりその声には親しげな調子があった。見知らぬ誰かではない、夏野がよく知っている誰か。

夏野はカーテンを開ける。窓ガラスは暗い鏡のようだった。スタンドの明かりに翳った室内が映っている。それと朧に二重写しに、外の闇が見えた。間近まで迫った林の木立。

視野の端に白いものが現れた。それは明らかに男の手で、それが窓ガラスの下のほうをノックする。誰かが窓の下に屈み込んでいる。ガラスに額をつけるようにして見ると、蹲った人間の身体の一部が見て取れた。

夏野は十字架を手の中で持ち直す。相手が窓の下に屈み込んでいるせいで、それを手放す踏ん切りはつかなかった。知り合いなら、どうして隠れているのだろう。本当に保ならさっさと開けろと立ち上がって急かすだろう。不安のようなものが胸に兆した。何かが喉許まで出てきているのに、どうしても声にならない、そういう感じ。もやもやとしたものがわだかまり、今にも形を成そうとしている。

ノックしている手。ごく普通の、触れば温かく柔らかいだろう手。節の立った指が窓ガラスを叩く。

「……誰だよ」

おれだ、とまた押し殺した声がした。夏野はそろそろと手を伸ばし、クレセント錠に

手をかける。それをしてはいけない、と胸の中で囁く者があった。同時に、自分は何か重大な間違いを犯している、という気がした。こうして立て籠もり、身を守る以前に、何か忘れてはならない重大なことを忘れてはいないか。形が見えそうで見えない何か。窓を開ければ、その形が定まる、という直感。

かたり、と音がして錠が外れた。それと同時に手が引っ込んだ。窓の外の誰かは立ち上がらない。夏野は十字架を握っていないほうの手で窓を開いた。

窓の縁に手をかけ、誰だと声をかけようとしたのと、手首を摑まれるのが同時だった。とっさに引き剝がそうとする力と、引き寄せようとする力が拮抗した一瞬、窓の外にいた者は中腰に立ち上がり、そして夏野の手を突き放すようにして両腕で顔を覆った。

夏野は一瞬、呆けた。

窓の外にいた者は、顔を背け、形振り構わずに足音を立て、裏庭を逃げていく。摑まれた手首。その氷のような温度。顔を覆い隠すまでの一瞬、スタンドの暗い明かりが照らし出した顔。

「……徹ちゃん……」

反射的に、夏野は身を翻していた。邪魔な炬燵の天板を除け、部屋を出る。廊下を走って裏口に向かうと、裏口は細く開いたままだった。とにかくそのへんの履物を引っかけ裏庭に飛び出した。

戸外には風の音と夜気が充満していた。闇に彩られた濃厚な夜。

逃げ出した人影が消えたほうへとあとを追った。これだったんだ、と思った。死は伝染する。鬼が触れたものは死に、そして起き上がる。徹を奪っていったのが連中なら、もちろん徹が甦生していてもなんの不思議もない。夏野はこれを思い出そうとしていた。──いや、ずっとこれを思い出すまいとしていた。

考えたくなかった。信じたくなかった。それは恵でも、他の誰でもよかったが、絶対に徹でだけはあってはならなかった。

表に駆け出すと、人気のない道だけが横たわっていた。玄関先の暗い明かりが、雑多な樹木に埋もれた前庭と低い生け垣を照らしている。同じく低い門扉は、わずかに開いて今も微かに揺れていた。

それを引き開け、道に出て左右を見渡す。街灯すら満足にない道は暗く、右も左も薄墨を暈かし込むようにして闇の中に消えている。目に見える範囲内の、どこにも人影はなかったし、足音もまた聞こえなかった。風と、夜風に揺すられる林の音だけが響いている。

夏野は肩でしていた息が治まるまで、何度も左右を見比べた。なんの気配もないことに落胆し、息をつく。

──徹が。

村に蔓延する死を食い止め、なんとか常態を呼び戻さねばならない。それは途方に暮れるような難事だと分かっていたが、その一方でなんとかなる、という気がしていたのもたしかだ。今は取っかかりが見えないが、何かひとつ契機が見つかればなんとかなる。夏野はそういう気がしていたけれども、今やそれはまったくの不可能事に思えた。

誰もこれを止められない。事態は回復不可能なところにまで進行している。なぜそう思うのかは説明できなかったが、両手に甦った生々しい感触とともに、そう確信していた。

（……どうしよう）

自分はどうすればいいのだろう。どうにかする方法など、存在するのだろうか。焦りにも似たものが浮かんだ。それは見事なまでに絶望と貼り合わされていた。

虚脱したような気分で、夏野は踵を返す。門扉を閉め、玄関に近づき、他ならぬ自分が内側から施錠したことを思い出した。そういう自分の振る舞いがいかにも愚かしく、溜息まじりに裏庭に向かう。どうやら両親を起こさないで済んだふうなのがせめてもだ。自嘲する気分で悄然と裏庭へと曲がった夏野は、背後の庭木の陰に、人影が潜んでいるのに気づかなかった。それが音も立てずに忍び出たことにも、その両手が伸ばされたことにも。

背後からパジャマの襟を掴んで引き倒された。背中を支えた動きは転びかけた者を受

け止めるように優しげなくせに、羽交い締める腕も、口許を覆う手も、覗き込んできた顔も芯に滲み入るほど冷たかった。

六章

I

十月十二日。伊藤郁美は足早に村道を北へと向かった。外場の集落を過ぎ、上外場に入るちょうど境目に、清水園芸店はある。店と言っても店舗はない。人家の裏手に畑が広がっているばかり、控えめな看板がなければそれとは分からない。その看板も今は花輪に隠されていた。花輪の下には鯨幕、白と黒で喪の装い(よそお)を終えた軒先には、忌中の貼(は)り紙と提灯(ちょうちん)が出ている。清水祐(ゆう)の葬儀だった。

郁美が人波を掻(か)き分け、家に入ると、抹香の匂(にお)いと不安気なざわめきが、あたりには満ちていた。

「まだ高校生なのに……」

「この間、父親が死んだばっかりなのに」

「裕美(ゆみ)さんはどうするんだろうな。血の繋(つな)がらない爺(じい)さんと二人で残されて」

「実家に帰るんじゃないのかい」

「にしては、実家の人の姿が見えないね」

「同級生の姿もだよ」

不審そうに座敷を見渡していた老女は、郁美に目を留めると、ぴたりと口を噤んだ。郁美は怪訝そうな視線を受け流し、座敷に上がり込むと、まっすぐに祭壇の前に進む。祭壇の前に安置された棺の側、母親の裕美と祖父の雅司が悄然と坐っていた。

「どうも御愁傷様」

郁美が言って二人の前に進むと、清水雅司が訝しむように顔を上げた。軽く首を傾げて郁美を見上げてくる。どこの誰だろうと、記憶を探っている顔だった。

「あたしは伊藤ってもんです。お孫さんが亡くなったと聞いて、僭越ながら駆けつけてきたんですよ」

「ああ……これはどうも」

「まだ高校生だっていうのに、残念なことでしたねえ」

郁美が言うと、雅司は深く俯き、頷く。隣に坐った裕美は、放心したような顔で郁美を見ていた。

「夏には息子さんが亡くなったそうじゃないですか。隆司さんというんでしたっけ」

「ええ……」

いたく気落ちしたふうの老人に、郁美は頷いてみせた。

「隆司さんが、息子さんを引いていったんですね」

「そうかもしれません」

「清水さん。あたしは、そのままの意味で言ってるんですよ。隆司さんが起き上がって引いていったんです。鬼ですよ」

は、と雅司は瞬いた。

「隆司さんが浮かばれてないんですよ。埋葬の仕方が悪かったんだと思うわ。近頃の坊主は金勘定以外、取り柄がないんですから。ちゃんと死者を慰めて送るなんて、できないんですよ。供養の仕方が悪いんです。恨みと無念が残っちゃったの。だから隆司さんは浮かばれなかったんですよ。それで起き上がって、お孫さんを引いていったんだわ」

雅司はぽかんとして、それから郁美を睨み据えた。祭壇の周辺では、いつの間にか雑然とした声がやんでいた。

「あんた――何の話をしてるんだい」

「聞いた通りですよ。分からないの？　こんな葬式をしたって意味がないんですよ。坊主なんて何も分かっちゃいないんだから。お寺なんかに頼るから、隆司さんは浮かばれないのよ。ちゃんと供養をやり直さないと、雅司さんも裕美さんも引かれる破目になりますよ」

雅司は顔を紅潮させた。拳を握って中腰になる。

「あんたは何者だい。何をしに来たんだ」

「忠告に来たんですよ、親切でね。起き上がりなの。鬼なのよ」

「馬鹿馬鹿しい」

「でなかったら、どうしてこんなに死人が続くの？」

雅司は言葉に詰まった。

「隆司さんが死んだばかりで、今度はお孫さん。こんなことがどうして起こるの？　隆司さんが引いてるからに決まってるでしょ。ちゃんと供養ができてたら、隆司さんが起き上がるわけがないじゃないの。つまり」

「帰ってくれ！」

雅司に怒鳴られて、郁美は鼻白んだ。

「——そう。あたしは親切で言ってあげてるんだけど、あんたはものの道理の分からない人みたいね」

郁美は雅司を冷たく見て、ぼんやりと郁美を見上げてくる裕美に視線を移した。

「奥さん、あんたはどうなの？　実家に帰っても無駄よ。隆司さんは追ってくるわよ。次はあんたかもしれないわ。心掛けを変えるなら今のうちよ」

「ちょっと、あんた」

背後から腕を摑まれた。振り返ると、村迫米穀店の宗秀が郁美を睨んでいる。

「あんた、不幸があったばかりの人に、なんてことを言うんだ。戯言もいい加減にし

ろ」

郁美は宗秀の視線を真正面から捉えた。

「そう言えば、あんたのところも死人が続いたんだったね」

宗秀は怯む。孫の博巳に続いて、末の息子の正雄が死んだ。文字通り、立て続けの不幸だった。

「その頑迷な頭をなんとかしないと、まだまだ続くことになるよ」

「馬鹿馬鹿しい」

宗秀は吐き捨てたが、脳裏を残された孫娘が掠めた。とにかく、と郁美の腕を摑んで引き、座敷の外に押し出した。

「ここは死んだ人を悼む場所だ。ちっとは時と場所ってものを考えてくれ」

無理矢理押し出し、障子を閉めたが、そうやって閉め出そうとしているものが本当は何なのか、宗秀自身も疑問に思った。

ふん、と郁美は閉まった障子を見つめる。頑迷な分からず屋だ。それならそれでもい い。じきに誰が正しかったのか、身をもって知ることになるだろう。踵を返すと、物見高い観客が郁美を取り巻いていた。

「あんたらもね、気をつけたほうがいいね」

それだけを言って、郁美は表に向かう。あとを小柄な老婆が一人、追ってきた。

「あんたまさか、あれを本気で言ってるんじゃないよねえ」

　郁美は足を止める。老婆の後ろには、数歩遅れて、数人の老人が従ってきていた。物見高さ半分、けれどもどこか不安気な表情だった。

「本気でなきゃ、わざわざ足を運んだりしないわよ。もっとも、誰も信じちゃくれないみたいだけどね」

「だってあんた……そんな、鬼だなんて」

「じゃあ訊くけど、他の何だって言うの？」

　老婆は視線を逸らした。

「この夏以来、どれだけの人間が死んだか、分かってるの？　ようく思い出してごらんなさいよ。何回、弔組の用で出た？　何度、葬式に出たの？　それ以外にも誰それが死んだって話を聞かなかった？　葬式を見かけなかったの」

　老人たちは沈黙する。

「こんなに死人が続くのが、当たり前のことなの。これが普通だと言うなら、あんたたちのほうがどうかしてるわ」

「そりゃあ、……でも」

「この家だってそうよ。父親が死んで、四十九日が明けるか明けないかのうちに息子が死んで。その葬式を取り仕切ってる世話役の家じゃ、孫の初七日も明けないうちに息子

が死んでんのよ。そういうことが、そうそう頻繁に起こるもんかしらね」

老人たちは口々に「でも」と呟いたが、はっきりと異論を唱えられる者は誰もいなかった。

「引かれてるのよ。鬼だわ。それもこれも、兼正に妙な家が建ってからよ」

はっとしたように、老人たちは西の山を見上げた。秋めいて明るく澄んだ空を背景に、山はこっくりとした緑に輝いている。

「でも……それとこれとは」

「関係ないと思うの？　村じゃこれまでずっと、死人を土葬にしてきたんじゃない。なのにこれまでは、誰も起き上がってきたりしなかった。あの連中が起こしてんのよ。連中がそもそも鬼だから。そうでなくて、なんであああもぴったり門を閉じて隠れてる必要があるのよ」

郁美は、俯いた老人たちを睥睨した。

「信じたくなきゃ、信じなくてもいいわ。じきに家で死人が続いて、嫌でも分かることになるから。そうなってからじゃ、あたしにはどうにもしてあげられないけどね」

踵を返し、傲然と首を上げて立ち去る郁美を、老人たちは困惑しながら見送った。その場には、矛盾に満ちた郁美の言い分の、齟齬を指摘できる者はいなかった。できたとしても、しなかったろう。それは論理ではなく直感の領域にある。――この村は、近頃

明らかにおかしい。

　老人たちは頭を振って、葬儀場に戻ったが、そのうちの幾人かが、さっきのは誰だと周辺の人々に尋ねた。訊いた者は、水口の伊藤郁美、という名前を胸の中にしまい込んだ。まるで守り札のように。

2

　昭は学校から帰って、服を着替えるなり山に入った。まっすぐに林道を駆け上がり、本橋家の墓所に向かう。墓所に足を踏み入れるのには度胸がいったが、まだ空は明るい。しかも山のどこかで微かにモーター音がしていた。誰かが働いている音だ。

　それらのものに励まされ、昭は墓所に踏み込む。本橋鶴子の墓は、夏野が言った通り、何事もなかったかのように整えられていた。

「卒塔婆の正面に立って右……」

　昭は周囲を窺いながら、角卒塔婆の正面に廻り込む。向かって右の地面を見ると、白っぽい石が三つ、三十センチほどの間隔で正三角形を描いていた。

　昭は胸を撫で下ろした。石が動いていないということは、塚は壊されていないということだ。塚の下に眠る者は、少なくとも起き上がっていない。——それがまだいるとす

れば、だが。

「兄ちゃんって、すげえ」

一人なのをいいことに、口にしてみる。たかだか小石を置いただけで、ちゃんとした警報装置にしてしまったのはすごいと思う。もしも誰かが――連中が、墓を掘り起こしに来ても、たかだか小さな石のことだ、気がつきもしないだろう。

「かおりの恩人だしな」

かおりが襲われた時には助けてくれた。あのとき、昭はすっかり竦んで動けなかった。夏野がいなかったら、きっとかおりの次には自分が襲われていたのだろう。

思いながら、大任を果たした気分で意気揚々と墓所を出た。下りの傾斜に背中を押されて飛ぶように山を下りる。実際にやったのは、墓所に行って墓を確かめるだけの些細なことだが、これは重大なことなんだ、と昭は自分に得々と説明した。監視なんだから、すごく大切なことなんだ。

夏野は溝辺町の高校に通っているから、陽が落ちる前に戻ってこられるとは限らない。むしろ五時半には陽が落ちてしまうことを考えると、ほとんど間に合わないと言って良かった。だから自分が行く、と監視を買って出たのは昭自身で、夏野がそれを「任せる」と言った。充分に気をつけろ、陽が暮れたらその日はもう諦めろ、ぐずぐずと時間をつぶさずに確認したらすぐに山を下りろ、と念押しされるのは、さも重大なことを割

り振られているようで気分が良かったし、そのうえで「頼んだぞ」と言われれば、なお気分が良かった。夏野の役に立ったのだと思うと、なんとなく自分が誇らしい。

今日は異常なしだ、と昭は達成感でいっぱいになって家に戻った。帰ると、ちょうどかおりが私服に着替えて、外に出てくるところだった。

「おかえり」かおりは言って、ラブを小屋から出す。「どうだった？」

「異常なし」昭はちょっと胸を張った。

かおりは周囲を窺うようにして訊く。

「……お墓は？」

「兄ちゃんの言う通り、元通りになってたぜ。けど、目印は動いてなかった」

そう、とかおりは息を吐いた。ラブを連れて公民館のほうへと歩き出す。昭はそのあとについていきかけ、思い出して廻れ右をした。家の中に駆け込み、茶の間にいる母親に声をかける。

「おれ、かおりとラブの散歩に行ってくる」

「お姉ちゃん、でしょ」母親は相変わらず同じような小言を言った。「夕飯までに帰ってきなさいよ」

「分かってるって」

「少しも分かってないじゃない」

母親の尖った声に顔を蹙め、昭は心中で舌を出した。何も分かってないくせに。母親という生き物は、どうしてこう鈍感で暢気なんだろう。どうでもいいようなことで水を注して、大切なことの邪魔をする。昭は時々、母親には物事の順番ってものが分からないのじゃないかと思う。

「夕飯までに帰るよ。――おれが出てる間に誰か来ても入れるなよな」

「朝に聞いたわよ。出かけてるから出直してくれって言うんでしょ」母親の佐知子は、いなすように言って、テレビ欄を開いた新聞を畳んだ。「昭、誰かと喧嘩でもしたの？」

「そんなんじゃねえよ」

身を翻して表に出ながら、そうとも言えるかもな、と昭はひとりごちた。喧嘩と言えば喧嘩なのかもしれない。昭たちに敵がいるのはたしかだ。

道路に駆け出すと、かおりがラブと待っていた。昭は駆け寄り、かおりと肩を並べ、公民館のほうへと足を向ける。

「どうしたの？」

「母ちゃんに、もう一回、念を押しといた」

「馬鹿ね」かおりは呆れたように言う。「何度も念を押したら、お母さん、変に思うじゃない」

「念を押しとかないと、すぐに忘れるんだよ。おれたちの言うことなんかより、洗濯物

思ってんだから」
を取り込んでないとか、バケツの水を捨ててないとか、そういうことのほうが重要だと
　そうかもね、と、かおりは頷（うなず）いた。
「兄ちゃんがわざわざ電話してきたことなんだからさ、絶対に重要なことなんだ。だか
ら念押ししといたんだよ」
「結城さん……」かおりは呟いた。「どうしてわざわざ、そんなことを電話してきたの
かしら」
「思い出したんだろ」
　昭は言ったが、これには我ながら自信がなかった。夏野の様子はどこか変だった。少
なくとも昭は、変な感じを受けた。
「お客がなかったか、って聞いたのよね？」
「うん」
「それって、結城さんのところには、お客があったってことかしら」
　かもな、と言って、昭はかおりを見る。
「そんなの、兄ちゃんに会って訊けば分かるだろ」
　昭に言われ、かおりはそうね、と頷いた。それはたしかにそうなのだけど。──何だ
ろう、この胸騒ぎみたいな落ち着かない感じは。

ラブを連れて公民館のグラウンドに向かう。サッカーボールを持った子供が数人、グラウンドを出てくるところだった。そのあとには閑散とした空間が残されている。なんだか、最近、人の姿を見かけない、とかおりは思う。こんな時、いつもなら必ずグラウンドの端っこに一人でボールを追いかけたり遊んだりしている子供を見かけるものなのだが、あまりそういう姿を見かけることがなくなった。陽が落ちて、あれで果たしてボールが見えているのかしら、と思う頃にまで子供たちが残っている姿を見ることもない。そう言えば、母親はそもそもあんなに夕飯時に帰れということに煩かっただろうか。かおりはともかく、昭はしょっちゅう、夕飯に遅れていたような気がする。

最近、村が寂しい。夕暮れ時には特に。思いながらグラウンドの隅のベンチに腰を下ろすと、昭と二人取り残されたようで、グラウンドが広いだけに、いかにも心細かった。ラブの綱を放してやると、ラブは昨日と同様、人気の絶えたグラウンドを勝手に散歩している。あちこちの匂いを嗅ぎ、寄る辺を探しているように見えた。

夏野がやって来た頃には、あたりはすっかり暗くなっていた。どことなく意気消沈したような足取りでやって来た夏野は、億劫そうに鞄をベンチに投げ出した。

「兄ちゃん、石、動いてなかったぜ」

昭は得意満面に報告をする。ベンチに腰を下ろし、そうか、と答えた夏野はひどく疲れているように見えた。

「結城さん、どうしたの？」

「……寝不足なんだ」

夏野は言ったが、疲れている以上に、何か心配事でもあるふうに見えた。

「昨日、何かあったの？」

かおりが訊くと、夏野はぎょっとしたように顔を上げる。

「何か、って」

「だから、昭にわざわざ電話してきたでしょう？」

「おれ、ちゃんと母ちゃんに念押ししといたから」

これまた得意そうに言う昭を、かおりはねめつけた。

「あんたは黙ってなさい。――ねえ、なんであんな電話をしてきたの？　昨日、何があったの？」

夏野は答えなかった。膝の上に肘をついて、じっと地面を見ている。薄暮の中、夏野の表情は翳っている。

「……ちょっとな」

ようやく夏野は言った。それから、顔を上げ、かおりを見る。

「あんた、もしも清水が――」言いかけ、すぐに顔を伏せた。「いや、……いいや。何でもない」

「なによ?」

夏野は首を横に振る。わずかに苦笑するふうだった。

「昭、とにかく気をつけろよ。夜には出歩かないほうがいい。もしも夕方に出歩くなら、何か身を守るものを持ってろ」

「バットとか?」

「そんなもんでも、ないよりマシだろ。あとは十字架とかお守りとかさ。どの程度、効くのかは分からないけど」

分かった、と昭は神妙に頷く。

「で、結局、どうするか決めた?」

夏野はこれに対しても、妙な間を作った。

「……どうしようもないだろ。週末にならなきゃ」

「週末まで何もしないのか?」

「できないじゃないか。学校、行って帰ったら、日没までほとんど時間が残されてないんだから」

「そりゃそうだけどさ。いいのか? そんな悠長にしててさ」

「仕方ない、って言ってるんだ。とにかく墓を監視して——あとは新仏(にいぼとけ)が出てないか、注意することだな。実際にここ最近、どこの誰が死んだのか正確なところが分かればい

いんだけど」

「なあ。おれ、思ったんだけどさ。恵の父ちゃんと母ちゃんに、恵がいないって言ってみるの、どうかな」

「それはおれも考えた。けど、どうやって言うんだよ。おれたち、墓を暴いてみたけど誰もいませんでした、って正直に言うのか？」

「うーん……。そうだよなあ」

「匿名の投書って駄目かしら」かおりは首を傾げた。「墓には誰もいないぞって、手紙を書いて郵便受けに投げ込むの」

昭は呆れたように、かおりを見る。

「そんなの、悪戯だと思われるに決まってるじゃないか」

「そうだけど……。でも、何度も続いたら、気になるかもしれないでしょ？」

「なるかなあ」

「なるまでやってみるのよ」

「気の長い話。その気になる前に、おれたちが手紙を出してるんだってバレそうだよな」

そうだけど、とかおりは溜息をついた。

「あたしたちだけじゃ、できることなんて限られてるじゃない。それこそ、結城さんの

言うように学校だってあるんだし。やっぱり大人が動かないと、どうにもならないと思う。何か変だって思ってもらわないと」

かおりは同意を求めて夏野を見たが、夏野は前屈みにうなだれてしまっていた。

「……どうしたの？」

「兄ちゃん、どうしたんだ？」

「……寝不足だって言ったろ」

顔も上げずに、掠れた声が言う。

「大丈夫か？」

昭が問うと頷く。顔を上げた。

「悪い。おれ、今日は帰るわ」言って、立ち上がろうとして、立ち眩みに襲われたようにたたらを踏んだ。

「兄ちゃん、大丈夫か？」

かおりはラブを呼んだ。

「おいで、ラブ。——昭、結城さんを送っていこう。疲れてるんだよ」

「いい……大丈夫だ」

「駄目だよ。兄ちゃん、冷や汗をかいてるよ。行こうぜ、かおり」

昭は言って、夏野の鞄を抱える。かおりはラブの首輪に引綱をつけ、先に立った。

結城は昨日の再現のように、済みません、と言う女の子の声を聞いた。同じことを思ったのか、台所にいた梓も、不審そうな顔つきで振り返った。

梓が玄関に向かおうとするのを制して、結城が玄関に出る。ドアを開けると、昨日の女の子ではない、十五かそこらの少女が息を弾ませて立っていた。

「あの、結城さんのお父さんですか」

頷きながら、結城は微かに不快な感じを受けた。目の前の少女が不快だったわけではない。まるで忠実に昨日をトレースしているかのような状況が、昨日の不快感を呼び覚ましたせいだった。

「結城さんが、——あの、あっち。来てください」

少女は狼狽しているように見えた。けれども依然として、結城には不快感が募った。

「君は誰だい」

「田中といいます。あの、結城——夏野さんの知り合いで」

「聞いたことがないな」

少女は一瞬、結城のもの言いに傷ついた顔をしたが、すぐに背後を示した。

「結城さん、動けなくなっちゃったんです。とにかく来てください」

結城は眉を顰めた。少女は先に立って門を抜け、道の片側を示している。半信半疑で

ついていくと、道の先に蹲っている制服姿と、それを覗き込んでいる少年と犬の姿が見えた。

本当だったのか、と思いながら、結城は駆け出す。少年がホッとしたように顔を上げた。

「――どうした」

「兄ちゃん、具合悪そうで、おれたち送ってきたんだけど、ここまで来て」

結城は息子の腕を摑んで引き起こそうとしたが、夏野はそれを嫌がるように腕を引いた。

「どうした。大丈夫か」

「……目眩がするんだ……」

とにかく立て、と励まして、結城は息子の腕の下に肩を入れる。少女が犬と鞄を引き受け、少年が反対側から夏野を支えた。玄関に戻ると、梓が立ち竦んでいた。

「どうしたの」

「分からない。――貧血か？」

上がり框に坐らせた息子に問うて、結城はひそかにぎくりとした。まさか、と思った。

清水や武藤の顔が脳裏を掠めた。

梓が靴を脱がせる。結城が再度、息子を支えようとすると、夏野は手を振った。

「大丈夫。自分で歩ける」

それを無視して、腕を支えた。梓を目線で押しとどめ、とにかく部屋に連れて行く。ベッドまで連れて行くと、夏野は自分からそこに倒れ込んだ。

「大丈夫なのか」

「……大丈夫。……参った」

「どこか悪いのか」

結城は息子の顔を覗き込む。もともと白い顔が、今は見事に血色を失っていた。

「目眩がするだけだよ。先週から、ちょっと調子が悪かったんだ」

「先週から?」

夏野は神妙に頷いた。

「尾崎の先生に来てもらおう」

「そんなたいしたことじゃないと思うけど」と、夏野の声は微かに息が弾んではいるものの、平静だった。「なんか、寝られなくてさ」

結城はその苦笑するような顔をじっと見る。尾崎敏夫は何と言っていただろう。貧血、そして感情の欠落。コミュニケーションが取りにくくなる。まるで他人事のような。

──それが最大の特徴だと言っていなかっただろうか。

「調子悪かったんだけど、じっとしてらんなくて。……やっぱ、参ってんのかな、色々

「うん。……徹ちゃんとか、村迫の正雄とか。じっとしてると、そういうことばっかり考えてさ。自分でもちょっとヤバいな、とは思ってたんだけど」

結城は息を吐いた。少なくとも、敏夫が言ったような、奇妙な振る舞いは見えない。たしかに具合は悪そうだが、明らかに例のものとは違っている。

たしかに——と結城は思う。このところ、夏野はどこか様子がおかしかった。今朝、起きてみると家中のどこもかしこも戸締まりがされていて、それも夏野の仕業だと本人が言っていた。無理もない、と思う。夏野はこの歳になって、初めて身近な人間の死に出会った。それも立て続けに同年輩の者が死んでいる。それで影響を受けないほうがどうかしているし、本人や結城が考えていた以上に、それは夏野を動揺させていたのだろう。

「……大丈夫か？」

「うん。寝るよう、努力してみるよ」

「医者に診てもらったほうが良くないか？」

「今晩も寝られないようなら、診てもらう。そしたら薬かなんか、くれるよな」

父さんのホワイトホースでもいいけど、と笑うので、結城も笑った。

「調子に乗るんじゃない」

　明かりを消して部屋を出ると、梓が不安そうな表情で部屋の様子を窺っていた。

「……どう？」

「寝られなかったようだな。平気そうにしていたが、徹くんのことがショックだったんだろう」

「……まあ」梓は呟いて、頷く。「そうね、あんなに仲が良かったんですもの」

「ああ。心配はなさそうだ。本人も、今夜も寝られないようなら病院に行くと言っているし」

　そう、と梓は安堵したように息を吐いた。二人で廊下を戻ると、玄関先に子供が二人、不安そうな顔で立ち竦んでいた。犬は外に繋いでいるのか姿が見えない。微かに甘えるような声が聞こえていた。

「済まなかったね。ありがとう」

「結城さん、どうですか？」

「寝不足だったようだ。……とにかく、お上がりなさい」

　結城が言うと、二人は顔を見合わせ、それから軽く頭を下げて上がり込んできた。

「ええと、田中さん、といったね？」

「はい。田中かおりです。こっちは弟の昭」

「君は夏野の同級生？」

「いえ。一級下です。あの、恵が——清水恵って子が同級生だったんです。あたしの幼(おさな)馴染(なじ)みなんですけど」

　ああ、と結城は呟いた。

「清水さんの知り合い？」

「はい。お母さんと、恵のところのお母さんが仲良くて。あたしも家も近いし、歳もひとつ違いだったんで、恵とは仲が良かったんですけど」

「そう……恵ちゃんは残念だったね」

　はい、と少女はうなだれた。

「悪かったね、ありがとう。助かったよ」

　結城は姉弟(きょうだい)にお茶を振る舞って帰した。二人は言葉少なに犬の散歩の途中で夏野に会ったこと、話をしていたら具合が悪そうだったので家まで送ろうとしたこと、その途中で夏野がしゃがみ込んでしまったことを語った。かおりの様子は親しげで、昭はさらに親しげだった。「兄ちゃん」と呼び、いかにも懐(なつ)いているふうを見せる。夏野は村に馴染もうとしなかったが、それでもいつの間にか地縁の中に入り込んで居場所を見つけていたのだと結城は思った。

夏野の家の玄関を出て、それと同時に昭は大きく息を吐いた。かおりも同様に息を吐く。生意気ばかり言うくせに、昭は人見知りをする。特に大人に対しては。だから、かおりが愛想を振りまく役で、それですっかり疲れてしまった。

ラブの引綱を取り、家へと促す。

「なあ……かおり」昭が俯いたまま小声で呼んだ。「兄ちゃん、大丈夫だと思う？」

「大丈夫だって、お父さんが言っていたじゃない」

「そだな。……寝られなかったって」

「あたしたちと会う前からそうだったのね。親しい人が亡くなったから、って言ってた。だったら当たり前よね。あたしも恵が死んでしばらく、眠れなかったもん」

「うん」

「でも……この村じゃ、最近、親しい人に死なれてない人なんて、いないのかもしれないね」

かおりは言って、改めてこの事態はあまりにも異常だ、と思った。なぜ大人は誰も変だと叫び出さないのか、かおりには不思議な気がする。

「結城さんのお父さんは知らないけど……他にも恵のこととか、あの男の人のこととか、色々あったし……」

かおりは、夏野の青ざめた顔を思い出した。

「……それだけかな」

昭が言って、かおりは首を傾げる。

「それだけって?」

「兄ちゃん、昨日、なんであんな電話、くれたんだろう? 誰か客はなかったか、なんてさ。かおりが言ってたじゃないか。それって兄ちゃんのところには客があったってことじゃないかって」

「ああ……うん」

「恵がまた来たんじゃないかな」

かおりは目を見開いた。

「……やめてよ」

「兄ちゃんが具合悪いの、それでなんじゃないのかな。恵か——墓でやっつけたあいつか——誰かが」

「やめて!」

昭は顔を上げた。

「おれ、見たんだ。かおりが兄ちゃんの父さん、呼びに行ってる間に」

「見たって」

「首。——ここんとこ」昭は自分の首の付け根のあたりを示した。「兄ちゃんが蹲ってるとき、見えたんだよ。夏にさ、虫に刺されて膿むことってあるだろ。そういうのがさ、ふたつ。ここんとこにあったんだ」

かおりは棒立ちになった。

「……うそ」

「誰かが仕返しに来たんだと思う。だから兄ちゃん、電話してきたんだよ、注意しろって。——かおり、どうしよう」

かおりは引綱を握りしめる。そんなことを問われても、もちろん、かおりにはどうすればいいのか分からなかった。

3

敏夫は自室の時計を見上げた。夜十時を廻ったのに、静信からは連絡がない。昨日、考えさせてくれと言って別れたまま、それきりになっていた。

いまさら何を考えることがある、と敏夫は苛立つ思いがする。村で起こっていることは今や明らかだ。少なくとも現時点で真相に気づいているのは敏夫と静信だけ、自分たちが行動しなくて、どうやってこの惨禍を止めると言うのか。今日の午後には、門前の

田茂広也がやって来た。田茂定市の孫、まだ高校生。例のあれだ。こうしている間にも、着実に汚染は広がっている。

村の窮状など関係ない、誰が死のうと知ったことではないと言うなら勝手にすればいい。そうではなく、救いたいと言うくせに、行動する段になると怖じ気づいて後込みするのが忌々しい。気分的に抵抗があるのは分かるが、これは二者択一の問題だ。

敏夫は時計を何度もねめつけ、いっそのこと今日は休んでしまおうかと思う。疲労は皮膚のように全身に貼りついている。腕も足も身が張って痛んだ。夏以来、不眠不休でやってきた。今日ぐらい休んでも許されるかもしれない、と思ってしまうのは、静信の態度に気落ちしているせい、そして、今後の方策が見えないことに落胆しているせいだった。

何かをしなければならない、と気ばかりが焦る。なのに何をすればいいのか分からない。とりあえず敏夫に今できることは、秀司に続く犠牲者——恵の墓を暴くぐらいのことだったが、それをやって何になるのか、と思う。それよりも節子だ、という気がする。水際で食い止めなければ被害は拡大する一方だ。節子が起き上がることのないよう、事前に釘を刺しておく。そうは思ってみても、つい最近まで患者として付き合いの深かった相手——たとえ死体といえども——に杭を打つことを思うと、さすがの敏夫にも躊躇われる。少しでも先送りにしたいという気持ちから逃れることはできなかった。

（連中はなんで起き上がるのか……）

それが分かれば、杭以外にも、連中を止める方策が見つかるかもしれない。毒物でも、あるいはそれ以外のものでも。注射して済むことならどんなにいいだろうかと思う。注射でなくてもいい、検屍の際、ひそかに敏夫が処置できるようなことなら。——だが、杭は駄目だ。村では未だに近親者が湯灌する。そうでなくても白装束に着替えさせる。死体に傷をつければ必ず見とがめられるだろう。

（とにかく恵ちゃんか……あるいは節子さんか……）

敏夫はカーテン越し、窓の外を見る。すでに暗い。そう簡単に連中に出くわすとも思えなかったが、一人で出かけるのは危険なことのようにも思えた。

ひとつ息を吐いて、敏夫は起きあがる。とりあえず、せめて節子の墓を確認するぐらいのことはしておこう。出かけたくない、休みたいという欲求は切実だったが、焦りがそれを許さない。

ブルゾンを羽織って私室を出、病院に向かおうとした。とりあえず夜歩きに必要なものは病院の控え室に置いてある。渡り廊下に出ようとしたところで、背後から孝江に声をかけられた。

「出かけるの？」

敏夫は曖昧に頷く。

「このところ、連日出かけてるじゃないの。どこに行っているの」

「まあ、ちょっと」

「往診というわけじゃなさそうね」

まあ、とこれにも曖昧に答えた。孝江は厳しい顔で廊下を示す。

「ちょっと来なさい」

「悪いけど」急ぐから、と敏夫は言おうとしたが、孝江がぴしゃりとそれを遮った。

「いいから来なさい。話があるのよ」

内心で舌打ちしたところに、階段から軽い足音がした。寝室から恭子が降りてきたところだった。眠っていたのか、目を眇めて怪訝そうに敏夫と孝江を見ている。

「とにかく敏夫、ちょっと来てちょうだい」

敏夫は不承不承、頷く。恭子の物問いたげな視線を受けながら孝江のあとについて、座敷のほうへ向かった。

奥の座敷に近い書院が孝江の私室だった。父親の死の前から、孝江は一人そこに住まっている。

「坐りなさい」と、言って孝江は座卓を示す。仕方なく敏夫が腰を据えると、ポットの湯を急須に注ぎながら、孝江は冷えた声を出した。「どこに出かけるところだったの」

「……寺」

「ゆうべは？」

「寺だよ。ちょっと三役で寄り合いがあるんだ」

「嘘をおっしゃい。ゆうべ田茂さんから電話がありましたよ」

敏夫は舌打ちをした。孝江は突きつける調子で湯呑みを差し出す。

「あなたまさか、村の内に手をつけたりしていないわね？」

「母さん」

敏夫は唖然と口を開けた。「村の内に手をつける」というのは、孝江独特の隠語だ。村の女に手をつけていないか、と訊いている。どうしてだかは分からない。孝江にとってそれは、絶対の忌みごとのようだった。それこそ高校生の頃から、煩く言われる。

「そういうことじゃない。本当に静信に用があるんだ。まだ田茂さんに話を通しちゃいないが、近々、三役を召集しなきゃならんかもしれん」

どうだか、と孝江は低く呟いた。

「その田茂さんから聞いたんですけどね、下外場に診療所ができるそうじゃないの。あなた、それは知ってたの？」

それか、と敏夫は溜息をついた。

「ああ、まあ……」

「兼正の医者からは挨拶があったの？」

「いや。だがじきにあるだろう」

「何て答えるつもり？」

「何て――って。おれに止める権利はないよ」

「医師会に話は通ってるの？」

「最近、連絡を取ってないから知らない」

　父親は医者同士の付き合いに熱心で、医師会でもそれなりの人脈を持っていたが、敏夫はそういうことに時間を浪費するのが好きではない。そもそも敏夫自身が地域の医師が作るネットワークから外れている。かろうじて患者を引き受けてもらう病院と繋がりがあるだけ、同じ大学出身の医師によしみがある程度だったし、それも地元で開業している医者というわけではない。

「黙認するつもり？　村に医者は二軒も必要ないでしょう。あとから来て、なんの挨拶もなしに診療所だなんて、とんでもない話ですよ。きちっと筋道は通してもらわないと」

　だから、と敏夫は溜息をつく。

「おれが口を出す筋合いのことじゃない」

「冗談じゃないわ。あなたが口を出すべきことですよ。一体何を考えてるの。尾崎がいるのに開業だなんて。尾崎じゃ力不足だと言われているも同然じゃないの」

「それでも構わないだろう。実際のところ、力不足なんだろうよ。最近じゃ、完全に業務はオーバーフローしてるんだ。江渕さんが開業してくれれば、むしろ助かる」

言って、敏夫は内心でぎょっとした。桐敷家は屍鬼の巣窟だ、おそらくは。江渕が連中の仲間でないということがあるだろうか？　江渕もまた、起き上がったのかもしれない。だとしたらその江渕が診療所など開いて、一体何をするつもりなのだろう？　そこに行った患者は、どんな不調が原因で訪ねた者であれ、出てきたときには蒼白の顔をし、虚ろな目をしているだろう。――おそらくはそうに違いない。それとももっと他に目的があるのだろうか。

孝江は何やら言っていたが、もはや敏夫の耳には入っていなかった。

連中は越してきた。――侵入してきた。それきりずっとあの屋敷に籠もって沈黙を守ってきた。それが初めて動いた。これは何を意味しているのだろう。

敏夫はこれまで、単純に連中は村にやって来たのだと思っていた。だが、冷静に考えると、おかしくはないか。なぜ連中は、そもそもこの村に越してこようなどと考えたのだろう。あんな屋敷を構えてまで越してくるからには、それなりの目的があったはずだ。江渕の開業はその目的の一部だろうか。だとしたら、江渕がこれから果たそうとしている役割は何だ。

「敏夫！　聞いてるの？」

孝江の叱責には生返事を返した。静信の意見を聞いてみたかったが、この調子では今夜は出られそうにない。妙な焦りを感じた。増加する犠牲者——死者。ひょっとしたらそれ以上に、敏夫たちが恐れねばならないことがあるのではないのか。一刻も早く手を打って、進行を食い止めなければならない何かが。

4

夏野は夜の中で息を殺していた。あたりには枯れた草の匂いが立ち込めている。葉を枯らした木苺の枝越し、自分の部屋の薄暗い明かりが見えていた。

山間の村の夜は寒い。夜陰にはすでに晩秋の気配が忍び入っていた。パーカーの襟を掻き合わせ、懐に握った樅の杭を握りしめる。そもそもは本橋鶴子に使うはずだった杭だ。それは使命を果たすことがないまま、こうして今、夏野の懐の中で温められている。

父親の工房からくすねてきた杭と木槌。自分で作った素人細工の十字架、それだけが夏野の得物だった。草叢の中に蹲り、足が痺れないよう何度もそっと体勢を変えながら、しんしんと更ける夜を見つめている。

微かな足音が裏庭で聞こえたのは、腕時計の針が午前二時を過ぎた頃だった。明らかに足音を忍ばせるふうで、黒々とした人影がひとつ、スタンドの明かりで浮かび上がっ

た窓に近づいていく。それは身を屈め、じっと窓を見上げ、それから腕を窓ガラスに向かって伸ばした。

闇に慣れていた目には、ほの暗い明かりの下でも、その人影の特徴を見て取ることができた。夏野は少しの間、その見慣れた影が、腕を伸ばし、そのくせ面伏せて窓を叩くのを見ていた。湧き上がってきたのは奇妙な感慨だった。

徹の訃報、武藤家の座敷に安置されていた徹は、徹でないもののように見えた。明らかに抜け殻であり、それは物体にすぎなかった。夏野が「徹」として認識しているものは、そこには存在しなかった。明らかに徹なのに、徹ではなかった「それ」。——そして、今目の前にいる者は、徹とは異質のものになりながら、夏野が記憶している「徹」そのままだった。

幾度目か、徹が窓を叩いた。夏野、と囁くように呼んでいるのが聞こえる。夏野は立ち上がった。

「……ここだよ」

徹は弾かれたように振り返った。まるで、恐ろしいものに出会った人間そのままの反応をした。

夏野はそろそろと足場を探りながら後退する。枯れた下生えが足許で折れた。徹は窓の下で金縛りに遭ったように動かない。怯えたような顔をして、後退る夏野を見ている

のがおかしかった。

　さらに足場を探りながら、二歩、三歩と退る。ようやく徹が身を起こした。どこか決然とした顔で立ち上がり、林のほうへと踏み込んでくる。夏野はポケットの中に握ったものを翳した。

「……こういうの、効く？」

　徹が一瞬、それを見て怯んだ。夏野にはそれが信仰の象徴が持つ効果なのか、それとも異様なものを突きつけられた人間の反応なのか、分からなかった。夏野は退る。徹は躊躇するように、足を踏み出した。夏野は足を速める。徹の足も速くなる。間合いが近づいたところで、さらに手を突き出すと、明らかに嫌そうな顔をして怯む。――効果はあるのだ、こんなものでも。少なくとも相手の嫌悪感は誘うらしい。

　夏野は半身に構えて斜面を登った。間合いを詰められそうになると、改めてただ木片を十字に組んだだけの十字架を突きつける。それで相手が怯み、歩みが止まる。また間合いが開く。それを繰り返すうちに、次第にペースが上がっていく。

　前方にわずかに木立が切れた場所があって、夏野は一気に斜面を駆け上がった。広場とも呼べないほどの小さな切れ目を駆け抜け、反対側の木立に飛びついて後ろを振り返った。家からはかなり離れただろう。少なくとも、もう物音は届かない。幹に背中を預けて肩で息をしていると、徹が切れ目に姿を現す。十字架に怯んで足を

止めた。

「こんなもんが怖いのかよ」

息は弾んだまま、一向に治まる気配がなかった。動悸も治まらず、身体は温まったはずなのに、冷や汗が浮かぶ。懐に突っ込んだままの手は、ささくれた杭を摑んでいる。木槌はベルトに差してあった。

「単に木を組んだだけのもんじゃねえか。それでも怖いのかよ」

「……夏野」

「そっちの名前で呼ぶな、ってば」

徹はいかにも複雑そうな表情をした。――したのだと思う。暗くてしかとは見届けられなかったけれども。

「これ見ると、どういう気分がするわけ？　それとも生きてる頃から、こんなもんが怖かったのか？」

「……夏野」

「呼ぶなってば！」

十字架を投げつける。それは狙いを逸れて、徹の脇の離れたところを飛んでいった。

「徹ちゃんみたいな顔してんじゃねえよ。あんたもう、別物だろうが」

杭を両手で握り、腰だめにする。夜気に冷えた手が激しく震えた。

十字架が消えたほうを見送った徹は、夏野を振り返る。どこか悄然(しょうぜん)としたふうで夏野を見上げてきた。

「……おれは」

徹は言いかけ、そして口を噤(つぐ)んだ。代わりに足を踏み出す。留めるものを、もはや夏野は持たない。

「お前……誰かに言ったか？」

「何を」

「おれのこと」

「言ってねえよ」

そうか、と徹は呟(つぶや)く。

「やっぱりおれを襲うわけ？」

「……叱(しか)られるんだよ」

徹はゆっくりと斜面を登ってくる。

「お前を襲わないと、葵たちが襲われるんだ。お前、襲って、夜明けまでに報告に行かないと……」

「扱(こ)き使われてんのかよ、そんなもんになってまで」

「……そうだよ。おれには選択権なんてないんだ。連中の下っ端(ぱ)として組み込まれて

る」

徹は足を止めた。

「お前が妙なことに首を突っ込むからだよ。連中を怒らせるようなことをするから。広沢の高俊さんを、お前、のしたろう」

「あれ、そういう奴なの」

徹は頷く。

「まだ、バレちゃ困るんだ。なのにお前、墓を掘ったりしてたんだろ？　気がついてもさ、家で布団を被ってりゃ良かったんだよ。高俊さん見て、悲鳴上げて逃げるようなら、連中に警戒されずに済んだんだ。なのにお前、妙に無鉄砲なとこあるから」

徹はさらに足を踏み出す。

「気がつかれてもいいんだ、連中は。部屋に閉じ籠もって震えてるような奴ならさ。けどお前は連中を狩ろうとしてるから。狩人は駄目なんだ。……許されない」

夏野は杭を握りしめる。斜面の上、徹との間に足許を掬うようなものはない。あと一歩。それで躱しきれない距離になる。

「そんで？　三下よろしく使われてんのかよ。あんた、本当に人間とは別物になっちまったんだな」

「……そうだ」

「汚ねえよ……そうだろ？」

両手の中の杭。たとえこれが他のどんな凶器でも。

「あんたは咬みついてそれで終わりなんじゃないか。こっちは、これ、突き刺さないといけないいんだぜ」

徹は足を止めた。

「せめて、もうちょっと吸血鬼っぽくしたらどうなんだよ。そんな……生きてる頃のまんまの姿でさ」

夏野の両手は、高俊を殴ったときの感触を覚えている。善悪は理屈を越え、夏野の中に刷り込まれている。せめて銃なら。相手の息の根を止める凶器が自分の手と切り離されていれば。目標を見届けることなく、スイッチひとつで済むことなら。

「……こんなもん、刺せるわけないじゃないか！」

夏野にはできない。自分の手で凶器を握り、相手を殺すためにそれを使うことはできない。敵だと思えば、どんな惨いことでもできる。——できるはずだ。けれども目の前に自分と同じ人間としか思えないものが存在して、それを意図的に傷つけることはできない。してはならないことだという刷り込みが、どうあっても行動を拒む。ましてや相手に人格があって、さらにはそれが自分の知り合いで、かつては親しかった誰かだということになれば、故意に傷つけることなど、できるとは思えなかった。

「お前……人が好いな」

「そういう問題じゃない！　怖いんだよ、理屈抜きに。そんな怖いこと、できるかよ！」

相手が恵でもできなかったろう。おそらく、本橋鶴子でもできない。夏野の理性は高俊が起き上がりだと分かっていたが、その場で止めを刺すことは、やはりできなかった――思い浮かばなかった。嫌なのだ。生理的に我慢できない。無条件に怖い。忌避してしまう。

想像ではなく、実感として知った、「甦った死者」というものの恐ろしさ。かつての知人、それも親しい――その死に際して、死なないでくれ、生き返ってくれと願わずにいられなかった相手に対して、どうして凶器を振り上げられるだろう。かつて殺したいほど憎んでいたならともかく、相手がかつての人格を喪失して、単に「起き上がった死体」になり果てているのならともかく。

相手に人格が生じれば、敵はもう敵ではなくなる。それが「甦った死者」である以上、それは必ずつきまとうのだし、だとしたら夏野は狩人になれない。そして狩人になれないなら、遅かれ早かれ犠牲者になるしかないのだ。

俯いた夏野の首に徹が手を当てて揺らした。慰撫するような仕草には覚えがあったが、その掌は夜気と同じ温度をしていた。目の前の胸に額を当て、そして耳を当てる。温もりもなく、なんの音もしなかった。――この身体には虚無が巣くっている。

5

山には真の闇が落ちている。樅の樹形を照らす月明かりもなく、林の中には星明かりさえ届かない。徹はそこに逃げ込むように走り込んだ。それを追ってくる小さい影があった。

「また言い聞かせなかったの？　どうしてよ」

徹は、押し黙ったまま山の斜面を駆け登る。ついてきた子供は、背後から子供特有の甲高い声を浴びせかけてきた。

「あたし言うよ。辰巳さんだって、ぜったいに怒るからね。でもってあんたとこのお父さんもお母さんも兄弟も、山入に連れてきちゃうんだから」

「……夏野は何も言わない」

「そんなこと、どうして断言できるの？　ゆうべだってそうだよ。あたしがあんなに言い聞かせたのに！」

おおむね狩りに慣れない者は、すでに慣れている者としばらくの間、行動を共にする。徹に静を付けたのは辰巳だった。静は十一、これからもずっと十一のままだ。外見は幼いが、すでに徹の数倍の犠牲者を葬って（ほうむ）いた。特に抵抗はないらしい。むしろ、小さい

のに大人並みに狩りができる自分を自覚していて、誇っているようなところがある。
「せっかく教えてあげたのに。ちゃんと言い聞かせないとダメよ、って。ぜんぶ忘れるって言うの。これは夢だって。そうじゃないと、あんたに酷いことをされたって広めちゃうんだから」

静が迷わずに済むのは子供だからだ、と徹は思う。大人が是とすることは是なのだ。獲物を襲うことは肯定されているし、上手く襲うことができれば大人は褒める。それが静の中に歪んだ――けれども、迷う余地のない確固とした価値観を作っていた。静は人を襲うことを躊躇しない。むしろ何かのゲームのように楽しんでいる風情すらあった。

「ひきかえして、ちゃんと言い聞かせてきなさいよ！　辰巳さんも気を悪くしてたから。あたしまで叱られたんだよ。ちゃんと世話しないとダメだって」

昨夜、徹は夏野を襲った。襲ってしまったという衝撃で犠牲者に暗示をかけるのを忘れていた。ともかくもその場を逃げ出したい一心で、夏野を家の中に押し込んでその場を離れたのだった。待ち合わせていた場所で静と落ち合い、静に「ちゃんとやった」と訊かれるまで、自分が重大な過失を犯したことに気づかなかった。

「きっといまごろは、おおさわぎしてるから。あつまって、あんたをやっつけようって相談してるよ。ぜったいそうだから」

「夏野は言わない。言うんだったら、昨日の時点で言ってるさ。……第一、言ったとこ

ろで誰も信じない」

「ぜったいって言えるの？　あんたのせいであたしたちまで危ないことになるんだから。あしたにはもう、広まってるから。みんなぜーんぶ知ってるんだよ。あたしたちが行くのを分かってて、それで杭を持って待ちかまえているんだから。だから、ちゃんとやらないとダメって言ったのに」

徹は黙り込む。足を急がせた。静は小走りについてきて、徹に煩く絡んだ。

危険は分かっている。昨夜は衝撃のあまりそれをしなかったが、今夜は故意にそれをしなかった。相手の意思を抹殺して人形のような傀儡にしてしまうことに抵抗があった。そうなれば、もう夏野じゃない。おそらく夏野は何も言わないだろう。

「辰巳さんに言うから。おうちの人を山入に連れていってもらうからね」

徹は黙り込むしかなかった。――あの檻。贄を捕らえた檻。うち捨てられ、殺されるためだけに集められた犠牲者。家族の誰にもあんな思いだけはさせられない。

「もう済んだことだ。辰巳さんにはおれから説明するよ」

徹は深く俯いたまま山を登り、細い山道に出た。西山の南のほうから無灯の車がやって来て徹と静を追い抜いていった。

いつの間にか、北山と西山の合するあたりにまで来ていた。村のほうから三々五々、

集まってくる人々の姿があった。

誰も明かりは持っていないが、特に足許を確かめる様子もなく下生えの間の細い踏み分け道を辿(たど)ってくる。一人で黙々と歩く者もいたが、数人で連れ立っている者もあった。それらの人々は、快活に声を交わしている。山から下りるときには誰も口を利(き)かない。林の中には彼らが草を掻(か)き分ける乾いた音だけが、ひそかな波音のように満ちていた。なのに帰りには誰もが、箍(たが)が外れたように陽気だ。だが、徹はとてもそんな気分にはなれなかった。

人々の目から――静の糾弾から逃れるようにひたすらに足を速めた。

七章

I

丸安製材の安森厚子が安森徳次郎を連れて尾崎医院に来院したのは、節子の葬儀の翌々日、十月十三日、午前十時を廻ろうかという頃だった。

「節子さんが亡くなって、とうとう徳次郎叔父さん、一人になっちゃいましたからね、わたしらが通ってお世話をしてたんですけど、お葬式以来、顔色が優れなくて。無理もないとは思ったんですけど、気落ちしたにしちゃ具合が悪そうに見えたもんで」

安森厚子の言葉に、敏夫は頷いた。例のあれだ。確実にその兆候が出ている。血液検査の結果からすると、それも前期の終わりというところだ。襲撃は二回から三回、と敏夫は胸の中で目算をつける。節子が死んだ直後から立て続けに始まっている、おそらくは。

「処置室へ」敏夫は清美に指示する。「乳酸加リンゲル液を千ミリ、十五分」

「カテーテルは」

「十八G」

周囲で交わされる指示にも、徳次郎は反応しない。むしろ付き添った厚子のほうが不安そうにしている。敏夫がカテーテル針を挿入するときにも、わずかに顔を顰めただけでとりたてて感情の起伏を見せなかった。

「節子さんがね」処置をしながら、敏夫は徳次郎に話しかけた。「奈緒さんの夢を見たって言ってましたよ。お迎えだろうか、なんて言っててね。そういう気弱なことを言うようじゃあ駄目だよ、と言ったんだけども」

敏夫が言うと、徳次郎がわずかに反応を見せた。

「ああ……奈緒ちゃんなあ。……わしも見たなあ」

徳次郎は、どこか幸福そうな顔をした。

「奈緒さんの夢を?」

ウン、と徳次郎は頷く。頷いたきり、それ以上の反応はない。

「気弱になっちゃあ、駄目だよ」敏夫は徳次郎に言って、厚子を見やる。「入院してもらったほうがいいと思うんですけどね」

それに厚子が答える前に、徳次郎が割って入った。

「嫌だ」

「徳次郎さん」

「わしは御免だ。入院はせん。どこにも行かん。仏壇を守らにゃならんから」

仏壇の世話だったら自分が、と厚子が徳次郎を宥めたが、徳次郎はきっぱりと「嫌だ」と言う。

「入院しても節子は助からなかったし、仏壇や仕事があるから家を空けるわけにはいかん。ほっといてくれ」

敏夫は眉を顰めた。徳次郎の言う内容に、ではない。その口調に違和感があった。この時期の患者がこうまで明確に意思を表明することは珍しい。たいがいはどうでも勝手にしろ、という態度を示す。まるで他人事のように振る舞うものだ。それがこれだけきっぱりと意思表示をするのは妙だし、にもかかわらず、その口調が抑揚を欠いて、まるで暗記した台詞を読み上げているように聞こえるのも奇妙な気がした。

それはあんたの意思なのか、と敏夫は問いたい気がした。それとも誰か――奈緒からそう言うよう言い含められたのか。周囲に厚子や看護婦たちがいなかったら、ぜひとも聞きたいところだ。

「節子さんの件についちゃ、こちらもお詫びするしかないが、徳次郎さんも入院が必要なんだよ。入院してもらわないと、適切な処置ができないんだ。気持ちは分かるが、せめて二晩ほど泊まっていってくれないかね。そのあとで、どうしても家に戻りたいと言うなら、好きにさせてあげるから」

襲撃が二日以上開けば、意識は清明さを取り戻すのではないか、という気が、敏夫は

している。だが、徳次郎は「嫌だ」と言い張る。言葉をつくして説得しようとしたが、そもそも敏夫の言い分など聞く耳を持たないという風情だった。厚子がせめて丸安製材で預かると言っても、家を出るのは嫌だと言う。本人があくまでも否と言うのに、無理強いはできない。仕方なく、リンゲル液の輸液と、濃厚赤血球製剤の投与だけをして帰した。

「大丈夫なんでしょうか、徳次郎さん」

心配そうに言う清美に、敏夫は曖昧に返事をして控え室に入った。ほんの少し逡巡してから受話器を取る。三度コールすると、光男が電話に出た。

「尾崎です。静信は？」

「今、お勤めですが。どうしました」

「済みませんが、終わったら連絡をくれるように伝えてくれますか。安森の徳次郎さんが倒れた、と」

「徳次郎さんが。――大丈夫なんですか」

「あまり大丈夫じゃないんだがね。入院を勧めてるんだが、本人がうんと言わない。できたら静信からも説得してほしいんですよ。どうしても嫌だと言うなら、夜にちゃんと眠れるよう、少し手を貸してやってほしい、と伝えてください。そう言えば分かるんで」

はあ、と光男は釈然としないふうだったが、診察時間の途中なんで、と言って敏夫は受話器を置いた。

入院は嫌だ、家にいると言い張ったのが、徳次郎の意思だとは思えない。おそらくは、そう言えと指示されたのだという気がした。節子を病院に収容されて、連中は困ったのだろう。連中がもし、それなりに集団としての意思を持つなら、これからやって来る患者は全員が入院を拒否することになるだろう。

考え込んでいると、電話が鳴った。静信からだろうか、と敏夫がそれを取ると、女の切羽詰まった声がした。

「あの——下外場の前田です」

「前田？　巌さんのとこの？」

はい、と女は答える。前田元子だ。

「どうしました」

「主人の様子がおかしいんです」と、元子は声を潜めているふうだった。「いえ、別に倒れたとか、そういうわけじゃなく。義父と同じなんです。貧血のように見えるんですけど……」

敏夫は頷いた。

「連れてきてください、早急に」

「それが」と、元子は口ごもった。「うちは……」

　そうか、と敏夫は舌打ちをする。元子の姑、登美子は医者を嫌う。その結果、巌が死亡することになり、かえって頑にしてしまったおそれがあった。

「お姑さんが？」

　主人も、と元子は深い息を吐いた。敏夫は事情を了解する。

「今日、御主人はお勤めは？」

「なんとか頼んで休ませました」

「では、午後に伺います」

「よろしくお願いします」と元子は安堵の息を吐きながら受話器を置いた。敏夫が煩いことを言わず、こちらの事情を察してくれたようなのが嬉しかった。受話器を置いて、元子は茶の間を窺う。姑の登美子は畑に出ている。夫の勇が、いかにも気怠げに横になっていた。床に入ってくれと頼んでも、その必要はないと言い張る。仕事を休ませるのですら、登美子の目を盗み、夫の腕に縋って頼み込まねばならなかった。車を運転できるわけでもない元子に、夫を病院に引きずっていくことはできない。敏夫が意を察してくれて、心の底から安堵した。

　元子は茶の間に入り、夫の顔を覗き込んだ。勇は怪訝そうに元子を見上げてきたが、すぐに億劫そうに目を閉じてしまう。

「……お昼はおかゆにしましょうか？」

「いらん」

勇の言葉はぶっきらぼうで低い。

「でも」

「一日二日、食わなかったからって大事はない」

そう、と元子は溜息を落とす。血色の悪い頬、夫の顔にも口振りにも、巌と同じ種類の倦怠感が滲み出ている。

（まさか……この人も）

元子は思い、首を振った。

そんなことがあるはずはない。巌とは違う。心配のしすぎだ。午後には医者が来てくれるのだし、巌のようなことにはならないはずだ。

（お願い、それだけは）

ここで勇に先立たれてしまったら。元子はその先を考えたくもなかった。不思議に加奈美の顔が脳裏を掠めた。瞬間的に、嫌だ、と思った。

（それだけは……いや）

自分は何に怯えているのだろう。正体は見えないまま、元子は食い入るように勇の寝顔を見下ろしていた。

2

「ありがとうございました」

竹村源一は静信に頭を下げた。源一は外場の商店街で金物屋を営んでいる。この日は亡妻の十三回忌だった。

本堂から、お斎に使う座敷のほうへと向かいながら、源一はしきりに礼を言い、そして近頃、村に不祝儀が多いことを訴えた。

「どうなっとるんですかね。先日も清水さんとこの息子さんが亡くなってねえ」

静信は源一の顔を見る。

「清水？　どちらの清水さんです？」

「植木屋の清水ですよ。雅司さんの」

「でも、清水隆司さんは夏に――」

言いかけると、源一は、いやいやと手を振る。「お孫さんです、何といったかな。ええと、祐くん」

「お孫さんが亡くなられたんですか？」

「そうなんですわ。つい昨日が葬式で。息子に続いて二人目でしょう。雅司のとっつぁ

ん、そりゃあもう、気落ちしちゃってね。あの家も嫁さんと二人きりになりますからね。しかも、ゆうべのうちに嫁さんが実家に戻っちゃったらしくてね。実家に帰ることになるだろうとは、雅司さんも思ってたみたいだけど、まさか葬式が済んだその晩にねえ。まあ、人情も地に落ちたもんですわ」

そうですか、と静信は目を伏せた。雅司とは付き合いが皆無ではないが、清水家は寺の檀家ではない。以前、死んだ清水隆司の足跡を辿るために会ったとき、残された嫁と孫が不憫だ、孫が大学に行って村を出たら嫁をどうしようか、と言っていたが、その孫が大学に行くまでもなく亡くなったということか。

（しかも、ゆうべのうちに……）

それは源一の言う通り、単に実家に帰ったという、それだけのことかもしれなかった。ただ、この村では夜に人が消えることがある。――非常にしばしば。

胸の奥が痛んだ。静信はまだ、屍鬼を狩ることに対して踏ん切りがつかない。いったん生き返った者を再び殺す、という認識から抜け出すことができなかった。だが、こうしている間にも惨禍は拡大している。死んだ隆司や祐、残された雅司や、実家に帰ったという雅司の嫁のことを思うと、妙な屈託に囚われている場合ではない、という気がして、後込みしている自分が後ろめたい。

「まあ、こんな按配だから仕方ないのかもしれませんが。でも、やっぱり葬儀屋っての

は使う気がしませんねえ」

静信は首を傾げた。物思いをしていたので、言葉を聞き漏らしたのか、源一が何を言っているのか分からなかった。静信の視線を受けて、ああ、と源一は呟く。

「若御院は御存じなかったですか。葬儀屋ができるんですよ。——もうできたんだったか。なあ、そうだよなあ、叔母さん」

源一が振り返った先には、タケムラ文具店のタツがいた。タツは源一の叔母にあたる。

「できるんだよ。そう聞いたけど、ちょっと前の話だから、もう開いてるかもね」

ぶっきらぼうに言って、タツはそっぽを向く。中庭を眺めるように目をやった。

「上外場のいちばん下のほうに、広兼があったでしょう。わりに大きな木工所ですよ。婆さんが一人残って、木工所は閉めてましたけど」

「ああ……」

「その婆さんが、なんでも施設に入ることにしたとかで引越して、空き家になってたんですけどね。そこが最近、造作を始めたらしいんですわ。看板が上がってね。それが外場葬儀社っていうそうで。——そうなんだよなあ、叔母さん」

源一はまたタツを振り返る。タツはたいして面白くもなさそうな顔で頷いた。

「叔母さんは事情通でね」源一は笑う。「しかし、そうか。若御院も御存じなかったんですか。葬儀屋をやるならやるで、寺に一言、挨拶ぐらいありそうなもんですけどね

え」

「そんなことは」と、静信は言葉を濁した。別に何もかも寺を通さなければならないというものでもない。だが――と、静信は妙な気がした。村を出て行く者は枚挙にいとまがない。それこそ古びた櫛の歯が欠けるように、村には空き家が増えている。そこに転入がある。それも葬儀屋だというところが、なぜとは言えないが意識に引っかかった。

座敷に向かう源一らを見送り、静信は寺務所に戻った。多忙のことでもあり、お斎は遠慮させてもらうことになっていた。

寺務所に戻ると、光男のメモが机の上に載っていた。敏夫からか、と静信は少し後ろめたい気持ちがし、メモの内容に目を通して、眉を寄せた。安森徳次郎が発症した――。

静信は受話器を取り、尾崎医院に電話しながら無意識のうちに周囲を窺う。寺務所の中にも付近にも、人影はない。

電話に出たのは、看護婦の聡子だった。敏夫に代わってほしいと言うと、少しの間待たされて、敏夫が出た。

「敏夫、徳次郎さんが……」

「例のあれだ。間違いない。おそらく二日目か三日目だろう。徳次郎さんも、奈緒さんが戻ってくる夢を見たそうだ」

静信は沈黙した。敏夫が何を言っているのか、明らかだった。静信は振り返る。徳次

郎とは通夜と葬儀で会ったばかりだ。その時、すでに具合の悪い様子があっただろうか。なにしろ場合が場合だから、沈んで口数が少ないのは当たり前のこと、多少呆然として見えるのも当たり前の範疇だろう。言われてみればたしかに例の前駆症状のようではあったが、判然としなかった。静信は改めて、この病の度し難さに溜息をついた。

「とりあえず処置をしたが、本人が入院は嫌だと言う。家を離れたくないと言い張るんだ。だが、それが徳次郎さんの意思なのか、それとも誰かにそう答えるよう言い含められたのかは分からない。あの段階の患者にしちゃ、意思が明確すぎる。にもかかわらず、嫌だと言うのが妙に棒読みで変な調子だったから、後者である可能性は高い」

「そう……」

「悪いが、お前からも説得できないか、話をしてみてくれないか。それが駄目なら、妙な夢を見ないようになんとか処置できないか」

　静信は頷いた。

「……やってみる」

「あと、ちょっと話があるんだが。今日は何時なら身体が空く？」

「夕方には。徳次郎さんの件もあるし、夜には顔を出すよ」

　頼む、と言い置いて、敏夫は電話を切った。静信も受話器を置き、予定表を見る。今日は比較的、予定が少ない。三時からまた法事があるが、それまでに徳次郎の様子を見

てこれるだろう、と算段をした。

納戸で平服に着替え、出かけることを告げようと美和子か光男を捜す。奥に向かうと、当の光男が血相を変えて走ってくるところだった。

「ああ、若御院」

「どうしました」

「御院が」

光男の声を聞いて、静信は一瞬、血の気が引いたような気がした。まさか、父親に何か、と棒立ちになった静信を、光男は手招く。

「御院がどうしても出かけるとおっしゃるんです。止めてくださいよ」

光男の言に、静信は思わず息を吐いた。

「――出かける？」

「ええ。わたしがお昼を運んでいって、その時に徳次郎さんの具合が悪いらしいって話をしたんですよ。若御院、メモは御覧になりましたか」

「ええ。それでこれからお訪ねしようと思ってたんですが」

光男は頷く。

「そうしたら、どうしても徳次郎さんを見舞いに行くとおっしゃって。そりゃあ、徳次郎さんとは長い付き合いですから心配なのは分かりますけど、そんなことをおっしゃら

れても。お見舞いの電話にしたらどうです、と言ったんですけど、連れて行ってくれないなら、這ってでも行くと」

そんな、と静信は目を見開いた。それは、まったく信明らしくない振る舞いだった。およそ信明はこれまで、そんな我の通し方を周囲に対してしたことがない。

ともかくも光男について離れに向かった。

「やめてください」と、美和子の悲痛な声が聞こえた。「今、光男さんが静信を呼びに行ってますから、少し待って」

病室に入ると、ベッドから下りようとする信明と、それを止めようとする美和子が揉み合うようにしている。美和子は静信を見て、安堵したように息を吐いた。

「お父さん、どうしたんです」

「徳次郎さんの、見舞いに、行く」

信明の言葉は断固とした調子だった。

「どうなさったんです、急に」

「どうという、わけじゃない。具合が悪いと言うから、見舞いに、行くんだ」

「見舞いに行くのは結構ですが、もう具合はいいんですか？」

風邪を引いたらしく——これは本当に風邪のようだった——、昨日までひどく咳き込んでいた。たいして高くはないが熱もあった。

「もういい」と言いながら、信明の声は咳き込みそうに掠れている。

「お父さん。どうしたんです。徳次郎さんは具合が良くないんです。そこに風邪を引き込んだお父さんが伺ったら、徳次郎さんにも移しかねないし、お父さんの身体にも障るかもしれません。せめて風邪が治ってからではいけませんか」

「嫌だ。行く」

　頑是無いもの言いになるのは、そもそも言葉が不自由なせいだが、声にも頑是無い響きがあった。これほど癇の立った父親を、静信は初めて見た。静信は小さく溜息をつく。

「じゃあ、お連れしますから、暖かくしてください。ちょうどぼくも徳次郎さんをお訪ねしようと思っていたところですから」

　静信が言うと、ようやく信明は表情を和らげて頷いた。困惑したような美和子に頷き、車椅子を用意させる。

　信明と徳次郎は、そもそも付き合いが深い。とりたてて親密というふうには見えなかったが、それなりの友誼があったのかもしれなかった。だから心配で居ても立ってもいられないのかも。にもかかわらず、自由にならない自分の肢体に苛立ったのだと、静信は無理にも考えようとした。

　――だが、実際のところ、信明と徳次郎の面談は淡々としたものにならざるを得なかった。当の徳次郎は顔色が悪い。敏夫が言うところの「他人事のような顔」が顕著だっ

た。車椅子を使って旧来の知己がやって来ても、喜ぶでもなく迷惑がるでもない。静信が「父がどうしてもと言うので」と言ったときにも、「そう」と短く答えたきりだった。一方、信明も徳次郎のそんな表情を見下ろしたきりで、とりたてて何を言うわけでもない。だからそれは、まるで決別のための会見のように見えた。ひょっとしたら父親は、徳次郎の余命を悟って別れを言うために来たのかもしれなかった。

「もういい」と、力無く言う信明を車に乗せ、静信はいったん一人で徳次郎の枕許に戻った。

「徳次郎さん、やはり入院なさってはいかがですか」

声をかけると、終始、他人事のように上滑りした返答しかしなかった徳次郎が、奇妙なほどきっぱりと「嫌だ」と答える。

「けれどもお加減が良くないようです。お一人では水を飲むのにもお困りでしょう」

「わしは御免だ。入院はせん。どこにも行かん。仏壇を守らにゃならんから」

「けれど」

「入院しても節子は助からなかったし、仏壇や仕事があるから家を空けるわけにはいかん。ほっといてくれ」

静信は渋面を作る。徳次郎の口振りは、まるで台詞を棒読みにしている印象を与えた。

では、と静信は徳次郎の顔を覗き込む。

「せめて仏間に移られてはいかがでしょう。節子さんも、幹康くんも、そのほうが喜ばれるのじゃないですか」

徳次郎は怪訝そうに静信を見た。

「仏壇をお守りになるのでしょう？　せめて間近に移られたほうが」

「ああ……そうかな」

静信は頷き、雑用を片付けている安森厚子に声をかけた。徳次郎を仏間に移す旨を告げて手を貸してもらう。厚子の手によるのだろう、仏壇は綺麗に掃除され、花が活けられていた。

静信は軽く手を合わせ、仏壇に線香を挙げる。それが効果あるものかどうか分からなかったが、抹香を紙に包んだものを枕の下に忍ばせ、徳次郎の手には念珠をさせた。縁側に面した付け書院には、般若心経一巻、開いて載せて守り本尊を置いておく。

「お気を強く持ってください。お寂しいとは思いますが、決して自暴自棄にならないように」

頷くだけは頷く徳次郎を残し、厚子に挨拶をして車に戻った。信明は妙に神妙な様子で静信を待っていた。

「お待たせしました」

「節子さんや、幹康くんも、あんな様子だったのか」

父親は後部座席から、バックミラー越しにじっと静信を見る。

「……はい」

「あれが、村に蔓延(まんえん)している?」

「……なのだと思います」

そうか、と信明は呟いた。

「それがどうかしましたか?」

いや、と信明の返答は短い。何かを納得したように深く頷き、目を閉じた。

3

「こんばんは」

昭が玄関から声をかけると、手を拭(ぬぐ)いながら梓が出てきた。

「あら」と、彼女は微笑(ほほえ)む。

「兄ちゃん、具合、どうですか?」

昭の問いに、梓は少し困ったようにした。

「お見舞いに来てくれたの? ……たぶん、寝ていると思うんだけど」

「だったら、いいです」口を挟んだのは、かおりだった。「あの、これ……お見舞い」

かおりはゼリーの入った袋を差し出した。梓は家の奥を示す。

「とにかく上がってちょうだい」

昭とかおりは、礼を言って上がり込んだ。梓は先に立ち、廊下を奥のほうへ向かう。

「やっぱり眠れないみたいなのよ。ゆうべも、夜中に目が覚めて散歩してたみたいだし」

「散歩、ですか？ 夜中に？」

そうなの、と梓は困ったように笑う。

「明け方にふらふら戻ってきて、寝られないから歩いてきた、って。じっとしてられないみたいなのね。朝には死んだように寝てたけど、でも別に熱があるとか、そういうのじゃないから」

かおりはそっと昭を見た。昭は口を真一文字に結んで微かに頷いた。

「夏野？」梓はドアを開ける。返答はなかったが二人を振り返って微笑んだ。「起きてるみたい。どうぞ。――かおりちゃんと昭くん。お見舞いに来てくれたわよ」

声をかけ、梓は廊下を戻っていく。かおりと昭は部屋に入ってドアを閉めた。

「兄ちゃん、大丈夫か？」

昭がベッドサイドに駆け寄り、顔を覗き込む。微かに夏野が頷くふうを見せた。

「石、動いてなかった」

重大なことのように報告する昭に、そう、とだけ答える。顔色は青く、投げ出された腕は弛緩したように力無い。

「兄ちゃん、本当に大丈夫なのか？」

「ああ……悪いな」

薄目を開けてそう言った夏野を見たとたん、かおりは足が震えるのを感じた。——似ていた、恵に。盂蘭盆の夜、最後に会った恵。力無く横たわっていた様子と、あまりにも似ている。

「……恵、なの？」

かおりは訊いた。夏野は少し壁を見て、いや、と呟くように答えた。そうして億劫そうに目を閉じる。

「恵なんじゃないの？ 他の誰か？ こないだ昭に電話してきたのは、お客があったせいなんでしょ？ それで——」

かおりが言いかけたとき、廊下を歩いてくる足音がした。梓がお茶を持って入ってきた。

「お茶でもどうぞ」梓は微笑む。かおりにはその笑みが切なかった。彼女は事態の重大性に気づかないまま、夏野の顔を覗き込んだ。「ちょっと顔色が良くなったかな。かおりちゃんたちが、ゼリー持ってきてくれたんだけど、食べる？」

いや、と夏野の返答は、またも短かった。

「そう？　おかゆを炊いているから、夕飯は食べるのよ」梓は夏野に向かって言って、かおりを見る。「あまり長くならないようにしてあげてね」

はい、とかおりは頷き、出て行く梓を見送った。何も気づいてない。単に少し具合が悪いのだと思っている。そんなことじゃない、これはもっと大変なことなのに。

かおりはトレイを押し除け、首に下げた十字架を外した。たまたま持っていたものだ。安物の鍍金細工で、こんなものが役に立つのかどうか、分からないけれども。

それを首にかけてやろうとすると、夏野はわずかに首を振って嫌がる。

「……自分たちに使えよ。……おれはもう、いいから」

「もう、なんて言わないでよ」

「そうだよ」と昭も勢い込む。「おれたち、兄ちゃんの言う通り、ちゃんと身を守ってるぜ？　客も断ってもらってる。だから、兄ちゃんも頑張んないと駄目だ」

かおりが鎖をかけている傍らで、昭が念珠を夏野の手首に塡める。

「おれたち三人しかいないんだぜ。大人は誰も気がついてない。兄ちゃんがいなくなったら、おれたち、どうすればいいんだよ」

そうよ、とかおりは呟く。守り袋を枕の下に忍ばせ、破魔矢をヘッドボードの上に置く。お札は台所から剝がしてきたもので、ひょっとしたらぜんぜん意味のないものかも

しれないけれど、とにかくそれを窓ガラスに貼った。昭が鉛筆で作った十字架を枕許に置く。これらのものが昭と二人、ゆうべ家中をひっくり返して探し出したもののすべてだった。この程度のことしかできない自分たちの子供っぽさが哀しかった。

夏野はかおりたちを目で追い、何も言わずに、目を閉じた。すぐに浅い寝息が聞こえた。昭と二人、うなだれて部屋を出る。手を付けないままのトレイを梓に返した。

「あの……お邪魔しました」

梓は笑う。

「夏野くん、ちゃんとお相手できた?」

はい、とかおりは無理にも微笑んだ。その時、廊下に出てきたのは結城だった。結城はおや、と梓同様に微笑む。

「いらっしゃい」

お見舞いに来てくれたのよ、と梓が報告すると、結城は笑う。

「それはありがとう。夏野のやつ、起きたかい?」

「はい。いっぱいお話しできて……元気そうで、安心しました」

こんなのは嘘だ。けれども、何も分かってない大人に対して、どう言えばいいのだろう。これは大人には言えないことだ。そう思うから、つい反射的に隠した。事実と逆のことを答えてしまう。子供っぽい嘘だ。

そうか、と結城は笑った。

二人の子供が帰って、しばらくして梓が夕飯を食卓に並べ始めた。結城は黙って立ち上がり、息子の部屋へと向かう。

明け方まで寝られなかったようだが、それで限界が来たのか、今日は一日、よく寝ていた。何度か工房から戻って様子を見たが、声をかけても目を覚まさないほど熟睡している様子に安堵(あんど)した。昼に目を覚ましたとき、食欲はないが気分はいい、と言っていた。見舞客の相手ができるようなら、元気を取り戻しているのだろう。

軽くノックをし、部屋を覗き込む。夏野はまた眠っているようだった。これまでの不足を取り戻しているのかもしれない。

そう思いながら枕許に近づき、結城は枕のすぐ脇(わき)に恭(うやうや)しく置かれたものに気づいた。鉛筆が二本、十字に組んである。子供っぽい造作だった。

一体、何のまじないだろう、と結城は思った。首を傾(かし)げて見ると、ヘッドボードの上には破魔矢が一本、置かれている。

「何だ、これは」

結城は呟き、夏野に声をかけた。顔色は相変わらず良くない。昨日よりもましだったが、健康な血色には遠かった。軽く揺すってみたが、嫌そうに寝返りを打っただけで、

息子は起きようとしない。その手に念珠を見つけて、結城は眉根を寄せた。

（何だ、これは……）

結城の胸の中で、もやもやとしたものが渦を巻いた。

「夏野」

結城はさらに息子を呼ぶ。ようやく夏野が薄目を開いた。

「これは何だ？」

破魔矢を示したが、夏野はなんの興味も示さなかった。果たして焦点を結んでいるのか、じっと目線だけを向け、億劫そうに目を閉じようとする。

「お前が置いたのか？」

夏野は目を開けない。いや、と呟くように答えた。

「夏野、ちょっと起きなさい」

言ったが、夏野の返答はない。薄目を開けたが閉じる。怠くてとても受け答えはする気になれないという仕草だった。

よほど眠いのだ、と結城は自分に言い聞かせる。昨日は元気だった。顔色は悪かったし具合も悪そうだったが、結城の問いかけにはちゃんと答えたし、笑いもしたし、冗談も言った。もちろん「あれ」であるはずがない。昨日よりも悪化したように見えるのは、明け方まで眠れずにうろついていたせい、客人の相手をして疲れ、寝入ったところを起

こされたせいだろう。――そうに違いない。

(じゃあ、これは何だ?)

そこにあるものは、何かを示しているように見えた。隠された何かのメッセージを持っているような気が。

「馬鹿馬鹿しい……」

梓がこんなものを置くはずもなく、鉛筆を見れば明らかにこれを置いたのはあの姉弟だろう。

「一体、なんでこんな」

結城は手当たり次第にあたりを探る。枕の下から守り袋を、窓から札を見つけた。

「……馬鹿なことを」

そのとき、自分の胸に迫り上がってきたものが何なのか、結城にもよく分からなかった。それらのものが何らかの意味を持っているように見えるのが、耐えられないほど不快だった。――そう、村には迷信深い連中がいる。一連の惨禍を何かの祟りであるかのように言って、守り札だのを後生大事にする者もいた。鬼だと言い、起き上がりだと言う。結城は断じてそういう曚昧を許せなかった。

その中に取り込まれている息子が腹立たしく、引きずり込もうとしている姉弟が腹立たしい。息子が村に溶け込むことを願っていたはずなのに、まるで村人のような振る舞

いの中にいる息子の姿は許せなかった。

破魔矢を折り、集めたものをひとまとめにひねってゴミ箱に突っ込んだ。村には結城の理解できない子供、訪ねてきた姉弟。死と病。村には結城の理解できないものが横溢している。そのこと自体が我慢できない。

単なる寝不足だ、と結城は息子の青ざめた寝顔を見た。初めて身近な人間の死に出会って、動揺していた。しっかりした子だから、弱音も吐かずに耐えて限界が来た。そういうことだ。それを村にはびこっている得体の知れないものと一緒くたにしてほしくはなかったし、勝手に馬鹿な騒ぎの中に引きずり込んでほしくない。結城は憤然として常態に戻った息子の部屋を確認し、廊下に出た。

ドアを背後で閉めながら、自分でも自分の怒りを不審に思った。まるで痛いところを衝かれて狼狽えでもしているふう。——何かに怯えてでもいるような。

4

子供は暗闇の中で、ぐったりと丸くなって正雄を待っていた。三歳程度の女の子、正雄はその子がどこの誰なのか知らない。一昨夜、辰巳に訊いてみたが、辰巳は「知る必要はない」と言った。

その辰巳が、ドアの内側に設けられた格子戸(こうしど)を開ける。しっかりした真新しいドアと格子戸で二重に仕切られたこの小部屋は、間違いなく檻(おり)だった。古く傾いた家、廃屋とおぼしい建物の一郭にあって、もとは納戸(なんど)か何かだったのだろう。今は毳(けば)立った畳が三枚敷かれただけの、がらんとした何もない部屋だった。窓もなく、布団(ふとん)の一枚もない。弱々しい光を放つ裸電球がひとつ、下がっているだけ。横手の壁には塗り壁を突き崩して穴が空いていた。大人なら身を屈(かが)めなければ通り抜けられないだろうその穴は、隣の厠(かわや)に続いている。目隠しとなるものは布の一枚すらない。それが何よりも雄弁に、この檻の性質を物語っていた。

部屋の中には腐臭が漂っている。畳には大小の染(し)みが点々と落ちていた。その畳の上に丸くなって、子供は部屋の隅で獣のように蹲(うずくま)っている。辰巳に促されて正雄が中に入るとぐったりと顔を上げたが、一昨夜のように泣きじゃくるわけではなかった。昨夜もこうだった。おとなしいと言うより、明らかに弱っている。正雄は子供の側(そば)に膝(ひざ)をつく。

無意識のうちに舌の先で前歯の内側に触れた。

下顎(したあご)の犬歯に挟まれた四本の前歯——中央の二本と側面の二本、その側面の二本の裏側に、新しい歯が小さく先端を出していた。犬歯よりも鋭利なそれは、前歯同士を強く噛(か)み合わせると伸びて上顎を刺す。同時に何か苦いものが口の中に広がった。刺した瞬間には痛みがあるが、この苦い味がすると、すぐに口腔(こうこう)が麻痺(まひ)したように痛みを感じな

くなる。同時にふわりと、軽い酩酊感がした。

幾度か前歯を噛み合わせ、正雄は子供の腕を引く。抵抗のない身体を膝の上に抱き上げた。幼女の身体はずっしりと重く、しかも熱かった。おとなしく横抱きにされたまま、子供は小さな口を開いて速い呼吸を繰り返す。本当に熱があるのかもしれなかった。そもそも最初に正雄が襲う前から、どこかぐったりしたふうだった。檻に囚われている間に体調を崩していたのかもしれない。実際、一昨夜から今夜まで、檻の中には子供に食事をさせた痕跡がなかった。

顎に手をかけ、上向かせる。されるままに顔を上げた子供は、かくんと仰向いて喉をさらした。小さな首筋には、ふたつの傷がついている。昨夜、正雄がつけた傷だ。昨夜には釘でも刺したような生々しい傷口を見せていたが、今はもう虫さされの痕のようにしか見えなかった。わずかに膿んで赤く盛り上がっている。小さく萎縮した瘡蓋が、その中央にある。

正雄はなんとなく子供の喉を掴むようにして手を這わせ、親指でその傷口を撫でた。掌の下、体温は高く、はっきりと呼気と脈拍が伝わってきていた。手に力を込めれば、それらのものは断ち切ることができる。それと同様に、今正雄は、子供の生命を文字通り手中にしていた。

格子戸の外で佇む辰巳は、正雄を急かすでもない。正雄は何度か指の腹で傷痕を撫で、

それからそこに顔を近づけた。幼女は虚ろな目を開いたまま、あらぬほうを見つめている。抵抗するわけでも身を捩るわけでもなかった。落ち着いて教えられた通り、舌の先で脈拍を探る。小さく皮膚が痙攣しているかのようなそこを探り当て、思い切って歯を当てた。

前歯を噛み合わせた瞬間、妙な手応えがあった。口腔の中にわずかな苦みを伴い、血の匂いが広がる。自分の血はかつてのまま、生臭い味をしているのに、不思議に犠牲者の血は甘かった。それは糖類ではなく脂肪のような種類の甘さだ。意外にさらりとして、想像していたよりもはるかに飲み下しやすい。とは言え、水のよう、というわけにはいかなかった。

傷口からあふれる血液は、かなりの勢いを持っていたが、水道の蛇口をひねったほどではない。水のように飲めるわけではないので、これでいいのかもしれない。

食事にはそれなりの時間がかかる。途中で一度、子供がわずかに身を捩り、今にも泣きそうな声を上げた。弱い声が泣きじゃくり始める予兆のように響いてやむ。それきり、もう声を上げるでもなく、身動きをするでもなかった。飢えが満たされた頃になって、子供の拍動がやんでいるのに気づいた。舌先に脈拍が感じられない。正雄は顔を上げた。

「辰巳さん」

辰巳は正雄の声に何かの響きを感じ取ったのか、格子戸を開けて檻の中に入ってくる。

正雄の腕の中を覗き込み、軽く子供の首筋に手を当てた。そして正雄に頷く。

「小さかったからな。君が襲う前にもう、ずいぶん参っていたし」

やはり、と正雄は思わず膝の上の身体を押し除けた。それは畳の上に崩れ落ち、まだ止まってはいない血が畳表に零れて新しい染みを付け加えた。

正雄はしばらく、その死体を凝視していた。不思議なほど、自分が殺したのだという実感がなかった。食事をしていたら動かなくなった。その程度の思いしか湧かない。それは子供の死体が、ほんのわずかも損なわれていないせいかもしれなかったし、まだ温かいせいかもしれない。あるいは吸血という行為が、人を害するというイメージとはかけ離れているせいなのかもしれなかった。

「……怖いかい？」

辰巳に問われ、正雄は首を振った。

「いや。意外に呆気ないね」

そうか、と辰巳は笑む。

「君は向いてるのかもしれないな。おめでとう、これで君は本当に仲間だ」

正雄は頷き、死体に目をやった。

「これ、どうするの？」

「しばらく放置して様子を見る。甦るかもしれないからね」

「起き上がるかな？」

　さあね、と辰巳は死体を軽々と抱え上げて正雄を檻の外へと促した。

「駄目な確率のほうが高いだろうな。父親も母親も起き上がらなかったから」

「両親——死んだの？　村の奴なんだろう？　どこの何ていう奴？」

「知らなくていい」辰巳は言って、格子戸を閉めた。錠が付けてあったが、それは閉めない。「家畜の出自を気にしたって意味がないだろう」

　部屋を出ると、古びた廊下だった。辰巳は死体を抱えたまま部屋を出て、ドアの脇の釘に鍵を下げた。廊下の一方にはアルミサッシの掃き出し窓が並んでいるが、ガラスの外には白々とした闇が降りている。窓の外に立てまわされた雨戸が、内側から塗り込められているのだった。

　この建物がどこにあるどんな家なのか、正雄には分からない。正雄はまだこの建物を出ることを許されていなかった。廊下の途中に設けられた堅牢なドア、その向こうには行ってはならないと言われていたし、それには鍵がかかっている。すべての窓は内側から打ちつけられ、塗り込められ、外を覗くことのできるような隙間もない。正雄は檻の中に閉じ籠められているわけではなかったが、虜囚の一種であるのは間違いがなかった。

　辰巳は死体を抱えたまま廊下を歩いた。途中に面する壁にはドアがふたつ。ひとつは正雄が目覚めた部屋で、もうひとつは昨夜、使うようにと言われた部屋だった。こちら

のほうは目覚めた部屋より一廻り広く、しかもきちんと手入れがなされ、最低限の家具も置かれていた。そのドアの先で、廊下は区切られている。

辰巳は鍵を使って廊下を区切ったドアを開けた。正雄を促す。

「……いいの？」

「君はもう仲間だと言ったろう？」

正雄は恐る恐るドアの外に足を踏み出した。正雄の背後でドアを閉め、辰巳は鍵をかけてその鍵を壁の釘に下げる。——では、と正雄は思った。このドアの向こうにあったのは、新入りのための施設なのだ。

振り返った正雄の脇で、辰巳は別の襖を開いた。茶の間とおぼしき小部屋の奥にはガラス戸が閉じており、その向こうは台所になっている。とは言え、この台所はほとんど使われている様子がなかった。あちこちに厚く埃が積もり、流しにはバケツや漆喰のこびりついた鏝が散乱している。板張りの床の上には三体の死体が並んでいた。辰巳は抱えた子供の死体を、その脇に横たえた。

「村で消費された羊の死体は、とりあえずここに集められる」

「羊？」

辰巳は微かに笑った。

「家畜のことさ」言って、辰巳は三体の死体を覗き込んだ。「ここでしばらく様子を見

るんだが――駄目だな。奥の二体は腐敗が始まっている」

中年の男、そして若い女の死体だった。そのどちらにも、正雄は見覚えがなかった。

「どうするの？」

「誰かに言って運び出させる。山の中に埋めるんだ。そのへんに放置しておくのも見苦しいからね」

言って、辰巳は正雄を振り返った。

「君のように、起き上がる望みのある者は、君が目覚めたあの部屋に運び込まれる。ごくまれに途中で死体に逆戻りしてしまう者もいるが、ほとんどは起き上がるね。それから最初の羊を食いつくすまでは、奥の部屋に滞在してもらうことになる」

「なんで鍵をかけるの」

「中には、起き上がったことを喜ばない者もいるからだよ」辰巳は言いながら、茶の間を通り抜け、廊下に戻った。「だから覚悟がつくまでは奥にいてもらう。君はまだ起き上がって三晩しか経っていないけれども、幸い、呑み込みがいいようだ。少し早いけれど、表に出してもいいだろう」

角を曲がってまたドアを抜けた。廊下の至るところにドアが設けられている、という印象だった。

「なんでこんなにドアがあるわけ」

「遮光のためだよ」辰巳は笑う。「もともとが廃屋でね。建物がかなり傷んでいたし、何の弾みで光が漏れるか分かったものじゃないからね」

正雄は奇妙な感じを受けた。自分の身体の中に感じていた違和感は、少しずつ消えていた。だからいっそう、そこまで光を恐れる必要があるのか、という気がした。

玄関に辿り着いた。上がり框の先には壁が築かれ、ここにも堅牢なドアが閉じている。辰巳はそれを開けた。三和土の向こうに、内外から板で裏打ちされたガラス戸が閉じている。ドアに外から鍵をかけ、この鍵も近くの釘に下げて、辰巳はガラス戸を開いた。

「とりあえず、そこにある靴を使うといい。サイズが合わないだろうけど、あとで世話をする者に言えば、なんとかしてくれる」

「世話係みたいなのがいるんだ」

「いるよ。村に下りて犠牲者を襲う勇気のない役立たずがね」

辰巳の声は冷ややかだった。「役立たず」という言葉に込められた侮蔑を嗅ぎ取り、正雄は背筋を緊張させた。正雄はこれまで特別、駄目な子供だった。けれども甦生して第二の生を得たのだ。断固として「役立たず」にはなりたくなかった。

「仕方ないので攫ってきた羊で養ってやっている。その代わりに連中は、他の者の面倒を見るんだ」

ガラス戸の外には、冷えた夜気が広がっていた。暗い夜の中だった。出てきたばかり

の建物の周辺には、荒れた棚田と建物がいくつか並んでいる。だらだらと登る坂の左右に点在する家と田畑、それを取り巻く暗い山、蓋するのは満天の星空。どれもこれもが蒼褪めて見えるのは、正雄の視覚が変容しているからだった。

「ここ……どこ？」

正雄はその風景に見覚えがなかった。山の中のごく小さな集落だということだけが分かった。

「どこだと思う？」

正雄は風景を見渡した。真っ暗な集落の畦や地所を、徘徊する黒い人影が遠目に見える。

「分からない。村の近く？」

「すぐ近くだね」

正雄は首を傾げ、そして思い至った。

「——山入」

辰巳は笑う。

「そう。御名答」

夏の最中、老人が死んだ。それきり住人が絶えた山間の集落。正雄が出てきた建物は、その集落の最も下にあった。一軒だけ、周囲の建物とはわずかに距離を保っていたが、

すぐ間近の田圃は均され、コンクリート・ブロックが積まれている。建物が建てられようとしているようだった。

「吸血鬼の村……」

　正雄が呟くと、辰巳がやんわりと訂正する。

「屍鬼、と言うんだそうだよ。何と呼んだところで実状が変わるわけじゃないが、上の人は吸血鬼という呼び名が嫌いなんだ」

「上の人？」

　辰巳は頷く。

「桐敷家の人々」

　そうか、と正雄は頷いた。養われ、雑用をこなす人々を最下層に、桐敷家を頂点とする階層がここにはあるわけだ、と納得した。

　辰巳は先に立って、細い坂を登る。真っ暗な夜の中、真昼のように往来する人影があるのが異常だった。明かりひとつ持たず、蒼い闇の中を蠢く黒い影。それは所用でもありげに足早に道を横切り、あるいは建物に出入りをする。

「あいにく、一人に一部屋を与えてあげられるほどの余裕はない。基本的に四軒ほどの家に分散して共同生活をすることになる。他の家にも手を入れて、住居として使えるように造作をしているけれども、なかなか追いつかなくてね」

「へえ……」

「賄いに訊けば、余裕のある建物を教えてくれるだろう。ここ以外にも、隠れ家になる場所がないわけじゃないが、君はまだ仲間になってわずかだから勧めない。しばらくは山入にいたほうが安全だ」

正雄は頷き、それから、と問う。

「それから？」

「どうすればいいんだ？　食事は自分の手でなんとかしないといけないんだよね？　それ以外には何をすればいいわけ？」

辰巳は笑った。

「特に義務のようなものはないよ。君に求められているのは、基本的に、自分の食い扶持は自分でなんとかする、ということだけだ。まあ、山入の采配は、佳枝さんが執っている。他はあの人に訊くんだね」

「佳枝？」

辰巳は闇の中、黒々と聳える家を示した。

「あの家。——あそこも、もともとは村迫というんじゃなかったかな。蔵のあるあの家にいる。あそこが集会場代わりになっていてね、佳枝さんと佳枝さんの手伝いをしている人たちが住んでいる。夜に起きたらまず、あそこに顔を出すようにするといい。そう

すれば、やることがあれば割り振ってくれるだろう」

正雄は頷いた。

「あとは時間をどう使おうと、君の勝手だ。好きにしていい。ただし最初のうちは、狩りをするので精一杯で、なかなか時間の余裕も見つけられないと思うけどね。しばらくの間、狩りに出るときは誰かと行動を共にするように。まだ一人で行動しては駄目だ」

「襲う相手は好きに決めていいの？」

「まったくの自由とはいかないな。色々とね、ぼくらには長期的な展望というものがあるんだよ。——誰か、襲いたい奴がいるかい？」

正雄は頷いた。

「知り合い」

「歳（とし）は？」

「いくつだったかな。高一」

「高校生なら構わない。村外に通勤や通学する人間は片付けておく必要があるから。何といったかな——君の友達かい？　武藤保、とかいう」

「違うよ。結城」

辰巳は少し考え込むようにした。

「なるほどな。——しかし、それは駄目だ」

「どうして」

「彼はもう、襲われているんだよ。別の仲間が襲っている。割り込みは駄目だ。暗示が効きにくくなるからね」

正雄は苛立(いらだ)つものを感じた。

「自由にしていいって言ったのに」

「都合があるとも言ったろう。彼は駄目だ。第一、君が襲うまでもなく、じきに死ぬ。もう三夜目か、それくらいにはなるはずだからね」

「だったら、止(とど)めだけでも刺させてよ」

「駄目だ。彼はね、ちょっと特別なんだよ。デリケートな取り扱いを要するんだ。ぼくが直接、襲撃を采配している。駄目だ。彼は諦(あきら)めるんだね」

そんな、と正雄は辰巳をねめつけた。辰巳は正雄を冷ややかに見る。

「教えてやったろう。逆らわないことだ」

正雄は返答に詰まり、そっぽを向いた。

甦生してもやはり正雄の思う通りには物事は進まない。それが腹立たしかった。正雄は「特別」だと言われてきたが、これはネガティブな評価でしかなく、誰一人として「特別」なようには扱ってくれなかった。そして、夏野は「特別」なように見えた。都会から転入してきた少年。言動も思考回路も村の者とは違っている。友人のような父

母、一人っ子。成績は良くて、宗貴のように協調性のあるタイプではなかったけれども、それでも人望はあった。やりたいように勝手にやっているにもかかわらず、周囲からは大事にされていたし愛されていた。なんの悩みもなく、なんの不運に出遭うこともなく、周囲を見下して生きていた奴――そう、正雄は夏野を捉えている。

夏野を見ていると、自分は少しも「特別」ではないのだと感じなければならなかった。年下のくせに正雄を見下す。謂れのない軽蔑のようなものを、正雄は常に夏野から感じていた。

――ここでもあいつが特別なのかよ。

正雄は苛立った。そんな正雄を一瞥し、辰巳はまっすぐに蔵のある家に向かう。周囲には人影が多い。それらの人々は辰巳に向かって一礼し、怯えたように逃げていった。辰巳はここでは畏怖されているのだと悟った。

辰巳は家のガラス戸を開ける。それは外から見ると、単なる廃屋の戸にしか見えなかったが、中に入ると内側からしっかりと裏打ちされている。三和土の先、上がり框の前にドアがしつらえられているのも、正雄が出てきた建物と同様だった。ひとつだけ違うのは、ドアを開けると明るい照明が点っていたことだ。

明かりが目に滲みて、正雄は瞬く。辰巳が低く笑った。

「明かりは必要ないはずなんだけどね。けれども、みんな不思議に明かりをほしがる

な」

目が光に慣れると、色彩が戻ってきた。黒い床板、白い壁。そして襖。壁はきちんと塗られている。つい最近、塗られたのだろう、目に痛いほど白かった。そのせいか、あるいは単純に明かりのせいか、まっすぐに延びる広い廊下には、どこか心安気な気配が漂っている。

「廃屋なのに電気が通ってるんだ」

「器用な者がいてね。架線からこっそり引いてきているんだ」

またドアを抜けた。とたんに人の話し声が押し寄せてきた。廊下の左右に面した襖が開け放され、両方の部屋に人影が見える。座卓を囲んでくつろいでいるふうなのが、奇妙だった。茶の間らしい部屋のほうでは、中年の女が坐（すわ）り机に向かっている。正雄らを認めて腰を上げた。笑顔を浮かべて廊下に出てくる。

「もう出てきたの？　早かったのね」

辰巳は正雄を振り返った。

「佳枝さんだよ。――彼を頼む、佳枝さん。それから、下の家。奥のふたつは駄目だ。運び出して埋めたほうがいい」

佳枝は頷いた。

「人をやるわ。羊の残骸（ざんがい）は？」

「脇に並べておいたよ。おそらく駄目だろうと思うけどね」

そう、と佳枝は頷いた。正雄に目をやり、にこりと笑む。

「少し辰巳さんと話があるから。今日はもう食事は済んでいるのね？　だったら、誰かとお喋りでもしていて」

佳枝は座敷のほうを示した。

「外に出てもいいけど、あまり建物を離れないでね。話が終わったら声をかけるわ」

正雄は頷いた。茶の間の襖が閉められる。所在なく座敷を覗き込み、なんとなく新入りには入りにくいものを感じて表に出た。ドアと戸と、二重に遮蔽され、家の外に出ると中の明かりはまったく見えない。見上げた家は単なる廃屋にしか見えなかった。廃屋にしては大きい、それだけだ。

地所の隅で、女が三人ほど立ち話をしている。その脇で子供が一人遊んでいた。納屋の前にもたむろする人影が見える。あまりにも日常的な風景。建物が廃屋じみており、灯火がまったくないことだけが日常性を欠いている。単純な、けれども根本的な異常。だからこそいっそう異様な感じがした。

正雄はおずおずと納屋のほうに近づいてみる。納屋の手前、涸れた小さな池の縁に、一人の男が腰を下ろしているのに気づいた。男は正雄に気づき、悄然と垂れていた顔を上げた。明かりはなかったが、正雄の目は相手の容貌を見て取っていた。

「──徹ちゃん」

徹は唖然と腰を浮かし、そして顔を背けた。

正雄は小走りに徹の側に駆け寄る。もう会えないのだと思っていた。文字通り、永久の別れが来たのだと。だが、そうではなかったのだ。

「そうか、徹ちゃんも起き上がってたんだ」

正雄は笑った。徹はしかし、にこりともせず、まるで忌まわしいものを見たように顔を背ける。

「……何だよ」

正雄が口を曲げると、徹は深い溜息をついた。両手に顔を埋め、低く吐き出す。

「なんでお前まで起き上がんだよ」

「……おれ、起き上がったの、悪かったみたいだな」

徹は正雄を見上げ、そして顔を歪めた。

「お前、自分に何が起こったか分かってるのか？」

「分かってるよ。死なずに済んだんだ。徹ちゃんはそれ、喜んでくれないんだな。まるでおれなんか死んだほうが良かったみたい」

「そうじゃない」

そんな意味じゃない、と徹は口の中で繰り返すように言って立ち上がった。正雄を避

けるように面伏せ、足早に地所を出て行く。

「何だよ……それ」正雄は徹を憤然と見送った。「おれが死んでないのが気に入らないのかよ！」

徹は振り返らない。裏切られた気分でそれを見送っていると、唐突に間近で声がした。

「気にしないほうがいいわよ」

振り返ると、同世代の少女が立っている。その顔には見覚えがあった。

「お前……清水か？」

清水恵は頷く。

「そう。あんた、村迫の米屋の息子ね」

正雄はふてくされて頷く。恵は髪を掻き上げた。

「気にしないほうがいいわ。あの人はちょっと今、ナーバスになってるの。甦生したのを悔やんでる」

「なんで？」

「獲物を指定されたからでしょ。知り合いを襲うよう命じられて、それで気が咎めているのよ」

「……知り合い？」

「そう。辰巳さんの意地悪。徹ちゃん、最初から餌食を襲うのに及び腰だったから」

恵はそう言えば、武藤家の兄弟と付き合いが古かったのだと思い出した。

「辰巳さんは、そういう人には意地悪をしたがるの。人殺しは嫌だなんて言う人にはね、わざわざ知り合いを襲わせるのよ。知り合いを襲うのは、それでなくても複雑な気分がするものだし。いつもの狩りと少し違う。人殺しをするんだって気がする」

「仕方ないだろ。もう襲わないと生きていけないんだから」

そうね、と恵は肩を竦(すく)めた。

「仕方ないけど気は咎めるわ。徹ちゃんは最初から人殺しを嫌がってたから、だからわざわざ知り合いを襲わせて人殺しをさせてるの。村にいちゃ、都合の悪い人が現れて、それで双方に対して嫌がらせをしてるのよ。そういう皮肉の好きな人だから、辰巳さんて」

「都合の悪い人？」

「──ハンター」

正雄は首を傾(かし)げた。恵は軽く息を吐く。

「あたしたちの存在に気がついた人がいたってこと。怯えて家に隠れてればいいのに、屍鬼をなんとかしなきゃって思っちゃったのね。だからハンター。狩人は駄目なの。許されない。粛清されるのよ」

正雄は眉(まゆ)を顰(ひそ)めた。

「それ……まさか、夏野か？」

恵は目を見開く。

「そう。知ってるの？……知ってるわよね。あんた、徹ちゃんのところに始終、出入りしてたんだもの」

正雄は頷く。そうだったのか、と複雑な気分で思った。夏野を徹が襲っている――それが徹にとってひどく残酷なことだというのは分かる。だが、夏野のほうは気にしないだろう。きっと徹だろうと誰だろうと、平然と狩るのに違いない。そういう奴だと、正雄は思っている。

「獲物を指定されることがあるんだ……」

「あるわよ。獲物を選んでも駄目って言われることもあるし」

「自由にしていい、って言ったのにな」

恵は顔を歪めた。

「そんなの、本当のはずがないじゃない」

正雄が見返すと、恵は自嘲するように笑みを零す。

「あたしたちはね、飼い犬なのよ」

「辰巳さんは仲間だって言った」

「口だけよ。ここは飼い犬の住処なの。自分の我を通したいと思ったら、兼正に行かな

きゃ駄目」

「兼正……？」

「あそこが飼い主の住処なのよ」

そうか、と正雄は前歯を噛み合わせた。鋭利な歯が上顎を刺し、苦いものが広がる。同時に麻痺するような酩酊感。

「それ、やめたほうがいいわよ」

言われて、正雄は恵を見返した。

「自分の口の中を刺してるでしょ。それをやる癖がつくと、やめられなくなるの。口の中がぐずぐずになってる人もいるもの。アル中みたいになって、分別がなくなって使い物にならなくなる。そうなったら木偶の仲間入りよ」

「木偶？」

「養ってもらわないと食事もできない人たち。佳枝さんがそう呼ぶの。奴隷みたいなもんよね」

そうか、と正雄は口を歪めた。自分は仲間になったのだ、起き上がったのだという高揚感は、今や見る影もなく萎んでいた。

「起き上がったっていいことなんか、何もないわ。飼い犬みたいに扱われて、狭い家の中に押し込められて。毎晩、山道を越えて村まではるばる狩りをしに行くの。その狩り

だっていちいち指図される」

恵は低く吐き出した。

——こんなはずじゃなかったのに。

恵はお屋敷の住人の仲間になった。仲間に加えたのは桐敷千鶴だ。なのに恵の生活は、少しもお屋敷の住人のようではなかった。山の中に隠れ、夜になると下生えを掻き分けてさまよい出、浅ましい食事をする。人目を避け、山に戻り、惨めな建物の中で死人のように眠る。

(村を出たい……)

けれども、出る方法なんかどこにもない。恵たちは厳しく監視されており、行動の自由はない。だから、せめて。

恵は夏野を仲間にしたかった。せめてここに夏野がいればどんなにかいいだろう。なのに誰を襲うかでさえ、佳枝に指示されねばならないのだ。狩りの合間、恵はしばしば夏野の家を訪ねていたが、それだって辰巳や佳枝に知れれば、厳しい叱責を食らうだろう。

「くそ……。何だよ、調子のいいことばっかり言いやがって。あの野郎」

「そういう口の利き方はしないことね。上の人に逆らわないことよ。特に辰巳にはね」

「あんな奴」

「逆らうと罰を受けるから」

ふん、と正雄は鼻を鳴らした。

「干されるわよ。部屋に閉じ籠められて、食事をさせてもらえない」

「そのくらい」

「甘く考えないほうがいいわね。そりゃあ、一晩二晩、食事をしなくても平気だけど。でも人と違ってこの身体は、飢えたからってぐったりしたりはしないから。起き上がってからの飢餓は、人だった頃の比じゃないの。ものすごく苦しいんだから」

まさか、と正雄は恵を見た。恵は素っ気なく頷く。そう――苦しいのだ、本当に。

「それだけじゃない。寝てる間に外に引き出されることもあるの。あたしたち、陽の光が当たると身体が焼け爛れちゃうから。辰巳は平気なの。昼間にも起きてられるし外を歩ける。そりゃあ火傷ぐらい、すぐに治るけど、身体に火を点けられるようなもんだもの。あれをやられて、その後も辰巳に逆らえた人なんて一人もいないわ」

「そんな……じゃあ、おれたち、本当に飼い犬のようなもんじゃないか」

「だからそう言ってるでしょ」

正雄が顔をさらに歪めた。開いた口が、今にも罵倒を撒き散らしそうに見えたが、恵はそれを止める。地所を横切って、辰巳と佳枝がやって来るのが見えた。

「――こんばんは」

恵が声をかけると、辰巳は頷く。まっすぐに恵を目指して近づいてきた。

「君は今、空いてるんだって?」

「空いてます」

「じゃあ、頼みがあるんだけどな」

「襲うんですか、誰かを?」

辰巳は頷く。

「君の友達に田中かおりという子がいるね」

恵は眉を寄せた。

「まさか……かおりを?」

「その父親を。君なら誰が父親なのか分かるだろう?」

「分かりますけど。……かおり、何かしたんですか」

辰巳は微笑(ほほえ)んだ。

「工房の結城くんと結託してね」

恵は目を瞠(みは)った。

「結城……」

「手に手を取って、狩人ごっこをしてたんだよ。それでお仕置きが必要なんだ」

恵は手を握りしめた。胸の中にどす黒いものが満ちた。脅され、囚(とら)われた自分の惨め

な暮らし。こんなはずではなかったのに。戻れるものなら、今からでも人に戻りたい。そのほうが数段ましだった。そして人のまま留まっているかおりが、恵のものを奪おうとしている。暖かい家に留まり、両親の庇護の下、夏野に接近して――。

「やります」

恵は呟いた。

恵はもう、夏野に会うことも言葉を交わすこともできないのに。

5

「今に後悔するからね！」

郁美はアスファルトに両手をつき、背後に向かって毒づいた。大川富雄が軽蔑も露わに郁美を見下ろし、ものも言わずに店のシャッターに手をかける。起きあがり、駆け寄って大川を蹴りつけてやりたかったが、店の照明を背負い、逆光になった大川は、いかにも巨大に見えた。郁美が小さく、道路に倒れ伏していればなおのこと。憤りで息をついている間に、シャッターは閉じた。ドアが閉じるよりも、それは郁美に拒絶された、という気分を催させた。

「なによ！　人が親切で教えてやってるんじゃないの。おまけにあたしは客なんだか

ら」

郁美は立ち上がり、シャッターを軽く蹴った。大川酒店のカウンターで飲んだ酒が、郁美の感情に強い起伏をつけていた。

カウンターで飲んでいるうち、村での不審事の話になった。近頃の村ではよくあることだ。郁美は同じく飲みに来ていた西田老人に、兼正だ、起き上がりだと教えてやったが、これは侮蔑めいた笑いをもって受け流された。大川があからさまに揶揄し、清水園芸に郁美が乗り込んでいったことを責めるに至って、口論になった。いや、最初は口論などというものではなかったのだ。皮肉の応酬のようなもの。口調は軽いが、明らかにその場の雰囲気は険悪になっていった。残っていた西田老人が這々の体で逃げ出し、大川が郁美を追い返しにかかった。郁美だってそれ以上、大川の顔など見ていたくなかったが、郁美には所持金がなかった。

「なによ、この守銭奴が」

郁美はシャッターに向かって吐き捨てた。郁美は時折、ここに飲みに来るが、酒代を持ってきたことは一度もなかった。カウンターでたむろする連中に声をかければ、一緒に飲んでいかないか、という話になる。持ち合わせがないから、と言えば、たいがい誰かが奢ってくれた。今夜も、西田老人がそう言っていたのだ。それが郁美のぶんの勘定を忘れて先に帰ってしまったものだから。

そういうことは、これまでにもままあったことだ。大川も心得ていて、郁美から代金を取ったことがない。奢ると言っていた誰かにあとから請求するのかもしれなかったし、どうにか辻褄を合わせていたのかもしれない。そもそも郁美は酒に強くない。飲むと言っても日本酒か焼酎をコップ一杯、長々と時間をかけて舐める程度だ。だからこれまで、特に代金を払えと強く迫られたことはなかった。

「たった一杯の安酒じゃないの。それを、なによ！　人を泥棒みたいに！」

金を払えと迫られ、西田老人の奢りだと主張すれば、たかりのように言われた。あげくには郁美の振る舞いを異常だ、愚かだと非難し、店の外に文字通り突き出した。

「伯父さんのことを言われたのが気に入らないんでしょう！　本当のことじゃないの。あんたんとこの伯父さんが、鬼になって害毒を流してんのよ！　ちょっとは村の人に済まないと思ったらどうなのよ！」

郁美はもう一度、シャッターを蹴った。神がかったことを言う、と胡乱な目で見られることには平然としていられたが、たかりのように言われ、盗人のように言われたのは、このうえない侮辱だと感じた。

「あたしを馬鹿にしてるんじゃないわよ！　今に後悔するからね！」

近頃ではぽつぽつと村人が相談にやって来るようになっていた。郁美の前で殊勝に頭を下げ、手を合わせる。郁美の書いた札を持って礼を言って帰っていく。それが郁美の

自我を肥大させていた。自分はひとかどの人間になったのだ、という高揚感。それを正面から非難するのではなく、まるで卑劣な足払いをかけるように、たかり呼ばわりして侮辱した大川が許せない。

郁美がもう一度、シャッターを蹴ったとき、店のすぐ脇（わき）の路地からうっそりと大川篤が現れた。父親似の息子は、郁美を凄（すご）むように見据えた。

「何してやがんだ」

ふん、と郁美は鼻を鳴らす。篤の若く大きな身体に気後れを感じたが、それを見透かされたくはなかった。

「あんたの知ったことじゃないわ」

「今、店のシャッターを蹴ってただろうが」

「それが何よ。あんたの親父（おやじ）もあたしに暴力を振るったんだからね。おあいこよ」

「勝手なことを言ってんじゃねえ」篤はずいと前に出てくる。「只（ただ）飲みしようとしやがったくせによ」

冗談じゃない、と郁美は言いかけたが、篤の蹴りが飛んできて、言葉は悲鳴になった。

「いかれた婆（ばば）ァのくせに、粋（いき）がんじゃねえぞ」

「やめて！　やめてよ！」

郁美は路面に転がって身を縮めた。篤がいかにも馬鹿にしたように笑った。郁美は悲

鳴を上げたが、夜道には人気がない。店は村道に面した角地で、向かいは公民館だ。何事だろうと窓を開ける者も、道に飛び出してくる者もない。篤、とどこからか加害者を止める声がしたが、それは大川の声で、それがいっそう郁美の矜持を傷つけた。

「相手にすんじゃねえ」

大川の怒声がシャッターの奥から響く。それでようやく、蹴りがやんだ。恐る恐る顔を上げた郁美に、突然、水が勢いをつけて浴びせかけられた。

「飲みたきゃ、こんなもんでもたらふく飲めよ」

篤が笑う。郁美は両手を振りまわし、ホースの水を避けながら、這ってその場を逃げ出した。悔し涙が滲んだ。篤の哄笑を聞きながら角を曲がって村道に逃れたときには、嗚咽になった。

「ちくしょう……覚えといで」

郁美は歯ぎしりをする。ずぶ濡れになった自分の有様が、救いようもなく惨めな気分にさせた。

「誰が正しいのか分からせてやるから――偉いのは誰なのか、絶対に思い知らせてやるからね」

6

「徳次郎さんはどうだった」と、私室に入るなり敏夫に問われ、静信は首を振った。

「入院は嫌だそうだ。たしかに台詞を言い含められたような口調だった」

それで、と問うので、効果があるかどうかは分からないが、仏間に移し抹香と念珠を身に着けさせ、縁側に面して経典を置いておいた、と説明した。

「それで撃退できると思うか？」

「分からない。……あの家はすでに屍鬼に対して開かれている。経典で塞いできたのは付け書院だけだから、さほどの効果は期待できないかもしれない」

それこそ、襖という襖に経文なり陀羅尼なりを書写すれば、それなりに効果があるのかもしれなかったが、試してみるわけにもいくまい。——そう言うと、敏夫は苦笑した。

「まったくだ。あまり素っ頓狂な振る舞いをするわけにはいかんしな。それでなくても信じがたい事態だってのに、このうえ奇矯なことをやったんじゃ、それこそついてくる者もこなくなる」

静信は頷いた。

「入院は嫌だと言う以上、徳次郎さんにしてやれるのはそこまでか。入院を拒絶される

と痛いな。徳次郎さんは同居する家族も絶えたような有様だから、そこまでできたが、これで家族がいたら手も足も出ん」

「ああ……」

「ところでお前、桐敷家の江渕さんが診療所を開くって話は聞いたか？」

いや、と静信は目を見開いた。

「――本当に？」

「下外場にコンビニがあったろう。あそこを改装して診療所にするようだ。しかし、何のために？」

「まさか、そこを汚染の拠点にするため？」

さあな、と敏夫は呟いた。

「だいたい――そもそも連中は、なんだってこんな村に越してくる気になったんだろう。おれは不思議に、今日までそれを考えてみたことがなかったんだ。いるもんはいるんだから、という気がしていたんだが」

「屍鬼が増えるのには、絶好の場所だと言ったのはお前じゃなかったか？」

「そう。……たしかにそうだ。ここじゃ未だに死人を土葬にする。屍鬼にとっちゃ火葬は都合が悪い。しかし連中はどうして、村じゃ未だに土葬だと知ったんだろうな」

さあ、と言いかけ、静信はかつてそれを自分自身が書いて発表したことを思い出した。

たしか昨年の春の話だ。そのエッセイを沙子も読んだと言わなかっただろうか。

「……まさか」

「うん？」

それがそもそもの元凶だったのだろうか。屍鬼にとって火葬は都合が悪かろう。仲間を増やすのに火葬は大きな障害になるはずだ。屍鬼という存在がありながら、今日までそれが知られていなかったのは、ひとえに火葬の風習のせいだろう、という敏夫の推測は正しいのだろうと思う。

――だが、土葬にする場所があれば、屍鬼はそこで増殖できる。静信の書いたエッセイが目に留まる。村では未だに土葬にする、墓所は山の中だと、静信はそう書いた覚えがあった。

「どうした？」

「ぼくが書いたせいかもしれない」

敏夫は険しい表情をした。

「村は死によって包囲されている、――あれか」

静信は頷いた。

「しかし、あれには村の名前は書いてなかっただろう」

「読めば著者の住んでいる村だということは分かる。著書の略歴を見れば、だいたいの

住所は分かるし、あとは地理的な条件を考慮しながら地図を探せば、見つけることは可能だ」静信は俯く。「……そう言ったんだ。桐敷の娘さん自身が」

「……おい」

「たしかにそうだろうと思う。エッセイを読む。どこなのか探す。そして──」

「関係者を当たる、あるいは実際の状況を確かめる。前に妙なリゾート開発の話があったろう。調査員だって男が来て、しばらく徳田屋に滞在してあちこちを調べていった」

たしかに、と静信は呟いた。敏夫はさらに記憶を探るようにする。

「実際に調べた結果も、好ましい立地条件に見えた。連中は村に侵入をもくろむ。兼正の家を手に入れて──」言いかけて、敏夫は大きく息を吐いた。「兼正の先代は急死したんだ。誰にも何も言わず、独断で地所を桐敷氏に譲っていた」

そもそも、そこから始まっていたわけだ、と静信は暗澹たる気分になった。同様の気分がするのか、敏夫はいかにも苦々しげな表情をする。

「連中は周到だ。おれたちが考えていた以上に。こっちはやっと屍鬼の存在に気づいたばかり、とりあえず奈緒さんと秀司さんが墓にいないことは確かめたが、実際に撃退する方法も水際で増殖を止める方法も見当がつかない。まったくの五里霧中だってのに、連中は一年以上も前から準備をして用意万端、整えていたんだ。──だが、なぜだ？」

「なぜ？」

「連中は計画的に村に侵入してきた。だが、それは何のためだ？　準備に一年以上もかけているんだぞ。単純な思いつきなんかじゃない。それなりの目的があって、そのために計画を立て、それを着々と実行に移しているんだ。だが、その目的ってのは何なんだ？」

「だから、それは増殖――」

「増殖してどうするんだ？　火葬は屍鬼が増えることを確実に抑止してきたんだろう。その意味で、外場は屍鬼にとって有利な土地なのかもしれん。だが、屍鬼がそんなに増えてどうする。自らの勢力を拡大すべく動くのは、人間にとって第二の本能みたいなもんだが、無目的に増えたところで肉食獣だけが増えるようなもんだ。連中はそのうち、この村の人間を食いつくすぞ」

　たしかに、と静信は呟いた。

「おまけに江渕クリニックだ。そこを汚染の――増殖の拠点にすれば、たしかに今以上の速度で増殖していけるのかもしれん。だが、今でも連中は、やりすぎてる。これ以上死人が増えれば、絶対に誰かが注目するぞ」

「葬儀社……」

「え？」

「葬儀社ができるんだそうだ。できたんだったかな。上外場の木工所を改装して葬儀社

ができる」

「埋葬を請け負う?」

「おそらく」

敏夫は唸(うな)った。

江渕クリニック、外場葬儀社、双方は相似形を描く。無関係だとは思えない。もしも外場葬儀社の設置に桐敷家が一枚嚙(か)んでいるとしたら、その目的は何だろう。自分たちで葬儀を行ない、埋葬を行なう。すると確実に言えるのは、起き上がる仲間を墓から救い出す労力が減る、ということだ。秘密裏に墓を暴(あば)く苦労は、静信も身に滲(し)みている。連中はおそらくそれを続けてきた。どうやってか、墓の下の死体が起き上がるかどうかを確認し、起き上がるとあれば墓を暴いて救い出し、墓を埋め戻してきたのだろう。連中が埋葬を代行することができるようになれば、その労力を軽減すべく前もって何らかの処置ができる。事態が露見する危険性は飛躍的に減少するだろう。増殖は加速する。

——けれども敏夫の言う通りだ。そんなに増えてどうしようというのだろう?

「何か目的があるんだ」敏夫は答えを読み取ろうとするかのようにじっと宙に目を凝らす。「目的があって、そのために連中は周到に計画して、それを推進している。おれたちがどうしていいか、方策さえ見つけられずにいる間に」

それきり敏夫は沈黙した。静信は、敏夫が「だから屍鬼を狩ることが必要だ」と言い

出すのではないかと背筋を寒くしていたが、幸いなことに何も言わなかった。
実際のところ、敏夫もそれを言いたかったが、幼馴染みの気性は分かっているから、あえて持ち出さなかった。それだけでなく、屍鬼が何を考えているのか、狩ると簡単に言うものの、実際にどうやって狩ればいいのかを考えざるを得なかった。連中は極めて周到で計画的だ。敏夫が静信の手を借りて、場当たり的に対抗して、それで事態を止められるものだろうか。

後ろめたいふうに敏夫を見る静信を送り出し、敏夫は一人、しばらく自室で考え込む。連中が何を考えているのかは分からないが、対抗するなら、こちらも計画的に当たる必要がある、そう思えてならなかった。

じっと考え込んでいたときだった。家のどこかで何かが盛大に倒れる音がした。敏夫は腰を浮かす。棚か机か、そんなものが倒れた音に聞こえた。自室を出て居間のほうに向かうと、寝間着姿の母親が狼狽したように廊下をやって来るところだった。

「何の音? 何かが割れたようだったけど」

「さあ」と、敏夫は答え、手近の部屋を覗く。どこにも異常がないのを見て取って二階に上がった。階段にいちばん近いのは、かつての敏夫の私室——現在では夫婦の寝室という名目でベッドが置かれている部屋だった。ドアを開けると、とたんに強い化粧品の匂いがして、鏡台に突っ伏した恭子の姿が見えた。

「——おい」

敏夫は飛び込む。恭子はドレッサーに突っ伏して、夜着の胸のあたりを握りしめている。払い落とされたのだろう、化粧品の瓶が床に散乱し、蓋の開いたいくつかがカーペットに染みを作っていた。

「敏夫、何事なの」

金切り声を上げる孝江を制して、スタンドの光を向け、恭子の顔を覗き込む。一目でチアノーゼだと分かった。呼吸困難を起こしている。気道を確保し、呼吸を観察する。自発呼吸はある。非常に速いが喘鳴が混じって浅い。——大丈夫だ、とわずかに息をついた。一刻を争う状況ではない。救急車を呼ばなくとも敏夫に処置できる範囲内だ。

「母さん、足を抱えてくれ。処置室に運ぶ」

「嫌ですよ、わたしは」

嫌悪を露わにした母親を、敏夫は怒鳴りつけた。

「抱えるんだ！　死なせたいのか！」

孝江は怯えたように目を見開き、恨みがましい目をしてから恭子の足を抱えた。四苦八苦して階段を降ろし、病院棟に運んでストレッチャーに移す。

「敏夫……恭子さんは」

「大事はないと思うが、何とも言えない。処置をするから、やすよさんに電話してくれ。

事情を言って大至急、手を貸してほしいと」

孝江は、おろおろと頷く。

「橋口さんね」

逃げるように母屋に帰っていく孝江を見送り、敏夫は自分の妻を見下ろした。気道を確保するために手をかけたときに気づいた。頸部静脈に沿ったふたつの癤。

なぜ、気づかなかった。そう言えば、このところ恭子は妙におとなしかった。帰ってくれば孝江と諍いが絶えないのに、今回はそれがない。まるで存在しないかのように部屋に引き籠もったまま、敏夫もその存在を失念していた。

あれだ。――しかも後期に入っている。

どうして、と自分を責めたい気がした。なぜ連中が自分たちを避けて通ってくれるなどと思ったのか。連中が犠牲者をどうやって選んでいるにしろ、確率から言っても、自分たちだけが無事に済むはずがない。いつ身辺に被害が及んでも不思議はなかったのだ。むしろ、これまで無事で済んだことのほうが幸運だった。

そこまで考えて、敏夫はぎょっと宙を睨んだ。――これまで無事だったのだろうか、本当に？

「徹くんがいる……」

そう、武藤の息子はもちろん連中の餌食になったのだ。そして？

「……やられた」

突然の辞職。

レントゲン技師の下山、そして十和田。彼らが犠牲になったのではないと、どうして言えるだろう？

7

田中は疲れた身体を引きずるようにして役場をあとにした。もう十一時を過ぎている。村にとっては深夜と言っていい時間帯だった。

（何かがおかしい……）

田中はこのところ、何度もそう胸の内で呟く。いつの間にか習い性になっていた。

そう、おかしい。田中は背後を振り返る。小さな出張所には煌々と明かりが点いている。こんな夜遅くまで役場に明かりが点いていること自体、おかしいと思う。

もちろん、窓口は五時で閉まっている。受付時間が変更になったわけではない。ただ、役場の人員が減っていた。保健係の石田は失踪したまま行方が知れない。他にも退職した者があり、辞めて転居した者がいる。欠員を埋めるべく、新しい職員が二人、入っていたが、それらは全員、臨時雇用で、しかも夜にしか現れない。

そもそも、と田中は思う。あれはちょうど石田が消える前だっただろうか。所長が辞職した。体調を崩したと言って突然、辞職し、後任の所長がやって来た。今泉というその新所長は、着任したなり体調を崩し寝込んでいる。欠勤が続いたまま、まだ一度も役場に現れていなかった。

所長の決裁がなければ役場は動かない。次長の小川が新所長の家に日参して、とりあえず判をもらっていたが、昼間は寝ているのか、戸締まりをしたまま応答がない。夕飯時になると起き出してくるようなので、小川はわざわざすべての業務が終わったあとに所長の家を訪ねていた。人手も足りない。補充されるのは夕方になってからだ。所長の決裁がもらえるのも夕刻を過ぎてから、なので勢い残業が増える。昼間は窓口にやって来る住民の相手をしながら、することもなく暇をつぶし、実際の業務は窓口が閉まってから――その状態がもう五日ほど続いていた。

(そして、死亡届……)

田中の手許には、どうすればいいのか分からない死亡届のコピーが溜まっていた。石田がいない。だからそれをどうしていいのか分からない。もうコピーする必要もないようなものだったが、なんとなく田中はそれをやめられなかった。時折、思い切って自分が尾崎なりに届けようかとも思う。けれども尾崎の敏夫から問い合わせや指示があったことはなく、石田と尾崎がやっていた何事かは、石田の失踪を契機に、完全に棚上げに

なっている様子だった。

そのこと自体に不安がある。これは棚上げにしていいようなことではないはずだ。それとも何か状況が変わったのだろうか。ひょっとしたら事態は出張所の手を離れ、溝辺町のほうに掌握されることになったのかも。コピーを持って町のほうに連絡をし、確認してみるのもひとつの手だが、それも躊躇われた。形のうえでは溝辺町に併合されていても、村は村だという気概が今も村人のどこかにある。内部のことは内部で処理する、外部の助けは借りない。それをすれば、余計に面倒で良くないことが起こるだけだという思考回路が、たしかに田中の中にも存在していた。

考え込み、何度も首をひねり、そのたびに何かがおかしい、と繰り返しながら、田中は夜道を歩いた。街灯の乏しい村の小道は、すっかり人通りが絶えている。時間のせいもあるがそれ以上に、田中は夜が変化しているのを感じていた。左右の家は灯を落とし、静まり返っている。それは不思議に寝静まっている、と言うより明かりを消して息を潜めている、という印象を与えた。人通りがないのは、人々が眠っているからでも家の中で団欒に興じているからでもない、単に夜を恐れて家の中に引き籠もっているのだ、という気がした。そんなふうに感じさせる何かが、冷えた夜気の中に漂っている。

奇妙な心細さ——禍々しさ。夜が怖い、闇に不安を覚えるのは、そもそも自分の存在が脆く希薄に思えるからだ。そう感じても無理もないだけの死と変事が、この村には続

いている。

田中は足早に家路を辿った。自分の足音がそれをつけてきた。まるで誰かに追われているような気がする。そんな不安が胸の中に淀んで拭えない。

家並みが途切れた。月光を浴びて広がっているのは田畑だった。そのうちのいくつかは放置され、荒れている。中にはひとつ、稲が刈り取られることのないまま放置されている田もあった。耕作者が転出していったのだろう。だが、役場にはただの一軒も届けが出ていない。

(何かがおかしい)

確信だけはあったが、何がどうおかしいのか、明確に表すことができなかった。それは尋常でない事態、これを表現する言葉を田中は持たない。言葉にならないような未知の異常——そんな感覚。

(おかしい……)

何度目にか呟き、田中は止めた足を急がせた。細い道の前方に人影が見えたのは、その時だった。

こんな時間に出歩く者がいたのか、と思った。何気なく足を運び、距離が詰まる。相手の相好が見て取れるほどになったとき、田中は足を止めた。思わず、ぽかんと口を開けた。

相手の声は屈託なく、近づいてくる足取りにも異常なものは何もなかった。見知った相手、日常的な仕草、あまりにも違和感がなく、かえって田中は混乱した。

「……恵ちゃん？」

恵は笑った。笑っていつも通りに会釈をする。何ひとつ変わらない、以前と。だが、何かがおかしい――圧倒的に。混乱した田中は、何がおかしいのか、それを捕まえることができなかった。会うはずのない人間に会ったという気分、だが恵は娘の親友だ。村で生まれ、村で育った。家もこの近辺、会っていけないはずがない。いや、それとも会うはずがない理由があっただろうか。混乱した一瞬、田中はそれを恵の失踪と結びつけた。そんなことがあった、という記憶と、会うはずがないという違和感が、ほんのわずかの時間、結びついて不幸な過ちを形作る。

田中は相変わらず足を止め、ぽかんとしたまま、恵に向かって手を挙げた。

「無事だったのかい。かおりが心配してたんだよ」

そう、と恵は呟く。もう間近に来ていた。立ち話でもするような調子で足を止める。田中に息がかかるほどの距離。恵はふいに俯いた。田中は混乱したまま、恵の視線の先を追いかけた。うなだれた首に腕が巻きついてきた。その冷えた温度に、田中はようやく悟った。

――恵は、死んだ。

声を上げ、押し除けようとすると同時に首筋に痛みがあった。なおも恵を押し戻そうとしたが、首に絡みついた腕がそれを許さない。恵だ、という恐怖と、恵だという躊躇。殴ってでも蹴ってでも振り解こうという行為に出ることができないまま、柔らかな酩酊感が押し寄せてきた。現実が遠ざかった。温度が、匂いが、音が遠ざかり、代わりに恵の腕の感触、首筋に押し当てられた唇の感触がすべてになった。現実と非現実が逆転し、田中を呑み込む。田中はぽかんと口を開けたまま、路面に佇んでいた。月の光を浴び、荒れた田は稲穂をつけたまま風に揺れている。

恵が離れた。

「……これは夢なの」

田中は頷いた。そうだ、夢だ。恵は死んだのだから。

「戸籍を破棄して」

田中はあらぬほうを見たまま眉を顰めた。

「破棄するのよ。誰も死んでないの。全部、間違いだったのよ。村では不幸なことなんて、何も起こっていない……」

田中は瞬き、そして頷いた。恵が絡めた腕を解いた。

「また会いに来るわ。今度は小父さんちに。窓を叩いて合図したら入れてね」

そう言い残して、するりと田中の側を離れ、畦道へと駆けていく。田中はその場に坐り込んだ。しばらくそのまま月を見上げ、そうして我に返った。

ひどい目眩がする。一瞬、我を失って朦朧とし、腰が砕けて坐り込んだ。その自覚だけがあった。

――朦朧とした一瞬の間に、何か夢を見たような気がする。

田中はそう思ったが、気のせいかもしれなかった。なんとか立ち上がり、よろめきながら家路を急いだ。疲れている、眠りたい。明日も仕事が待っている。

「……そうだ」

田中は呟いた。

「間違いを訂正しとかないと……」


(四へつづく)

小野不由美著
魔性の子

同級生に〝祟る〟と恐れられている少年・高里は、幼い頃神隠しにあっていたのだった……。彼の本当の居場所は何処なのだろうか？

小野不由美著
東京異聞

人魂売りに首遣い、さらには闇御前に火炎魔人、魑魅魍魎が跋扈する帝都・東京。夜闇で起こる奇怪な事件を妖しく描く伝奇ミステリ。

綾辻行人著
霧越邸殺人事件

密室と化した豪奢な洋館。謎めいた住人たち。一人、また一人…不可思議な状況で起る連続殺人！　驚愕の結末が絶賛を浴びた超話題作。

綾辻行人著
殺人鬼

サマーキャンプは、突如現れた殺人鬼によって地獄と化した――驚愕の大トリックが仕掛けられた史上初の新本格スプラッタ・ホラー。

綾辻行人著
殺人鬼Ⅱ
――逆襲篇――

双葉山の大量殺人から三年。血に飢えた怪物が、麓の病院に現われた。繰り広げられる凄惨な殺戮！　衝撃のスプラッタ・ミステリー。

桐野夏生著
ジオラマ

あたりまえのように思えた日常は、一瞬で、あっけなく崩壊する。あなたの心も、変わってゆく。ゆれ動く世界に捧げられた短編集。

北村薫著
スキップ

目覚めた時、17歳の一ノ瀬真理子は、25年を飛んで、42歳の桜木真理子になっていた。人生の時間の謎に果敢に挑む、強く輝く心を描く。

北村薫著
ターン

29歳の版画家真希は、夏の日の交通事故の瞬間を境に、同じ日をたった一人で、延々繰り返す。ターン。ターン。私はずっとこのまま？

菊地秀行著
死愁記

雨の降り続く町、蠟燭の灯るホテル——。世界の薄皮を一枚めくれば、妖しき者どもが姿を現す。恐怖、そして哀切。幻想ホラー集。

重松清著
舞姫通信

教えてほしいんです。私たちは、生きてなくちゃいけないんですか？　僕はその問いに答えられなかった——。教師と生徒と死の物語。

重松清著
見張り塔からずっと

3組の夫婦、3つの苦悩の果てに光は射すのか？　現代という街で、道に迷った私たち。新・山本周五郎賞受賞作家の家族小説集。

重松清著
ナイフ
坪田譲治文学賞受賞

ある日突然、クラスメイト全員が敵になる。私たちは、そんな世界に生を受けた——。五つの家族は、いじめとのたたかいを開始する。

屍鬼（三）

新潮文庫　お－37－5

平成十四年三月一日発行
平成十五年七月十五日七刷

著者　小野不由美

発行者　佐藤隆信

発行所　株式会社新潮社

郵便番号　一六二―八七一一
東京都新宿区矢来町七一
電話　編集部（〇三）三二六六―五四四〇
読者係（〇三）三二六六―五一一一

価格はカバーに表示してあります。

乱丁・落丁本は、ご面倒ですが小社読者係宛ご送付ください。送料小社負担にてお取替えいたします。

印刷・二光印刷株式会社　製本・憲専堂製本株式会社

ISBN4-10-124025-6 C0193